Communication et publicité

Claude Chevalier
Lilia Selhi

Martin Leblanc, consultant

Communication et publicité

gaëtan morin
éditeur

CHENELIÈRE ÉDUCATION

Communication et publicité

Claude Chevalier et Lilia Selhi

© 2006 gaëtan morin éditeur ltée

Éditeur : Sylvain Ménard
Éditrice adjointe : France Vandal
Coordination : Nadine Fortier
Révision linguistique : Jacques Audet
Correction d'épreuves : Michèle Levert
Conception graphique et infographie : Vert Lime

**Catalogage avant publication
de Bibliothèque et Archives Canada**

Chevalier, Claude U., 1955-

    Communication et publicité

    Comprend un index.

    Pour les étudiants du niveau collégial.

    ISBN 2-89105-940-9

    1. Publicité.   2. Médias.   3. Médias et publicité.   4. Études de
marché.   5. Publicité – Problèmes et exercices.   I. Selhi, Lilia,
1948-   . II. Titre.

HF5823.C43 2005   659.1   C2005-941562-2

**gaëtan morin
éditeur**

CHENELIÈRE ÉDUCATION

7001, boul. Saint-Laurent
Montréal (Québec)
Canada H2S 3E3
Téléphone : (514) 273-1066
Télécopieur : (514) 276-0324
info@cheneliere-education.ca

ISBN 2-89105-940-9

Dépôt légal : 1er trimestre 2006
Bibliothèque nationale du Québec
Bibliothèque et Archives Canada

Imprimé au Canada

2 3 4 5 ITM 12 11 10 09

Nous reconnaissons l'aide financière du gouvernement du Canada
par l'entremise du Programme d'aide au développement de l'industrie
de l'édition (PADIÉ) pour nos activités d'édition.

Chenelière Éducation remercie le gouvernement du Québec de
l'aide financière qu'il lui a accordée pour l'édition de cet ouvrage par
l'intermédiaire du Programme de crédit d'impôt pour l'édition de
livres (SODEC).

Dans cet ouvrage, le masculin est utilisé comme représentant des
deux sexes, sans discrimination à l'égard des hommes et des
femmes et dans le seul but d'alléger le texte.

Tableau de la couverture :
Souvenir de Provence
Œuvre de **Gilles Labranche**

Gilles Labranche est né à Montréal en 1947.
Il poursuit ses études en arts plastiques au
Canada et en Europe de 1964 à 1975. Il expose
par la suite, en solo ou en groupe, au Québec,
aux États-Unis et en France. Ses tableaux figurent dans de nombreuses collections publiques
et privées à travers le monde.

L'artiste travaille l'acrylique sur toile, privilégiant
les scènes de villes, dont il recrée l'atmosphère
et le quotidien.

Gilles Labranche expose notamment à la galerie
Le balcon d'art à Saint-Lambert.

DANGER

LE
PHOTOCOPILLAGE
TUE LE LIVRE

REMERCIEMENTS

Ouf ! C'est fait !

Le produit fini que vous tenez entre vos mains est le fruit des efforts concertés et du travail de plusieurs. Nous désirons remercier sincèrement les personnes suivantes pour leur participation, sous plusieurs formes, à la réalisation de ce livre :

- madame Nathalie Zinger, directrice générale d'Héritage Montréal, pour les publicités et les instructions de campagne (*brief* de communication) ;
- madame Véronique Lettre, de Cossette Communication Marketing, pour les *briefs* de communication ;
- madame Louise Germain, conseillère ressources humaines chez Cossette Communication Marketing, pour les données concernant les différents services de l'agence ;
- madame Josée Lapierre, pour la rédaction du cas sur la dénormalisation de l'industrie du tabac ;
- monsieur Dominic Girard pour la grille d'évaluation des sites Web ;
- monsieur Michel Corriveau, Directeur Tarification et gestion de l'inventaire et recherche chez TVA Ventes et Marketing, pour les tarifs publicitaires ;
- monsieur Alain Bergeron, Ventes/Marketing et Mise en marché à la Société Radio-Canada, pour les tarifs publicitaires ;
- messieurs Jean-Marc Léger et Serge Lafrance, de Léger Marketing, pour la carte sociométrique ;
- tous les annonceurs qui nous ont permis de reproduire leurs annonces dans ces pages.

Nous désirons aussi remercier notre collaborateur Martin Leblanc, professeur au cégep de Saint-Jean-sur-Richelieu, pour les commentaires toujours justes et pertinents qu'il nous a fournis tout au long de la rédaction. D'autres professeurs du réseau ont apporté leurs commentaires lors de l'élaboration de cet ouvrage et nous les en remercions ; Marie-Josée LaRue, du Cégep de Sainte-Foy, Gilbert Brisset, du Collège de Maisonneuve ainsi que Pierre Denis, du Collège Montmorency.

L'équipe de Chenelière Éducation est une équipe dans le sens le plus fort du terme ! Merci à Sylvain Ménard, à France Vandal, à Mélanie Bergeron, à Nadine Fortier, à tous ceux qui accomplissent dans l'ombre un travail indispensable, et un merci tout spécial à l'équipe des ventes sans qui cet ouvrage resterait sur les tablettes.

Enfin, merci aux membres de nos familles et à nos amis qui ont été compréhensifs chaque fois que nous leur avons répondu : « Non, pas ce soir, je dois travailler sur mon projet de livre ! »

Les auteurs

INTRODUCTION

À six heures du matin, votre radio-réveil vous fait entendre une annonce de Brault & Martineau ; dans l'autobus, on vous souhaite une bonne journée sur une affiche de Pepsi ; à votre arrivée au collège, une publicité de Volkswagen placée dans les toilettes affirme que « la puissance est entre vos mains ». Tous les jours, vous êtes bombardé de messages d'entreprises désireuses de vous offrir leurs produits. Non seulement les annonces tapissent les véhicules de transport en commun, mais de la publicité a aussi été placée sur les fusées spatiales.

Il existe même des émissions de télévision portant sur la publicité, et, sur toute la planète, les files d'attente des cinémas s'allongent lorsqu'on y présente les meilleurs films publicitaires sélectionnés à Cannes ou lors de la Nuit des Publivores. Les budgets consacrés à chaque seconde de publicité sont de plus en plus faramineux. Il en résulte de beaux « films », réalisés par de grands réalisateurs connus, mais aussi, trop souvent, un travail d'amateur qui donne une publicité qui nous agresse. La publicité est devenue un spectacle et elle convient parfaitement aux dernières générations nées au son des vidéoclips.

Plusieurs recherches avancent que nous sommes exposés à plus de mille messages commerciaux dans une seule journée. Qu'on la considère comme une ritournelle insipide, qu'on la trouve géniale ou qu'on la zappe, nul n'échappe à la publicité. Certains dénoncent d'ailleurs son omniprésence.

Efficace dans bien des cas, la communication commerciale de masse peut aussi se retourner contre le produit et même participer à la disparition d'une marque, comme dans le cas de la bière rousse lancée par la brasserie O'Keefe, avec un message présentant Rose Ouellette (La Poune) qui affirmait : « La Rousse est douce. » En 1993, pour mousser le film *Last action hero* d'Arnold Schwarzenegger, on plaça pour la première fois de la publicité sur la navette spatiale, mais le film connut un échec retentissant. Mais était-ce à cause de la publicité sur la navette ou plutôt de la qualité du film lui-même ? Quoi qu'il en soit, un coup spectaculaire comme annoncer sur une navette n'a pas réussi à attirer les spectateurs en salle.

Une force économique certaine

Les dépenses en matière de communication commerciale frisent les 1,4 milliard de dollars au Québec et représentent une partie importante du PIB. La communication commerciale constitue donc une force économique importante et ce secteur emploie plusieurs milliers de personnes au Québec. Des gens de domaines très variés touchent un jour ou l'autre à la publicité, que ce soient des imprimeurs, des photographes, des graphistes, des comédiens, des musiciens, des réalisateurs ou même des menuisiers. À elles seules, les agences de communication emploient plusieurs centaines de travailleurs.

Même si on l'accuse souvent d'augmenter les coûts des produits, la communication commerciale ne représente, selon les produits, qu'une fraction du prix total et parfois bien moins que les taxes !

Un aperçu des chapitres

Le premier chapitre est l'occasion d'exposer brièvement l'historique de la communication commerciale au Québec et de situer la communication dans un cadre plus général. Au chapitre 2, nous présentons la communication commerciale en relation avec le marketing, ainsi que les différents moyens de communication. Toute communication, particulièrement celle de masse, doit être conçue sur la base d'une bonne connaissance du récepteur du message. Le chapitre 3 porte sur le comportement du consommateur et sur les tendances de consommation propres à différents groupes de la population.

La structure des agences de communication est expliquée au chapitre 4, ainsi que les différents emplois dans les agences, les tâches et les exigences qui leur sont associées. D'autre part, l'annonceur cherche à vérifier si son message est bien perçu par le groupe cible et s'il répond correctement à l'objectif qu'il s'est fixé, et ce, autant avant sa diffusion dans les médias qu'après. À ce sujet, le chapitre 5 présente la recherche commerciale, et tout particulièrement la recherche associée à la communication commerciale et aux médias. Trouver de bonnes idées est peut-être la tâche la plus difficile en communication commerciale. Le chapitre 6 explique donc différentes techniques de création, après avoir décrit les étapes de la planification de la campagne.

La disposition dans l'espace disponible, le choix des couleurs et la symbolique des images sont abordés au chapitre 7, consacré à la création d'annonces imprimées de qualité. Le chapitre 8 décrit les avantages et les inconvénients pour un annonceur dans différents médias imprimés. Quant au chapitre 9, il porte sur la création d'un message électronique, sur les tendances actuelles pour ce type de message et sur Internet, auquel nous accordons toute l'importance que ce nouveau média mérite.

Le chapitre 10 présente les médias électroniques, dont Internet, en indiquant les avantages et les inconvénients pour un annonceur de chacun de ces médias. Le chapitre 11 permet au lecteur d'apprendre la façon de déterminer un budget de communication commerciale et les différentes méthodes de répartition, tant dans les médias que sur une période de temps donnée. Finalement, le chapitre 12 expose les enjeux éthiques et les différentes législations auxquelles la communication commerciale est soumise.

Cet ouvrage s'adresse à toute personne intéressée par la communication commerciale. L'approche qui y est privilégiée est de présenter les connaissances de façon concrète, dans le cadre de situations réelles ; d'ailleurs, chaque chapitre se termine par plusieurs exercices pratiques. Toutes les personnes intéressées par la communication commerciale, et plus particulièrement les étudiants de programmes dont l'une ou plusieurs compétences sont liées à la communication, peuvent trouver dans ce livre les informations nécessaires à la planification et à l'élaboration d'une campagne de communication commerciale.

Bonne lecture !

Les auteurs

TABLE DES MATIÈRES

INTRODUCTION À LA COMMUNICATION DE MASSE

« *Dans chaque pays occidental, ce pactole [les dépenses en publicité] équivaut à 1 % du PNB, soit le budget moyen alloué aux ministères de la Culture... Il faut ajouter à ces sommes gigantesques toutes celles investies dans [...] la promotion dans les salons, les relations publiques, les foires, les catalogues, [...] qui drainent des masses équivalentes.*

« *Forte de ce financement colossal, la pub tapisse désormais chaque coin de rue, chaque place historique, chaque square, les arrêts de bus, le métro, les aéroports, les gares, les journaux, les cafés, les pharmacies, les plages, les sports, les vêtements, jusqu'aux empreintes des semelles de nos chaussures, tout notre univers, toute la planète ! Impossible de faire un pas, d'ouvrir une radio, un poste, un journal, sans tomber sur mama pub. Elle est partout. C'est Big Brother, toujours souriant [1].* »

INTRODUCTION

L'extrait présenté en exergue, écrit par Toscani, le très controversé concepteur des publicités de Benetton des années 1990, illustre bien l'importance qu'occupe, sous ses différentes formes, la communication de masse dans notre société de consommation. La communication de masse n'est toutefois pas un phénomène récent. En effet, depuis que les échanges commerciaux existent (même sous forme de troc), la communication y a joué un rôle essentiel : palabres, négociations, argumentation, et surtout échange d'informations sur le produit en question. Dès qu'il y a commerce, il y a communication commerciale puisque celle-ci consiste à donner de l'information sur un produit ou un service à vendre. Les scènes de chasse abondent dans les fresques rupestres que nous ont léguées les hommes des cavernes ; ceux qui peignaient voulaient-il annoncer qu'ils étaient de bons chasseurs ? Dans la Grèce antique, on annonçait les combats en peignant sur les murs les événements à venir. On a aussi découvert sur les murs des ruines de Pompéi des illustrations annonçant divers événements. Quelle que soit l'époque, le consommateur qui veut acheter a besoin d'informations, et la publicité, tout comme les autres éléments de la communication de masse, en est une source incontournable. D'ailleurs, le mot « publicité », qui est apparu dans la langue française à la fin du XVIIe siècle, désignait à l'origine les activités consistant à « rendre public », c'est-à-dire à « faire savoir ».

D'autre part, il est essentiel, dans un ouvrage traitant de la communication de masse, de situer le cadre épistémologique de la communication en général. Nous présentons dans ce premier chapitre des modèles de communication qui permettent de bien situer les différents intervenants de ce processus. Une fois le rôle de ces intervenants compris, il est plus facile de choisir les formes de langage qui peuvent les atteindre efficacement.

---

1. TOSCANI, Oliviero. *La Pub est une charogne qui nous sourit*, Paris, Éditions Hoebeke, 1995, p. 18.

1.1 SURVOL HISTORIQUE DE LA COMMUNICATION DE MASSE AU CANADA

1.1.1 Les journaux

En 1764, le premier journal à paraître au Québec a été *La Gazette de Québec*. Une feuille de papier a été publiée le 21 juin, dont une partie est en anglais et l'autre en français. La figure 1.1 présente une reproduction de ce journal où on annonce que le chargement complet d'un bateau arrivé de Londres est à vendre.

Le texte annonce la vente de coton imprimé, de souliers, de chapeaux, de poêles à frire et de bien d'autres objets hétéroclites. La partie anglaise du texte occupe le haut du feuillet et la version française est située dans la partie inférieure. À l'époque tout était traduit, y compris le nom du vendeur ! Ainsi, John Baird est devenu Jean Baird ! On peut se demander si on serait allé jusqu'à traduire, par exemple, John White par Jean Blanc ! Cette annonce est composée uniquement de texte, elle ne comporte aucune illustration, le seul élément visuel étant les armoiries du journal. À cette époque, c'est-à-dire bien avant l'existence des agences de communication, c'était à l'annonceur qu'incombait la tâche de concevoir l'annonce et d'acheter par la suite de l'espace dans un journal pour le publier.

Jusqu'au début des années 1900, toutes les annonces publicitaires paraissant en français au Québec étaient traduites mot à mot à partir de l'anglais. Les rédacteurs publicitaires étaient choisis parmi ceux qui écrivaient correctement. Comme les activités commerciales étaient surtout le fait des Canadiens anglais, toute la documentation relative aux affaires, y compris la publicité, était traduite de l'anglais au français. De plus, à cette époque, on ne se préoccupait pas de la mise en page, on en ignorait même les principes. Dans les meilleurs des cas, les annonces étaient rehaussées d'une illustration faite à la main. La publicité

Figure 1.1

Le premier journal, *La Gazette de Québec*.

Source : Journal *La Gazette de Québec*/Socami.

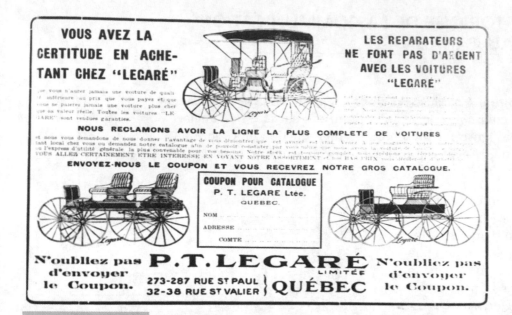

Figure 1.2
Une publicité datant du début du siècle.

de P.T. Légaré, reproduite à la figure 1.2, en est un exemple représentatif.

Le coupon à remplir et à envoyer pour obtenir un catalogue est placé en plein centre de l'annonce, ce qui le rend difficile à découper. De plus, dans le coin supérieur gauche, le mot « achetant » est scindé par un trait d'union, ce qui est inacceptable selon les normes actuelles de mise en page publicitaire. On constate que la mise en page est plutôt rudimentaire : les trois illustrations sont disposées de façon symétrique[2], une à chacun des deux côtés inférieurs de part et d'autre du coupon à découper, et la troisième est centrée au-dessus. Ces dessins constituent les extrémités d'un triangle autour duquel le texte a été réparti. Les éléments ont été placés sur la page sans autre considération que celle de bien la remplir. En général, les premières publicités imprimées avaient tendance à être assez verbeuses, privilégiant le texte au détriment de l'effet visuel. Il est intéressant de noter que, dans la publicité imprimée actuelle, les éléments visuels ont priorité sur le texte.

La première agence de publicité au Québec a été fondée par Anson McKim. Le journal *The Mail*, qui a plus tard été fusionné avec le journal *The Globe* pour former le journal qui porte encore aujourd'hui le nom de *Globe & Mail*, a à l'époque délégué McKim à Montréal pour vendre de l'espace publicitaire dans le journal. À son arrivée à Montréal, McKim s'est mis à vendre comme convenu de l'espace publicitaire pour le journal *The Mail*. Plusieurs de ses nouveaux clients montréalais lui ont suggéré de vendre de l'espace publicitaire pour d'autres quotidiens aussi. Il a alors réalisé qu'il lui serait en effet plus profitable de vendre de l'espace dans tous les journaux et non uniquement pour un seul journal. Il a donc fondé en 1889 la première agence de publicité, la A. McKim Newspaper Agency, ce qui lui a permis de servir d'intermédiaire entre les annonceurs et les journaux. À cette époque, la seule fonction des agences de publicité était de vendre de l'espace publicitaire dans les journaux, les annonceurs se chargeant eux-mêmes de la conception de leur message publicitaire, dont la rédaction du texte et la production des illustrations.

Le journal *La Presse* quant à lui a paru pour la première fois en 1884, et Henri Bourassa a fondé *Le Devoir* en 1910. À cette époque encore, tous les textes

---

2. La façon de disposer les différents éléments visuels dans la publicité imprimée est présentée au chapitre 7, portant sur la création pour l'imprimé.

publicitaires étaient d'abord conçus en anglais, puis traduits en français. Les grands magasins d'alors, soit les détaillants Eaton's, Morgan's et Simpson's, étaient les principaux annonceurs au Québec. Ces entreprises importantes possédaient leur propre service de publicité qui employaient des rédacteurs et des illustrateurs. À cette époque, c'était l'espace disponible dans le journal qui déterminait avant tout la disposition du texte et de l'illustration ! Et il arrivait que ces publicités soient imprimées dans les deux langues, même si elles étaient destinées à paraître dans les journaux francophones.

Comme les rédacteurs de publicité en français étaient souvent, à l'époque, des anglophones maîtrisant peu la langue française, les erreurs de traduction étaient courantes durant ces années ; certains slogans particulièrement cocasses de l'époque sont devenus célèbres : « lavement d'auto » pour *car wash* ; « n'allez pas au lit avec un froid » comme équivalent de l'anglais *don't go to bed with a cold* ; l'expression *3 times per annum* qui devient sous la loupe des traducteurs « 3 fois par voie rectale » ; ou encore le savoureux « dimanche à la pomme de pin » pour désigner un *sundae* à l'ananas [3].

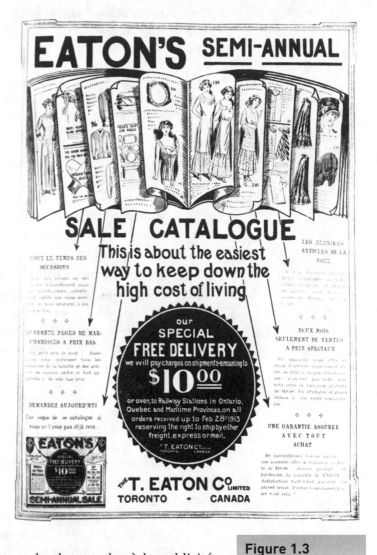

Figure 1.3
Une annonce parue en 1917 dans *Le journal de l'agriculteur et de l'horticulture*.

Malgré ces ratés, les entreprises ont eu recours de plus en plus à la publicité pour faire connaître leurs produits ou services. Elles se sont rendu compte qu'il existe un lien réel entre les montants investis dans la communication de masse et la hausse de leur chiffre d'affaires. En 1910, Coca Cola, dont la marchandise était alors considérée comme un produit pharmaceutique, consacrait déjà 1,2 million de dollars à la publicité, et en 1928 elle a associé son nom aux Jeux olympiques d'Amsterdam, marqués par l'innovation à plus d'un titre : ce partenariat inaugurait une nouvelle stratégie de communication de masse, qui s'est développée par la suite sous le nom de commandite, et ces Jeux ont été les premiers à accepter des athlètes féminines en compétition officielle.

À cette époque, les grandes agences américaines ont ouvert des bureaux à Montréal. Par exemple, J. Walter Thompson a inauguré son bureau montréalais en 1911 ; en 1934, c'était au tour de Young & Rubicam, dont le nom actuel est Saint-Jacques Vallée Young & Rubicam.

---

3. « Ananas » se dit *pineapple* en anglais.

C'est aussi à cette époque qu'on a commencé à rédiger les publicités directement en français. Cette pratique n'était pas encore répandue, mais certains annonceurs délaissaient la traduction mot à mot de messages rédigés en anglais et confiaient plutôt à des agences la rédaction en français de textes publicitaires originaux. Le rôle des agences commençait donc à s'élargir pour englober, outre la traduction, les services de production des annonces et la planification des médias.

Au début du siècle, les journaux se sont multipliés. À cette époque, les quotidiens constituaient la seule source d'information : on lisait le journal pour connaître la nouvelle du jour. *La Presse* publiait son édition quotidienne en après-midi. Certains quotidiens similaires ont fini par se regrouper, tandis que les publications dont les contenus étaient les plus spécialisés annonçaient l'ère des magazines.

1.1.2 La radio et la télévision

En 1918, Marconi a installé un studio expérimental à Montréal, studio qui devient par la suite la première station de radiodiffusion au monde, CFCF. En 1922, c'est au tour de CKAC, alors propriété de *La Presse*, d'entrer en ondes, devenant ainsi la première station de radio francophone au monde. Pendant sept ans, ses émissions ont été bilingues ; CKAC relayait alors le contenu d'émissions diffusées par la station CBS des États-Unis, meublant de cette façon jusqu'à 20 % de son temps d'antenne.

Alors que les Américains avaient déjà adopté les capsules publicitaires de 30 secondes, au Québec les stations de radio diffusaient encore en direct les messages commerciaux, sous forme de commandite ; par exemple, l'animateur radio présentait « les nouvelles Molson » ou commentait « le hockey présenté par Imperial Oil ». Dans ces commandites, aucune information sur le produit n'était donnée, seul le nom de l'annonceur était transmis. En raison de la popularité de ce nouveau média, une multitude de stations de radio ont vu le jour, à tel point que même le grand magasin de détail francophone Dupuis frères, situé sur la rue Sainte-Catherine Est à Montréal, a possédé pendant 12 mois sa propre station radio.

Alors qu'il recevait à son émission Ovila Légaré[4], la grande vedette du milieu artistique de l'époque, un animateur radio lui a demandé en direct sur les ondes où il s'était procuré son nouveau chapeau, ce à quoi Ovila Légaré a répondu : « Chez Michaud, naturellement, c'est le seul bon chapelier en ville. » Le lendemain, une foule attendait devant les portes du chapelier Michaud. Pour la première fois, le message véhiculait de l'information sur le produit (contrairement à la simple commandite). La réussite du message a poussé Michaud à signer un contrat publicitaire radiophonique. On venait, au Québec, d'inaugurer une forme de publicité radio où on transmettait, en plus du nom de l'annonceur, des caractéristiques du produit en vente. Dans les premiers temps de la publicité radio, le présentateur lisait en direct un texte écrit par un rédacteur.

---

4. ALLARD, Jean Marie. *La Pub. 30 ans de publicité au Québec*, Montréal, Libre Expression, 1989, p. 29.

Les radioromans sont devenus rapidement des émissions populaires. Ces feuilletons radiophoniques, tout comme les téléromans actuels, racontaient une histoire qui se prolongeait sur plusieurs épisodes. Le rôle du bruiteur était alors essentiel : pour soutenir l'effort d'imagination des auditeurs et rendre ainsi l'histoire plus réaliste, il devait créer une ambiance sonore en reproduisant, par exemple, le bruit d'une porte qui claque. Le bruiteur devait parfois faire preuve d'une immense imagination, comme marcher sur des céréales pour simuler des bruits de pas dans la forêt. En ce qui concerne les messages publicitaires eux-mêmes, la plupart étaient encore traduits mot à mot à partir de messages conçus en anglais, ce qui faisait vivre les traducteurs, qu'on rémunérait d'ailleurs au mot.

La Seconde Guerre mondiale a marqué un tournant décisif dans plusieurs domaines au Québec ; la publicité n'y a pas fait exception. En effet, cette tragédie a profité aux agences québécoises qui ont reçu des Forces armées canadiennes le mandat de produire des publicités de recrutement pour inciter les Canadiens français à aller au front. À la fin de la guerre, plusieurs agences ont créé des publicités pour les Bons de la victoire, qu'on a par la suite appelés Obligations d'épargne du Canada.

C'est en 1932 que la télévision a fait son apparition aux États-Unis. Il a fallu attendre près de 20 ans, soit jusqu'en 1952, pour qu'entre en ondes la première station de télévision au Canada. C'est à Montréal que cet événement a eu lieu : Radio-Canada y a diffusé pour la première fois de son histoire, soit deux jours avant la première émission à Toronto. À cette époque, Radio-Canada ne diffusait que trois heures par jour, en soirée. La programmation était alors constituée essentiellement de films américains traduits en France et de films français.

L'année 1953 a vu le premier grand succès de la télévision francophone avec une émission créée et produite par des artisans locaux, soit *La famille Plouffe*, écrite par Roger Lemelin. Cette émission était à l'origine un radioroman populaire ; son adaptation pour la télévision a été rendue possible grâce à la commandite du fabricant de cigarettes Players. Dès le premier jour de sa télédiffusion, le 4 novembre 1953, cette émission a obtenu un immense succès populaire. L'anecdote suivante permet de bien situer l'époque. André Laurendeau animait alors l'émission d'affaires publiques *Pays et Merveilles*, programmée entre *La famille Plouffe* et la diffusion de la lutte ; cette dernière était tellement populaire que la Ville de Montréal était intervenue auprès de Radio-Canada afin que des modifications soient apportées à sa grille de programmation, car trop de personnes prenaient leur bain en même temps, soit pendant l'émission *Pays et Merveilles*, afin de pouvoir écouter la lutte en toute quiétude !

Tout comme les émissions de radio, plusieurs émissions de télévision étaient commanditées : le mercredi soir, la lutte était commanditée par la bière Dow, et la compagnie Imperial Oil (devenue Esso) présentait le hockey du samedi soir, une autre émission dont la popularité atteignait des records. Les messages publicitaires commençaient à refléter un certain effort de créativité, comme le célèbre slogan de la brasserie Dow, disparue depuis : « Dites donc Dow ». En 1954, un message commercial se vendait 30 $ la minute[5].

---

5. ALLARD. *Op. cit.*, p. 44.

En 1959, Jacques Bouchard a fondé le Publicité Club de Montréal dont nous expliquons en détail le rôle au chapitre 5, qui porte sur l'organisation des entreprises de communication.

De leur côté, les chaînes de télévision américaines programmaient l'après-midi des téléromans qui rejoignaient un public presque exclusivement composé de femmes au foyer. Ce sont donc les grandes marques de lessive telles que Tide, Ivory et Sun Light qui commanditaient ces feuilletons, d'où l'expression anglaise *soap opera* ou *soap* pour désigner ce genre de production télévisuelle.

Pour les annonces publicitaires diffusées pendant les téléromans, on choisissait souvent comme porte-parole le comédien vedette du téléroman en ondes qui, sans changer de décor, vantait le produit annoncé en direct, ce qui à l'occasion engendrait des incidents cocasses pour le commun des mortels, mais dramatiques pour les annonceurs. Par exemple, un comédien s'est étouffé en buvant du Coke, un autre a toussé en fumant une cigarette Player's, de la crème glacée a fondu sous la chaleur imposante des projecteurs et des tranches de fromage se sont liquéfiées[6]. Les annonceurs et les diffuseurs ont fini par changer la formule et enregistrer les messages publicitaires à l'avance.

Il a fallu attendre vingt ans après les débuts de la radio pour que le pourcentage des Québécois possédant leur poste de radio soit de 70 %, alors que, pour la télévision, dix ans ont suffi pour qu'on atteigne un taux de pénétration de 80 %. À titre de comparaison, il faudra bien plus de 10 ans pour que le taux d'utilisateurs d'Internet atteigne les 80 %, si le rythme actuel se maintient. D'ailleurs, en 1959, le nombre de foyers québécois équipés d'un téléviseur était supérieur au nombre de ceux qui possédaient un chauffe-eau[7]. Il était plus important de pouvoir regarder la télévision que d'avoir de l'eau chaude à volonté, puisqu'on pouvait chauffer l'eau sur la cuisinière.

En 1960, Alexandre De Sève, distributeur de France Films, a demandé et obtenu une licence pour exploiter une deuxième chaîne de télévision francophone, Télé-Métropole. Les Québécois, tant francophones qu'anglophones, ont donc dû attendre huit ans avant de pouvoir choisir un deuxième diffuseur ; en effet, de 1952 à 1961, il n'existait qu'un seul diffuseur, la télévision d'État, Radio-Canada en français et son équivalent en anglais, CBC. En 1961, CTV, chaîne anglophone, a commencé à diffuser ses premières émissions.

Du côté des agences de publicité, Jacques Bouchard et ses deux associés, Champagne et Pelletier, ont fondé en 1963 BCP, qui était alors la plus importante agence de publicité francophone. Devant un auditoire torontois, Bouchard a créé le concept des lits jumeaux. Il a demandé aux annonceurs du Canada

---

6. ALLARD. *Op. cit.*, p. 46.

7. DESAULNIERS, Jean-Pierre. *De la famille Plouffe à la Petite vie — Les Québécois et leurs téléromans*, Montréal, Les Éditions Fides, 1996, p.11.

anglais de créer deux publicités, l'une pour le Canada anglais et une autre spécifiquement conçue pour le marché québécois. Bouchard est le précurseur de la bataille des agences québécoises pour des publicités conçues expressément pour la culture québécoise. À la même époque, en 1964, Pierre Péladeau, alors propriétaire de quelques hebdomadaires montréalais, a profité d'une grève au quotidien *La Presse* et a lancé le *Journal de Montréal*.

Le premier grand succès de Télé-Métropole a été *Cré Basile*, en 1965. Olivier Guimond y campait un personnage bien typé, représentatif de l'ouvrier montréalais. L'émission avait été considérée comme trop vulgaire par Radio-Canada, qui avait pourtant riposté avec *Moi et l'autre* en 1966. Cette émission mettait en vedette deux femmes vivant ensemble en appartement, ce qui pouvait choquer à cette époque où les mœurs étaient plus puritaines.

En 1966, les premières émissions couleur ont fait leur apparition à la télévision. En 1967, la radio FM est entrée en ondes et en 1968 la plupart des émissions n'étaient plus commanditées. Les annonceurs devaient donc placer des capsules publicitaires de 30 secondes durant les pauses publicitaires prévues à cette fin.

En 1969, Claude Cossette a fondé à Québec, Cossette Associés Groupe de Communication, qui est devenu en 1972 Cossette Communications Marketing. Cette agence a connu de nombreux succès. Elle a entre autres créé de toutes pièces le mot *Chnac*, accolé à la Renault 5, voiture alors très populaire. C'est aussi cette agence qui a créé le concept de la carte soleil pour le ministère de la Santé et des Services sociaux du Québec : la photographie d'un resplendissant coucher de soleil sur la carte d'assurance-maladie véhicule un message d'espoir à ceux qui sont atteints d'une maladie.

En 1968, le premier ministre du Québec a annoncé la mise en ondes de la chaîne de télévision éducative Radio-Québec, qui est devenue Télé-Québec en 1996. Le gouvernement du Québec a autorisé en 1974 cette station à diffuser directement sa programmation sur les ondes à haute fréquence, à Montréal et à Québec. Jusque-là, seuls les abonnés du câble des régions de Montréal et de Québec, fort peu nombreux à l'époque, avaient accès à cette programmation. Très vite y sont apparues des commandites de prestige, telles que celle pour l'émission *Le cinéma Alcan*. Quelques années plus tard, cette station a commencé à diffuser à son tour des messages publicitaires.

1.2 L'ÉVOLUTION DU DISCOURS DANS LA COMMUNICATION PERSUASIVE DE MASSE

Le discours commercial a beaucoup évolué pendant les périodes dont il vient d'être question. Comme nous l'avons mentionné, lors de l'arrivée des médias électroniques et des premiers balbutiements de la communication de masse, l'annonceur se contentait de signaler l'existence du produit : seul le nom du commanditaire était nommé. Il était question, par exemple du « hockey Esso ».

Lors de la deuxième phase, qui a commencé dans les années 1960, l'annonceur mettait plutôt l'accent sur les caractéristiques principales du produit offert. Durant cette période, le message soulignait donc les attributs principaux du produit.

On a aussi commencé, dans certaines publicités, à ne plus se limiter aux attributs du produit et à aborder aussi ses avantages pour le consommateur, ce qu'il peut lui apporter, ce qu'il lui promet. Toujours dans la deuxième phase, le développement du marketing moderne a fait qu'on s'est intéressé au style de vie du consommateur, à ses valeurs. Citons comme exemple de cette période : « Provigo au cœur du quotidien ». Dans cet exemple, l'annonceur a cherché à se coller à la réalité du consommateur, à ses intérêts.

Aujourd'hui, l'annonceur cherche à rapprocher le produit du consommateur, à créer une symbiose entre la marque et le consommateur, comme dans : « Êtes-vous fait pour Volkswagen ? » Dans cet exemple, l'annonceur cherche à associer sa marque et le consommateur, et à montrer qu'ils forment un tout.

Les tendances qui se dessinent pour l'avenir laissent prévoir que les consommateurs continueront d'évoluer et de se singulariser, et que les frontières entre les pays seront de moins en moins un obstacle à la circulation des personnes, des marchandises, des services et des idées. La communication de masse aura comme défi, dans l'avenir, de faire face à la fragmentation des marchés et à la mondialisation, et de réconcilier ces deux tendances contradictoires.

1.3 UN CADRE THÉORIQUE AU PROCESSUS DE COMMUNICATION[8]

La communication englobe toutes les formes d'interaction entre les personnes. C'est par la communication que nous entretenons des relations avec ceux qui nous entourent.

Pour sa part, la communication de masse englobe les activités de communications destinées à de grands groupes, entre autres celles transmises par les médias, comme les messages publicitaires. La communication commerciale fait partie de la communication de masse ; elle s'adresse à plusieurs personnes à la fois dans le but soit de leur transmettre de l'information, soit de les inciter à acheter un produit ou un service, soit de les convaincre d'adopter un comportement, comme dans le cas de la publicité sociétale dont il est question au chapitre 12.

Les premiers modèles de la communication représentaient celle-ci de façon linéaire ou télégraphique. Dans ces modèles, on définissait la communication comme la transmission d'informations d'un pôle vers un autre. Au cours des années 1940, une firme américaine œuvrant dans le secteur de la téléphonie a demandé à deux chercheurs, Shannon et Weaver, de créer un modèle de communication qui permettrait de tenir compte de tous les intervenants. Ce

---

8. CHEVALIER, Claude et Lilia SELHI. *Communiquer pour mieux interagir en affaires*, Montréal, Gaëtan Morin Éditeur, 2004, p. 50-55.

Figure 1.4 **Un modèle du processus de communication**

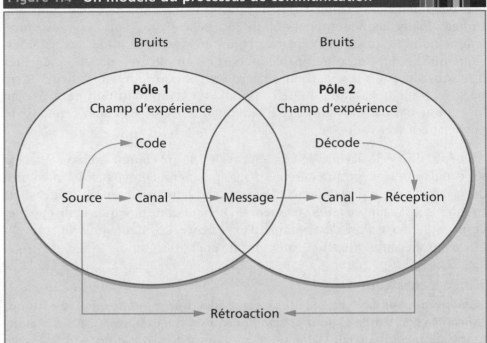

modèle schématique, qui présente la communication sous la forme suivante : « source È canal È message È récepteur », a été par la suite développé pour inclure, entre autres, le contexte dans lequel se produit la communication.

Plus tard, d'autres modèles de communication ont représenté les intervenants de la communication par des pôles et ont permis de tenir compte du fait que chacun dispose d'un champ de connaissances particulier.

Le modèle de Shannon et Weaver repose sur l'hypothèse que, pour qu'une communication soit efficace, les interlocuteurs doivent être sur la même longueur d'onde, c'est-à-dire qu'ils doivent partager le même champ de connaissances (ou champ d'expérience).

De nos jours, la communication est considérée comme un processus continu et dynamique où il y a un véritable échange et une mise en relation entre deux pôles plutôt qu'entre deux individus uniques. Le modèle présenté à la figure 1.4 est un exemple de cette façon de concevoir la communication. C'est à partir de ce modèle que nous exposons les différents éléments du processus de la communication. Dans les paragraphes suivants, nous analysons chacun des principaux éléments du processus de communication à partir du contexte de la communication commerciale.

1.3.1 Le champ d'expérience

La communication se produit toujours à l'intersection de champs d'expérience conjoints. Pour pouvoir communiquer, les personnes doivent partager une langue commune, un bagage culturel commun. C'est pourquoi il arrive qu'un type d'humour ou des propos bien précis soient totalement incompris par un groupe appartenant à une culture différente de celle à qui est destiné un message publicitaire. Oliviero Toscani[9] raconte que l'affiche de la campagne United Colors de Benetton montrant un bébé blanc dans les bras d'une femme noire fut jugée raciste par certaines organisations noires américaines, alors qu'elle fut interdite, parce que trop antiraciste, par les autorités d'Afrique du Sud où sévissaient encore les politiques de l'apartheid ! Il est possible que l'exportation d'une campagne de communication de masse ne fonctionne pas dans certains cas, d'où l'importance de très bien connaître le public auquel on s'adresse.

Au début du siècle dernier, le vendeur avait une très bonne connaissance de ses clients ; ainsi, le propriétaire du magasin général connaissait les membres de la famille de tous ses clients, il connaissait leurs préférences, voire, dans certains cas, la taille de leurs vêtements ! On peut donc dire qu'à cette époque, l'espace d'intersection des champs d'expérience des deux intervenants du processus de communication commerciale était plus grand.

1.3.2 L'émetteur

L'émetteur est le pôle du sujet qui a une idée à transmettre, et c'est lui qui choisit le code à utiliser pour acheminer son message. Dans le cas de la communication commerciale, l'émetteur est l'annonceur qui diffuse un message publicitaire.

1.3.3 Le codage

L'activité du codage consiste à produire un message au moyen de codes. Une annonce publicitaire peut prendre la forme d'un message parlé, d'un message écrit, d'images ou d'une combinaison de ces formes, comme dans le cas d'une publicité télévisée. Puisque le champ d'expérience du groupe à qui s'adresse le message est en principe bien défini, comme nous l'avons déjà expliqué, l'annonceur doit choisir des mots, des images qui touchent cette cible. Par exemple, l'annonceur choisit des paroles ou un type d'humour en fonction du groupe cible qu'il vise et de son bagage culturel.

1.3.4 Le récepteur

Le récepteur est le pôle du sujet qui reçoit et décode le message ; ce sujet peut être celui à qui s'adresse l'émetteur ou encore un tiers capable de décoder le message. Dans le cas de la communication commerciale de masse, le message s'adresse au groupe cible défini par l'annonceur. Cette notion de groupe cible, ou segment de la population, est présentée en détail au chapitre 2. Notons déjà qu'il est possible, bien entendu, qu'une personne n'appartenant pas au groupe cible puisse décoder le message.

1.3.5 Le décodage

Le processus de décodage inclut la réception et l'interprétation du message par le récepteur. Pour décoder un message quelconque, le récepteur doit accomplir l'une ou plusieurs des actions suivantes : écouter, lire, regarder, etc.

---

9. TOSCANI. *Op. cit.*, p. 46-48.

Le champ d'expérience et les références culturelles influencent grandement le décodage. Par exemple, un Français de passage au Québec qui verrait un écriteau indiquant :

VENTE DE BIÈRE D'ÉPINETTE

pourrait comprendre que l'établissement où est situé cet écriteau vend des cercueils fabriqués en bois d'épinette. De toute évidence, la connaissance d'une langue n'implique pas nécessairement qu'on soit capable d'en décoder tous les messages, et ce, quel que soit le type de communication, y compris la communication de masse.

1.3.6 Le message et le canal

Le message transmis par l'annonceur renferme un objectif de communication qui est par la suite traduit sous forme d'axe de communication[10]. Un message est acheminé au moyen de canaux de communication, appelés médias de communication. Les médias de communication tels la radio, la télévision ou les journaux permettent de transmettre le message de l'annonceur vers le public cible. L'annonceur doit choisir un média de communication qui soit approprié à son type de message, à son budget et à la cible qu'il veut toucher. Au chapitre 8, portant sur les médias imprimés, et au chapitre 10, portant sur les médias électroniques, nous expliquons les particularités de chacun des médias et présentons leurs avantages et leurs inconvénients respectifs.

1.3.7 Les bruits

Les bruits sont des interférences à la communication qui empêchent souvent le message d'être bien compris. Par exemple, pour une communication publicitaire, les bruits peuvent être un brouillage des ondes télévisées ou des erreurs d'impression d'une publicité imprimée. Une critique défavorable constitue également un bruit qui interfère dans l'effort de communication d'un restaurateur avec sa clientèle. L'abondance des commentaires au Québec qui ont suivi la décision, en 2005, de la compagnie Wal-Mart de fermer son magasin de Jonquière a certainement interféré dans le processus de communication de cette entreprise.

L'état d'esprit du récepteur peut aussi constituer un bruit ; par exemple, la fatigue ou le manque de concentration peuvent l'empêcher de bien décoder le message. D'autre part, une importante campagne de publicité réalisée par un annonceur concurrent peut aussi constituer un bruit, car elle perturbe le décodage du message émis par un premier annonceur.

1.3.8 La rétroaction

La notion de rétroaction (*feed-back*) désigne un message qui est retourné à l'émetteur par le récepteur. Dans le cas d'une communication à vocation commerciale, la rétroaction peut être un effet sur les ventes, une augmentation de

---

10. Au chapitre 6, consacré à la création publicitaire, nous expliquons comment rédiger un objectif de communication et nous présentons le concept d'axe de communication.

la notoriété du produit ou une amélioration de l'image de la marque. Au chapitre 6, nous expliquons que ces rétroactions sont des objectifs de communication courants et qu'on mène habituellement des sondages justement pour mesurer les résultats d'une campagne de communication. Les rétroactions peuvent parfois être négatives comme dans le cas de Wal-Mart cité précédemment.

RÉSUMÉ

L'évolution de la communication de masse est étroitement liée à l'histoire des médias. Avant l'apparition des médias électroniques, les commerçants recouraient à l'imprimé pour diffuser de l'information. Il s'agissait alors d'en dire le plus possible sur ce qui était à vendre. Ces annonces étaient donc très chargées et contenaient peu ou pas d'illustration ; leur aspect esthétique importait peu. Les messages étaient d'abord rédigés en anglais, puis étaient ensuite traduits en français par des traducteurs peu compétents, ce qui a parfois produit de véritables horreurs.

L'apparition de la radio a amené tout naturellement les entreprises commerciales à vouloir profiter de ce nouveau médium. Pendant plusieurs années, elles se sont contentées de commanditer certaines émissions ; ensuite sont arrivés les premiers messages lus en direct par le présentateur de l'émission pour les annonceurs. La communication de masse à la télévision a suivi la même trajectoire, c'est-à-dire qu'il y avait d'abord des commandites d'émission, puis des messages produits en direct par les comédiens. Ce n'est qu'à partir des années 60 que s'est généralisée la pratique du message qu'on préenregistre et qu'on ne diffuse que par la suite. Il a fallu également attendre la fin des années 1960 pour voir apparaître des messages spécifiquement conçus pour le marché québécois.

Le discours publicitaire a beaucoup évolué durant ces années. Si au départ l'annonceur ne faisait que citer le nom du produit dans le cadre d'une commandite, par la suite on a cherché à décrire le produit, puis à s'adresser au consommateur par le biais de son style de vie. Actuellement, la communication de masse cherche à créer un rapprochement entre la marque du produit et le consommateur, pour en faire une symbiose.

La communication de masse est un processus de communication en soi. L'émetteur est l'annonceur, le groupe de population visé constitue le récepteur, les médias correspondent au canal. L'existence de champ d'expérience, c'est-à-dire l'ensemble des connaissances de chacun des groupes d'interlocuteurs, implique que le codage doit être fait avec vigilance, afin que le message soit interprété (décodé) correctement par le groupe que l'on cherche à atteindre. Enfin, les efforts de communication des autres entreprises constituent une source de bruit importante.

QUESTIONS DE DISCUSSION

1. Expliquez le concept de champ d'expérience en l'appliquant au cas de la publicité internationale.

2. Expliquez la différence qui existe entre le niveau de connaissance du consommateur (intersection des champs de connaissance) qu'avaient les entreprises au début du siècle et celui qu'elles ont de nos jours.

3. Donnez les caractéristiques des premiers messages commerciaux publiés dans les journaux et celles des premiers messages diffusés à la radio.

4. Quelle fut la première agence de publicité établie à Montréal ? Quel était son rôle ?

5. Donnez les grandes lignes de l'évolution du discours persuasif au Québec.

EXERCICES

1. Créez des publicités pour la sauce pour spaghetti Tony (une marque fictive) selon les quatre différents discours publicitaires qui ont été utilisés depuis les débuts de la communication de masse (simple mention du nom du produit, publicité donnant les caractéristiques du produit, publicité axée sur le style de vie du consommateur, publicité cherchant à créer une symbiose entre le consommateur et le produit).

2. Expliquez quelle rétroaction l'annonceur pourrait désirer dans les situations suivantes :
   • durant une émission de télévision, un téléspectateur voit une publicité dénonçant la vitesse au volant ;
   • vous voyez une publicité de Pepsi à la télévision.

3. Quelle pourrait être la rétroaction *effective* dans les deux situations présentées dans l'exercice précédent ?

4. Selon vous, quelles sont les caractéristiques des communications persuasives de l'avenir ?

5. Illustrez les différents éléments du processus de communication à partir d'une annonce télévisée de votre choix.

CHAPITRE 2

LA COMMUNICATION DE MASSE ET LE MARKETING

« [...] Son idée la plus profonde était de conquérir la mère par l'enfant. Il [...] arrêtait les mamans au passage, en offrant aux bébés des images et des ballons. Un trait de génie que cette prime des ballons, distribués à chaque acheteuse [...] portant en grosses lettres le nom du magasin, et qui, tenus au bout d'un fil, voyageant en l'air, promenaient par les rues une réclame vivante !

« La grande puissance était surtout la publicité. Mouret en arrivait à dépenser par an trois cent mille francs de catalogues, d'annonce et d'affiches. Pour sa mise en vente des nouveautés d'été, il avait lancé deux cent mille catalogues.

« Il professait que la femme est sans force devant la réclame, qu'elle finit fatalement par aller au bruit. Du reste, il lui tendait des pièges plus savants, il l'analysait en grand moraliste. Ainsi il avait découvert qu'elle ne résistait pas au bon marché, qu'elle achetait sans besoin, quand elle croyait conclure une affaire avantageuse ; et, sur cette observation, il basait son système de diminution de prix, il baissait progressivement les articles non vendus, préférant les vendre à perte, fidèle au principe du renouvellement rapide des marchandises[1]. »

Émile Zola, 1883

Bien que la communication de marketing de masse soit omniprésente dans notre vie quotidienne, la plupart des techniques utilisées aujourd'hui l'étaient déjà il y a plus de cent ans, si l'on en croit le texte de Zola ci-dessus. On y retrouve déjà les catalogues, la publicité, les objets promotionnels et les soldes de fin de saison.

INTRODUCTION

Marketing, vente, promotion, publicité... Souvent, dans l'esprit des non-spécialistes, ces termes se confondent, s'amalgament, alors qu'ils désignent dans les faits des facettes bien différentes des activités de marketing. Il nous semble important, avant d'expliquer davantage la notion de communication de masse, de situer son rôle dans une stratégie de marketing, d'en distinguer les composantes et de définir précisément certains concepts. Dans ce chapitre, nous rappelons d'abord en quoi consiste le marketing, puis nous expliquons quelles en sont les variables contrôlables ; nous présentons en détail l'une de ces variables, la communication marketing, en particulier ses éléments liés à la communication de masse.

---

1. ZOLA, Émile. *Au Bonheur des dames*, Paris, Pocket Classique, 1998, p. 245-246.

2.1 LE CONCEPT DE MARKETING

Même si les échanges commerciaux existent depuis les premiers balbutiements de la civilisation, le concept de marketing date d'une cinquantaine d'années seulement et il constitue l'aboutissement logique d'une évolution née de la révolution industrielle[2]. Cette évolution a été marquée par trois phases, la phase de l'orientation production, la phase de l'orientation vente, puis celle de l'orientation marketing, dont le concept a été créé dans les années 1950.

2.1.1 L'orientation production

Cette orientation a prévalu jusqu'à la Première Guerre mondiale. Dans cette phase, le consommateur n'avait pas de pouvoir de décision, l'entreprise était reine et imposait ses diktats au marché. L'offre globale des biens et services étant inférieure à la demande globale, le consommateur n'avait d'autre choix que de se procurer ce que les entreprises produisaient. Trois principes de base caractérisent cette orientation :

- tout ce qui est produit peut être vendu ;
- l'entreprise se préoccupe essentiellement de minimiser ses coûts de production ;
- l'entreprise doit se limiter à la production de certains produits de base.

C'est le concept de production qui caractérise cette période, née de la révolution industrielle : il faut produire davantage, à moindre coût. La plupart des spécialistes situent la fin de cette phase vers 1920.

2.1.2 L'orientation ventes

L'arrivée des techniques de production de masse et la prolifération des entreprises manufacturières ont eu comme conséquence que, pour la première fois dans leur histoire, les entreprises ont dû s'adapter à une société d'abondance. Il fallait donc stimuler les ventes, c'est-à-dire faire des efforts pour que les consommateurs se procurent ce que les entreprises produisaient en grande quantité grâce aux techniques de production à la chaîne. Cette période est caractérisée par deux principes :

- il faut trouver des acheteurs pour écouler la production ;
- l'entreprise se préoccupe essentiellement de convaincre les consommateurs d'acheter sa production.

Les entreprises ont donc dû se mettre à engager du personnel de vente et à soutenir leur action à grand renfort de publicité. Cette philosophie de gestion a été dominante pendant une trentaine d'années.

---

2. RACHMAN, David. *Marketing today*, Fort Worth (Texas), The Dryden Press, 1994, p. 11-13.

2.1.3 L'orientation marketing

Force est de constater qu'au lendemain de la Seconde Guerre mondiale, le marché de vendeurs, caractérisé par la rareté et la pénurie, s'est mué en un marché d'acheteurs. L'offre de biens et services excédait la demande globale. Les techniques de vente, soutenues par des publicités agressives, étaient insuffisantes pour amener le consommateur à acheter un produit dont il n'avait pas besoin. C'est alors qu'a été créé, vers 1950, le concept de marketing, c'est-à-dire une philosophie de gestion basée sur trois principes :

- les entreprises doivent fabriquer ce que veulent les consommateurs ;
- toutes les activités de l'entreprise doivent converger vers la satisfaction des besoins des consommateurs ;
- les décisions de gestion doivent être guidées par des objectifs de profit à long terme.

Le rôle du marketing a été, dès ses débuts, de faire l'intermédiaire entre l'entreprise et les consommateurs, lien qui fonctionne d'ailleurs dans les deux sens : de l'entreprise vers les consommateurs, par la communication de masse, mais aussi des consommateurs vers l'entreprise, par la recherche en marketing. Le marketing peut donc être défini comme la recherche sur les besoins des consommateurs et la création de produits ou services correspondant à ces besoins, dans le but de faire croître l'entreprise. Mentionnons que, bien que l'Office de la langue française suggère l'utilisation du terme « mercatique » à la place du mot « marketing », c'est le terme d'origine anglaise qui est utilisé dans ce livre, car c'est celui qui s'est imposé dans toute la francophonie.

Nous sommes donc dans l'ère du marketing. Selon les principes du marketing, le produit ou le service qu'une entreprise crée doit correspondre à un besoin. Si le consommateur n'en a pas besoin, l'entreprise est vouée à un échec à plus ou moins long terme. La stratégie de marketing repose sur les variables contrôlables par l'entreprise, soit le produit, le prix, la distribution et la communication marketing. La communication est l'une des variables de la stratégie du marketing et ses caractéristiques doivent correspondre à celles des autres variables que nous présenterons dans ce chapitre après l'analyse de l'environnement.

2.2 LES VARIABLES CONTRÔLABLES DU MARKETING

Le gestionnaire en marketing doit tenir compte de l'environnement externe dans toute prise de décision. Cet environnement externe est composé de multiples variables incontrôlables, principalement sur les plans politique, économique, climatique, social, technologique, écologique, légal et culturel. Il doit aussi tenir compte de l'environnement concurrentiel. Face à cet environnement en perpétuel changement et auquel il faut constamment s'adapter, le gestionnaire du marketing dispose des quatre variables contrôlables suivantes : le produit, le prix, la distribution et la communication. Ces variables sont souvent désignées par le sigle PPDC, que nous avons choisi d'utiliser dans ce livre. D'autres désignent plutôt les quatre variables par l'expression

« quatre P », pour Produit, Prix, Place et Promotion, considérée comme un anglicisme, puisque c'est le calque mot à mot des termes anglais *Product*, *Price*, *Place* et *Promotion*.

2.2.1 Le produit

Le concept de produit englobe l'ensemble des caractéristiques tangibles et intangibles du produit. Les caractéristiques tangibles du produit comprennent son aspect physique, c'est-à-dire tout ce qui peut en être perçu par les sens. Parmi les caractéristiques intangibles d'un produit, on compte le nom, la garantie, la qualité, le service après-vente.

Le nom du produit doit être court, il doit débuter par une consonne occlusive (comme *b*, *d*, *p* ou *t*) et, à l'ère de la mondialisation, il doit être facile à prononcer sur tous les marchés. Le nom BIC répond à tous ces critères. Tous ces facteurs servent à donner à la marque des attributs physiques et symboliques. La marque est constituée du nom, du symbole ou du logo ou de l'ensemble de ces facteurs. On cherche à ce que le consommateur en arrive à se dire, par exemple : « Je ne veux pas un téléviseur, mais un Sony. » L'échec d'un produit peut être dû à un mauvais choix de nom ; par exemple, lorsqu'un fabricant de voitures a lancé la Matador sur le marché portoricain, il a connu un échec important, parce que *matador* signifie « tueur » en espagnol.

D'ailleurs, plus un produit est populaire, plus son nom de marque risque de devenir générique. Les noms de marques de commerce suivants sont devenus synonymes du produit : Aspirine, qui, dans le langage courant, désigne tout analgésique, Kleenex qui désigne les papiers mouchoirs et Frigidaire, les réfrigérateurs.

L'emballage, la garantie, la qualité font aussi partie de la variable produit, tout comme le service après-vente, auquel on peut consacrer un site Web.

Rappelons qu'en marketing, la variable contrôlable du produit englobe toutes les formes de production et de service, y compris les productions artistiques, littéraires, et même des individus, comme un politicien, un athlète ou une rock star.

2.2.2 Le prix

Le concept de prix désigne le montant que le consommateur est prêt à payer pour satisfaire son besoin. Un prix élevé laisse supposer que la qualité du produit est plus grande, alors qu'un prix modique peut être associé à une mauvaise qualité. Les rabais et les conditions de paiement font aussi partie de la variable prix. Dans le marché de la téléphonie cellulaire, les techniques de stratégie de prix ont dû être innovatrices afin de percer dans certains marchés

Figure 2.1
L'emballage d'un parfum rehausse son image de marque.

plus sensibles au prix : on offre au consommateur la possibilité d'acheter du temps d'antenne à l'avance et on coupe sa ligne lorsque ce temps a été entièrement utilisé. Cette stratégie a permis d'aller chercher une clientèle à qui déplaisent les plans mensuels.

2.2.3 La distribution

En marketing, la distribution désigne l'accessibilité du produit ou du service. Le circuit de distribution, le nombre d'intermédiaires, l'emplacement des points de vente et le mode de transport sont des décisions de marketing qu'il est nécessaire de faire au sujet de la distribution. Le but à atteindre est que le consommateur n'ait pas à faire d'effort pour accéder au produit. La distribution peut être intensive, c'est-à-dire que le produit est offert au plus grand nombre de points de vente possibles ; elle peut être sélective, lorsque le fabricant choisit des points de vente en fonction de certains critères ; elle peut aussi être exclusive, lorsque le produit n'est disponible qu'à un seul endroit. La perception que le consommateur a du produit relève en partie de sa distribution ; par exemple, le consommateur a une perception différente d'un vélo selon qu'il est distribué chez Canadian Tire ou qu'il est disponible seulement dans un magasin spécialisé dans la vente des bicyclettes.

Les détaillants sont devenus des joueurs importants dans le marché et dictent souvent leurs lois aux fabricants. Les producteurs doivent souvent se plier aux diktats des distributeurs, comme dans le domaine de l'alimentation où l'espace sur une tablette se négocie à des prix parfois très élevés. Chaque fabricant paie pour bénéficier d'une place avantageuse sur l'étalage, la plus vendeuse étant celle qui correspond à la hauteur des yeux du consommateur. Peu importe le type de produit, les représentants des ventes font un important travail auprès des commerces de détail pour assurer une visibilité à leur marque, en disposant des étalages spéciaux, en placardant des affiches et en s'assurant que la position de leur produit sur les tablettes est la meilleure possible.

Certains manufacturiers optent pour une distribution parallèle de leurs produits, en marge des réseaux de commerces de détail. Ainsi, des barres de chocolat sont vendues exclusivement par des organismes communautaires et des groupes d'étudiants ayant besoin d'une source de financement pour un projet particulier ; des compagnies comme Avon ou Electrolux préfèrent vendre aux consommateurs par l'intermédiaire de leurs propres représentants ; d'autres compagnies, comme Dell, préfèrent distribuer leurs produits uniquement sur le Web. De toute évidence, on peut très bien recevoir les commandes et organiser la livraison sans avoir de point de vente sur la rue.

2.2.4 La communication marketing

Cette dernière variable contrôlable englobe tous les moyens dont dispose l'entreprise pour informer les consommateurs, les persuader d'acheter son produit et leur rappeler les avantages qui y sont rattachés[3]. Cette variable est elle-même composée de plusieurs éléments, qui constituent les moyens d'action

---

3. RACHMAN. *Op. cit.*, p. 616.

promotionnels. On distingue la communication de masse, qui sera abondamment traitée dans ces pages, de la communication personnalisée, qui inclut, entre autres, la vente personnelle, le télémarketing et le publipostage.

2.2.5 Le « mix de marketing » ou marchéage

Le « mix de marketing », ou marchéage, est la relation entre les quatre variables contrôlables que sont le produit, le prix, la distribution et la communication. Ainsi un vélo de montagne de grande qualité appelé Everest (produit) est vendu dans une boutique spécialisée (distribution), exige un investissement financier important de la part de l'acheteur (prix) et est annoncé dans un magazine spécialisé (communication). Le mix suivant est aussi possible : un vélo de moindre qualité appelé Z3 (produit) est offert dans un magasin à rabais (distribution) à bas prix (prix), et on annonce qu'il est en solde dans un dépliant publicitaire (communication). Une stratégie de marketing efficace implique que la combinaison des éléments du marketing soit harmonieuse et cohérente, que le dosage des éléments qui le composent soit équilibré. Le tableau 2.1 présente d'autres exemples du mix de marketing, cette fois dans l'industrie de la mode.

Tableau 2.1   Le « mix de marketing » dans l'industrie de la mode

Produit	Prix	Distribution	Communication	Exemple
De prestige	Élevé	Exclusive	Relations publiques	Haute couture
Qualité supérieure	Élevé	Sélective	Publicité	Prêt-à-porter haut de gamme
Qualité inférieure	Modique	Intensive	Promotion des ventes	Confection industrielle

2.3 LA COMMUNICATION DE MASSE

Plusieurs éléments composent la communication de marketing de masse. Nous vous en présentons quelques-uns dans ce chapitre, mais la liste que nous en donnons n'est pas exhaustive.

2.3.1 La publicité

D'après l'American Marketing Association[4], « la publicité consiste à acheter du temps ou de l'espace dans tout type de média, pour y placer des annonces et des messages persuasifs émanant d'entreprises commerciales, d'organismes sans but lucratif, d'agences gouvernementales ou de particuliers, qui cherchent à informer ou à convaincre un groupe particulier de quelque chose [...][5] ». La publicité est une forme de communication de masse dont l'effet sur les ventes

---

4. L'adresse de l'AMA est <www.marketingpower.com> ; le site a été visité le 5 avril 2005. Toutes les définitions données dans cette section sont des traductions libres, par les auteurs, des définitions officielles de l'AMA.

5. <www.marketingpower.com> ; le site a été visité le 5 avril 2005.

se fait sentir à long terme. La communication sur la marque vante le produit, présente ses caractéristiques, décrit les avantages qu'il procure à son utilisateur, et ce, afin de faire comprendre et accepter l'image de la marque par le consommateur. Le message peut viser à informer, à persuader de quelque chose ou à rappeler quelque chose. Dans ce dernier cas, la publicité cherche à bâtir ce que l'on appelle l'image de marque. Par exemple, pour reprendre l'exemple du vélo de montagne de qualité présenté dans la section précédente, l'annonceur fait une publicité dans un magazine spécialisé pour présenter le nouveau modèle Everest.

2.3.2 La promotion des ventes

L'expression « promotion des ventes » désigne un vaste ensemble d'actions ponctuelles susceptibles d'influencer le comportement des consommateurs. Ces « incitatifs sont généralement constitués d'offres telles que les bons de réduction, les primes, les rabais [pour stimuler] l'essai du produit, l'utilisation répétée du produit [pour faire augmenter] la fréquence d'achat du produit, [pour] neutraliser la publicité ou la promotion des ventes d'un concurrent, [ou pour] capitaliser sur un événement local ou saisonnier[6] ». L'effet de la promotion des ventes se fait sentir à court terme, à condition que la technique soit la bonne et qu'elle corresponde à l'objectif visé. Par exemple, si l'objectif d'une boutique de mode est de se débarrasser rapidement des articles invendus pour libérer de l'espace afin d'accueillir les produits de la nouvelle saison, la technique du *deux pour un* est plus efficace que celle du 50 % de rabais, même si, sur le plan comptable, la marge sur coûts variables est la même. En employant la technique du *2 pour 1*, la marchandise sort deux fois plus vite. Le tableau 2.2 présente quelques exemples de techniques de promotion des ventes en rapport avec l'objectif précis que chacune d'elle permet d'atteindre.

Tableau 2.2 Quelques exemples de techniques de promotion des ventes		
Objectif	**Technique appropriée**	**Exemple**
Faire essayer un nouveau produit.	Échantillon gratuit	Organiser une dégustation d'une nouvelle saveur de jus de fruit dans un supermarché, un jour de grande affluence.
Accélérer la rotation des stocks.	Format boni	Emballer les croustilles dans un sac contenant 50 % de plus du produit.
Fidéliser les clients.	Programme de fidélisation	Émettre une carte de points.
Susciter un regain d'attention pour la marque.	Concours	Organiser un concours de la meilleure recette à base de fromage à la crème de marque X.

---

6. *Ibid.*

Il faut cependant souligner que la promotion des ventes n'a souvent que très peu d'effet à long terme, voire aucun dans certains cas. En effet, dans bien des cas, le niveau des ventes revient à ce qu'il était antérieurement dès que la promotion des ventes cesse.

Ces activités de promotion peuvent aussi viser le réseau de distribution plutôt que les clients, pour inciter les intermédiaires à « pousser » le produit à vendre plutôt que celui d'un concurrent. Pour ce faire, une entreprise peut opter pour une stratégie de remise sur le prix aux différents distributeurs, qui quelquefois conservent cette remise, ce qui augmente ainsi leur marge de profit, ou la refilent aux consommateurs en diminuant le prix de détail. L'entreprise peut aussi offrir aux clients des allocations de quantité, des cadeaux, des concours ou des tirages.

Les sections suivantes présentent quelques techniques de promotion des ventes.

2.3.2.1 Le bon de réduction

Le bon de réduction est un document imprimé donnant droit à une réduction de prix applicable à la caisse à l'achat d'un produit particulier. Tous les bons de réduction comprennent les informations suivantes : le montant de la réduction (qui est de 50 cents, si nous prenons l'exemple du bon reproduit à la figure 2.2) ; le produit pour lequel cette réduction de prix peut être appliquée (dans l'exemple, n'importe quel produit Grand Pré) ; les conditions de la réduction (dans l'exemple, seul l'achat d'un produit Grand Pré est requis, par contre la quantité est limitée à un seul bon par client) ; la date limite de validité de l'offre (ici le 31 août 2003) ; enfin, les instructions expliquant au détaillant comment se faire rembourser le montant du bon de réduction et recevoir un montant forfaitaire pour le dédommager des frais occasionnés par l'acceptation de ces bons. Les bons de réduction peuvent être imprimés à partir d'un site Internet, on peut les trouver dans les dépliants publicitaires, les Publisacs, sur l'emballage du produit, ou encore à l'intérieur de l'emballage du produit, d'un autre produit de la même marque ou d'une marque différente (dans ce dernier cas, on parle de promotion croisée). Les entreprises ont recours aux réductions depuis de très nombreuses années ; en effet, à la fin du XIXe siècle, la compagnie Post insérait déjà des coupons de réduction d'une valeur de un cent dans ses boîtes de céréales[7].

2.3.2.2 La prime

Elle consiste à offrir un article ou un service gratuitement ou à un prix bien inférieur au prix de détail habituel. L'article ou le service offert est souvent un produit qui complète l'article qui doit être acheté pour bénéficier de la prime, par exemple un logiciel d'exploitation gratuit à l'achat d'un ordinateur. Cette technique est fréquemment utilisée par les marques de cosmétiques et de parfums haut de gamme, telles que Chanel ou Clinique. En effet, pour préserver

Source : Grand Pré.

Figure 2.2

Un exemple de bon de réduction

L'utilisation de bons de réduction est la technique de promotion des ventes la plus répandue.

---

7. BELCH, George E. *et al. Communication marketing, une perspective intégrée*, Montréal, Chenelière/McGraw-Hill, 2005, p. 415.

Figure 2.3

Un exemple de prime

Ces primes sont habituellement annoncées par de la publicité, et particulièrement du publipostage.

leur image de marque, ces entreprises s'opposent à consentir des réductions sur le prix de vente et recourent plutôt à la prime. Par exemple, le consommateur reçoit une trousse contenant plusieurs échantillons de produits de la marque Z à condition d'acheter préalablement pour 30 dollars de produit de la même marque. La figure 2.3 en donne un exemple.

2.3.2.3 L'essai

Cette technique consiste à faire essayer un produit par un consommateur sans débours de sa part. Il peut s'agir, par exemple, d'échantillons gratuits (de café instantané, de shampooing, de serviette sanitaire) distribués par la poste ou dans les Publisacs, de dégustation du produit dans une épicerie, de l'utilisation gratuite des installations d'un gymnase ou de leçons gratuites dans une école de danse.

2.3.2.4 L'offre de remboursement

Il s'agit d'un coupon à remplir et à envoyer par la poste à l'entreprise pour obtenir un remboursement partiel sur le prix d'un produit, en fournissant la preuve de l'achat. Ce coupon, émis par le fabricant, peut être découpé sur l'emballage du produit, il peut se trouver à l'intérieur de l'emballage et est parfois disponible au point de vente, à proximité du produit concerné. Cette technique est aussi connue sous le nom de réduction différée.

2.3.2.5 Les jeux et les concours

Il s'agit d'événements à caractère ludique auxquels les consommateurs participent dans l'espoir de réaliser un gain. Il peut s'agir de loteries instantanées à gratter, offrant de nombreux gains de faible valeur tels qu'une réduction sur le prochain achat du même article ou un article gratuit. Certains concours offrent des prix attrayants, par exemple de gros montants d'argent, des voyages, des appareils photo numériques, ce qui suscite un intérêt certain pour l'événement. Ces concours sont populaires, particulièrement au Québec. Soulignons que, contrairement aux loteries où seul intervient le hasard dans la détermination des gagnants, les concours, eux, font appel à la créativité des participants, à certaines de leurs habiletés intellectuelles ou à leur sens de l'observation. Il est illégal au Canada d'exiger l'achat d'un produit quelconque pour participer à un concours.

Certains concours sont conçus spécialement à l'intention des intermédiaires et visent à créer une émulation dans le réseau de distribution ; dans ce cas, ces concours sont assortis de prix généralement généreux, tels que des voyages ou des équipements électroniques, que les intermédiaires peuvent gagner, en fonction de leurs performances de vente.

Que les concours qu'elle organise s'adressent aux consommateurs ou aux intermédiaires, l'entreprise doit être en règle avec la Régie des alcools, des courses et des jeux du Québec, et respecter les articles de la Loi sur les loteries, les concours publicitaires et les appareils d'amusement.

2.3.2.6 Les points de fidélité

Les points de fidélité sont un système de points à cumuler qu'on obtient en fonction du montant de ses achats et qui sont convertibles en cadeaux ou en bons d'achat. Cette stratégie vise à fidéliser le consommateur à la marque ou à la bannière ; elle peut revêtir des formes multiples, comme l'Aéroplan d'Air Canada, les primes HBC de La Baie et de Zellers, les cartes de cafétéria qui donnent droit à un café gratuit après l'achat de cinq cafés, ou les milles AIR MILES. Dans tous les cas, les consommateurs en viennent à être pris au jeu, puisqu'il leur arrive de prendre en considération le système de points auquel ils participent lorsqu'ils ont à choisir l'endroit où effectuer un achat particulier. C'est une technique promotionnelle qui vise le long terme, puisque sa finalité est d'amener le consommateur à adopter un comportement d'achat à répétition. C'est donc aussi une technique promotionnelle qui, par son essence même, n'est pas limitée dans le temps, contrairement aux autres pratiques de promotion des ventes. On considère néanmoins qu'elle fait partie des techniques de promotion des ventes, car elle constitue un avantage pour le consommateur.

Le tableau 2.3 présente quelques techniques de promotion des ventes et le gain qui est associé à chacune d'elles.

Tableau 2.3 Les techniques de promotion des ventes, leur durée dans le temps et l'avantage qu'en retire le consommateur		
Technique de promotion	**Durée dans le temps de la technique**	**Avantage que le consommateur retire de cette technique**
Bon de réduction	Cette offre prend fin le…	Il paye le produit moins cher.
Échantillon gratuit	Jusqu'à épuisement des échantillons produits	Il peut essayer le produit gratuitement.
Concours	Date limite pour s'inscrire	Il court la chance de gagner un lot.
Format avec prime	Jusqu'à épuisement des quantités[8]	Il obtient une quantité plus grande sans payer plus cher.
Carte de fidélité	Pas de limite de temps dans la majorité des cas	Il accumule des points en vue d'obtenir des prix.
Deux pour un	Offre valide quelques jours seulement	Il obtient deux articles pour le prix d'un seul.
Offre de remboursement	Coupon à retourner avant le…	Il obtient un remboursement en argent.

---

8. S'il n'y avait aucune limite de temps, le format avec prime relèverait alors du concept de produit.

2.3.3 Les relations publiques

Les relations publiques désignent les stratégies de communication visant à obtenir « de l'information publicitaire ou d'autres formes de retombées médiatiques gratuites, afin d'influencer les acheteurs réels et potentiels, ou toute autre partie, sur le plan de leurs sentiments, de leurs opinions et de leurs croyances au sujet d'une entreprise et de ses produits ou services, d'une organisation ou d'un individu[9] ». En d'autres termes, les relations publiques servent à établir avec la communauté environnante de bonnes relations afin de projeter une image favorable pour l'entreprise. Quelquefois, les relations publiques servent à redorer l'image de l'entreprise qui pourrait être ternie par un problème particulier tel que le rappel d'un produit défectueux ou un article défavorable dans la presse. Dans ce cas, l'entreprise convoque une conférence de presse, invite les journalistes et leur présente les solutions envisagées pour régler le problème. Dans les plus grandes entreprises, les relations publiques servent aussi à communiquer des informations aux actionnaires, aux clients, aux gens d'influence ou au gouvernement.

Le tableau 2.4 présente les différents publics visés par les relations publiques.

L'avantage des relations publiques, c'est qu'un particulier ou un organisme peut y recourir même s'il dispose de peu de ressources financières. Prenons l'exemple d'un photographe qui organise une exposition de ses œuvres dans un bar de sa région. Il rédige un communiqué de presse avec un texte descriptif qui précise où et quand a lieu l'exposition, et le fait parvenir aux journalistes qui couvrent ce genre d'événements. Si un journaliste rédige un article à partir de ce communiqué, le photographe obtient de la publicité gratuite. Cette méthode est donc accessible aux petits budgets. Son effet est grand, car l'information est véhiculée sous la forme d'un article de journal, ce qui lui donne une

Tableau 2.4 Les publics visés par les relations publiques

Publics		Activités
Interne	Employés	• Procédures d'accueil
		• Bulletin d'information interne
		• Événements sociaux
		• Assemblées du personnel
Externe	Fournisseurs	• Procédure d'accueil
	Gouvernements	• Lobbying
	Actionnaires	• Rapport annuel
	Clients et communauté	• Visites guidées
		• Annonces concernant les changements de nature administrative, les innovations, le lancement d'un nouveau produit, une nomination, une fusion, etc.

Source : CHEVALIER, Claude et Lilia SELHI. *Communiquer pour mieux interagir en affaires*, Gaëtan Morin Éditeur, 2004, p. 213.

_____

9. <www.marketingpower.com>, site visité le 5 avril 2005.

plus grande crédibilité qu'un espace publicitaire acheté. L'inconvénient majeur, c'est que le recours aux relations publiques ne permet pas à l'émetteur de contrôler le produit final. Les journalistes font leur travail de façon professionnelle et ne se laissent pas séduire par les belles paroles des responsables des communications. Ainsi, dans le cas du photographe, si le journaliste n'aime pas les photos exposées, son article ne sera pas élogieux ; et s'il pense que ses lecteurs risquent de ne pas être intéressés par la nouvelle, il ne rédigera tout simplement pas d'article. Les journalistes reçoivent une très grande quantité de communiqués de presse de toutes sortes, et seuls certains de ces communiqués captent leur attention. C'est pourquoi il faut sélectionner avec soin les médias et les journalistes à qui on envoie des communiqués de presse, en s'assurant qu'ils sont susceptibles d'être intéressés par la nouvelle.

Les objectifs des relations publiques sont avant tout des objectifs de communication, axés, selon les cas, sur la notoriété d'un nom, la diffusion d'informations à propos d'un nom ou sa réputation.

2.3.4 La commandite

La commandite est une technique par laquelle une entreprise accorde un soutien matériel, logistique ou financier à un organisme sportif, culturel ou humanitaire.

2.3.4.1 La commandite d'événements

Ce type de commandite inclut tant le magasin général qui verse 100 dollars à l'équipe locale de balle molle que les grandes entreprises d'envergure nationale qui contribuent à la tenue de manifestations à dimensions locale, régionale, nationale ou internationale. Voici quelques exemples de commandites d'événements pour l'année 2005 :

• Bell Canada : le Festival d'été de Québec ;

• la Société des Alcools du Québec : les Feux d'artifice de Montréal ;

• Loto-Québec : le Festival beauceron de l'érable de Saint-Georges-de-Beauce.

Jusqu'à la fin des années 1990, les fabricants de cigarettes étaient les entreprises dont les commandites étaient les plus généreuses, tout simplement parce qu'une loi fédérale leur interdisait toute forme de publicité. Cependant, depuis que cette interdiction a été étendue à la commandite, les promoteurs des activités culturelles et sportives au Québec ont dû trouver d'autres partenaires. On remarque actuellement un déplacement des commandites du domaine du sport vers celui de la culture, ce qui reflète l'évolution de la société québécoise dans son ensemble : la sortie au hockey avec les « boys » est remplacée par une sortie au Festival de jazz ou au Festival d'été. Si pendant longtemps les commandites importantes ont été réservées au hockey et à d'autres sports professionnels, aujourd'hui elles sont réparties plus équitablement. On constate que les entreprises qui remplacent l'industrie de la cigarette sont à l'écoute de ces nouvelles tendances.

La commandite étant une sorte de mariage entre deux entreprises, l'organisme ou l'événement commandité doit véhiculer les mêmes valeurs et viser le même groupe cible que le commanditaire. D'ailleurs, plusieurs entreprises

Voici ce que nous recherchons lorsque nous évaluons une demande de commandite :

Le créneau : l'événement devrait correspondre en grande partie à l'un des créneaux visés, soit les sports, la culture et les activités liées aux athlètes et aux Jeux olympiques.

L'exclusivité dans le secteur des télécoms (communications locales et interurbaines, services de communication sans fil, accès à Internet ou à des portails, diffusion de programmation télé, etc.).

La clientèle cible devrait correspondre à la clientèle prioritaire de Bell : le public de 25 à 54 ans. Les jeunes restent notre principale priorité.

Marque : la commandite doit mettre en lumière les qualités de Bell comme chef de file du marché, le prestige de la marque Bell et sa nature innovatrice.

Application pratique : l'événement doit comprendre une application pratique où nous pouvons présenter nos produits et services à la clientèle cible. Nous n'acceptons pas de commandites qui nous permettent uniquement de positionner le logo de l'entreprise.

Exposition médiatique : l'événement doit inclure une couverture médiatique et de la publicité (par exemple : dépliants, communiqués, publication de la liste des commanditaires, télé, radio, matériel imprimé, etc.).

Plan de communication : l'événement doit s'être doté d'un plan de communication exhaustif autour d'un concept novateur et créatif[10].

commanditaires ont élaboré leur propre politique de commandite. L'encadré 2.1 présente la politique de Bell Canada en matière de commandite.

2.3.4.2 La commandite d'équipes sportives et d'athlètes

Cette forme de commandite est très répandue, car elle peut être réalisée à petite échelle, comme dans le cas du restaurant du coin qui finance les tenues des joueurs de l'équipe locale de soccer, ou, au contraire, porter sur un événement dont le rayonnement est planétaire, comme dans le cas d'un athlète olympique ou d'un pilote de Formule 1. Voici quelques exemples de commandites d'équipes sportives ou d'athlètes qui ont été réalisées en 2004-2005 :

- Labatt : les Blue Jays de Toronto (baseball) ;
- Producteurs laitiers du Canada : Joannie Rochette (patinage artistique) ;
- Molson : les Alouettes de Montréal (football) ;
- McDonald : Alexandre Despatie (plongeon).

2.3.4.3 La commandite de contenu

Par le biais de la commandite de contenu, l'annonceur apporte sa contribution au contenu d'un magazine, d'un quotidien, d'une exposition ou d'un site Web, cette dernière forme étant la plus fréquente de nos jours. Par exemple, la rubrique « Forme » du site Servicevie.com[11] présente un article du magazine *Coup de pouce* sur le ski de fond, intitulé « 10 stations qui sortent des sentiers battus ».

2.3.4.4 La commandite d'émissions et de films

Plusieurs émissions de radio ou de télé sont commanditées. Les annonceurs misent, dans ce cas, sur un transfert de sympathie : si le public aime l'émission, il devrait aimer le commanditaire, par association. Comme nous l'avons vu au chapitre 1, cette forme de communication de masse s'est révélée efficace dans le passé, mais étant donné la multiplication des annonceurs et des commandites, le consommateur risque de ne plus s'y retrouver. D'autre part, si dans le passé seuls les téléromans bénéficiaient de commandites, la quasi-totalité des émissions, de nos jours, en reçoivent, ne serait-ce que sous sa forme la plus répandue, soit, pour les boutiques de mode, d'habiller les présentateurs des émissions.

---

10. <www.bce.ca>, site visité le 22 mars 2005.

11. <www.servicevie.com/03forme>, site visité le 22 mars 2005.

Certains producteurs d'émissions choisissent d'associer encore plus étroitement la marque de la commandite et l'émission ou le film commandité, en l'intégrant carrément au scénario de ce téléroman ou de ce film ; c'est ce que l'on appelle le placement de produits. Par exemple, la vedette d'une émission boit un Pepsi en lisant *La Presse* et par la suite conduit une voiture de marque Ford, toutes ces marques étant bien sûr facilement identifiables pour le consommateur[12].

2.3.4.5 Le mécénat

Le mécénat est une activité philanthropique qui consiste à soutenir une œuvre ou une cause. À l'origine, le mécène était un particulier nanti qui subvenait aux besoins d'un ou de plusieurs artistes dont il appréciait la création. En général, les entreprises ont pris la relève des individus. Par exemple, l'éditeur Gaëtan Morin appuie les artistes peintres en achetant leurs œuvres et les droits qui y sont rattachés pour les reproduire en page couverture des ouvrages qu'il publie, ce qui assure une certaine visibilité à l'artiste ; quant au groupe Quebecor, par le biais du Pavillon des arts de Sainte-Adèle, il apporte une importante contribution à la diffusion de la musique classique ; pour sa part, Alcan encourage également les créateurs en arts visuels en achetant certaines de leurs œuvres. Ce ne sont là que quelques exemples d'une pratique qui paraît discrète mais qui est quand même assez répandue.

Même si le mécénat semble offrir moins de retombées pour l'annonceur que les autres formes de commandite, nous l'avons inclus dans cette section, car il contribue à rehausser l'image de l'entreprise et le prestige de son nom. Et sous ses diverses formes, la commandite vise, elle aussi, des objectifs de notoriété, car elle fait augmenter la visibilité de l'annonceur.

2.4 LE MARKETING DIRECT

L'expression « marketing direct » désigne des activités de communication qui visent à mettre l'annonceur en relation directe un consommateur à la fois. On tente de joindre le consommateur dans son foyer par divers moyens, que ce soit par la poste, le téléphone ou Internet. Le bien-fondé de cette tactique est évident : en effet, pourquoi l'annonceur devrait-il crier à tous un message alors qu'il peut le chuchoter à l'oreille d'un consommateur à la fois ? Nous avons choisi d'aborder cette forme de communication individualisée même si ce livre est consacré à la communication de masse, parce que le marketing direct répond à certains de ses critères : le contenu d'un message du marketing direct est conçu en fonction d'un groupe cible et le consommateur n'est sélectionné individuellement que parce qu'il fait partie de ce groupe cible. Ce moyen de communication est rendu possible par le recours à une banque de noms et cette banque, si elle est pertinente, procure une grande force à ce type de marketing. Par exemple, une entreprise qui vend de l'équipement photographique spécialisé cherche d'abord à obtenir la liste des étudiants finissants en photographie ou des membres d'une association de photographes. Par la suite, elle peut proposer directement, à chacun d'entre eux, un produit qui devrait l'intéresser.

---

12. Nous élaborerons cette pratique dans le chapitre 10.

Le film *Rapport minoritaire*, réalisé par Steven Spielberg, contient un exemple éloquent de ce type d'approche. Dans une civilisation de l'avenir, le héros, interprété par Tom Cruise, entre dans une boutique où un rayon biométrique lit l'empreinte de sa pupille et lui souhaite la bienvenue en l'appelant par son nom, puis lui propose un article qui se marierait bien avec celui qu'il a acheté lors de sa dernière visite à cette boutique.

Les deux exemples précédents illustrent le fait que plus les données dont l'entreprise dispose sont abondantes, fiables et à jour, plus l'effet de sa stratégie de marketing directe sur les ventes est bénéfique. L'entreprise Wal-Mart, leader mondial du commerce de détail, a bien compris ce principe : la base de données dont elle dispose est plus riche en informations que tout le Web dans son ensemble !

S'il est bien conçu, le marketing direct peut être d'une efficacité redoutable. D'ailleurs, diverses lois encadrent cette pratique pour éviter des abus possibles.

2.5 LA STRATÉGIE DE COMMUNICATION ET LE CYCLE DE VIE DU PRODUIT

Tout comme pour un être humain, tout produit passe par les différentes phases de son existence et la durée de son cycle de vie peut varier. Les poupées

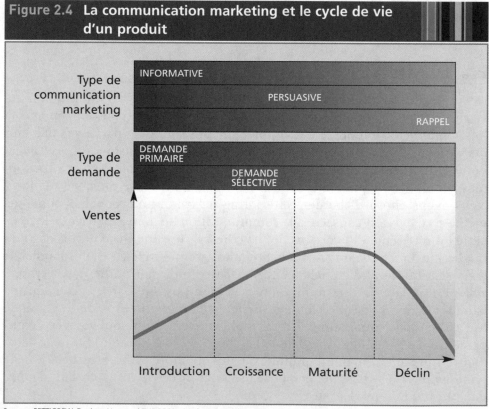

Figure 2.4 La communication marketing et le cycle de vie d'un produit

Source : PETTIGREW, Denis et Normand TURGEON. *Marketing 5e édition*, Montréal, Chenelière/McGraw-Hill, 2005, p. 305.

Bout'chou, le jeu Rubik's Cube ont vécu peu de temps, alors que le jeu Monopoly existe depuis près de 80 ans. Il est important de connaître ce concept de cycle de vie du produit, car la stratégie de communication doit évoluer au fur et à mesure que le produit avance dans son cycle de vie.

Le cycle de vie d'un produit comprend quatre phases, comme l'illustre la figure 2.4. Lors de son introduction, le produit doit répondre, en principe, à un nouveau besoin. Il connaît ensuite une certaine croissance des ventes, après quoi, parvenu à la phase de la maturité, le niveau de ces ventes se stabilise. Suit la phase du déclin, marquée par la régression des ventes, jusqu'au retrait du produit. Le tableau 2.5 montre la stratégie de communication la plus appropriée à chacune des phases du cycle de vie d'un produit.

Tableau 2.5 La stratégie de communication et les phases du cycle de vie d'un produit

Étape	Caractéristiques	Consommateurs	Communication
Introduction	Nouvelle offre, qui doit répondre à un besoin — beaucoup de produits meurent à cette étape : • lancement d'un ou de quelques modèles ; • prix élevé ou bas ; • distribution souvent limitée.	Produit adopté par les innovateurs, ceux qui ont le goût du nouveau, les aventureux.	Informative — axée sur le produit ; pour faire connaître cette innovation, réduire les craintes des consommateurs, bâtir l'image de marque et attirer les leaders d'opinion.
Croissance	Voyant le succès, les concurrents créent une offre semblable : • baisse du prix pour soutenir la concurrence ; • gamme plus étendue ; • distribution dans un plus grand nombre d'endroits.	Produit adopté par les réceptifs précoces ; leur revenu est plus élevé que la moyenne, ils sont plus scolarisés, plus jeunes ; ils influencent les autres en agissant comme source d'information ; ce sont des leaders d'opinion.	Persuasive — axée sur la marque ; pour promouvoir la marque et dénigrer la concurrence.
Maturité	Ventes stabilisées et profits en baisse : • certains modèles sont retirés ; • guerres de prix ; • distribution intensive.	Produit adopté par la majorité (environ 60 % de la population) influencée par les réceptifs précoces ; ces consommateurs ont attendu que le produit ait fait ses preuves.	Compétitive — promotion des ventes, guerres de prix, offres spéciales, nouvelles utilisations ou amélioration, modifications apportées à l'emballage.
Déclin	• chute des ventes car les habitudes des consommateurs changent ; • retrait de certains produits ; • prix stables ; • distribution limitée.	Produit adopté par les retardataires ; revenus moindres, conservateurs, sensibles à une diminution du prix.	Peu de communication marketing : l'entreprise tente d'écouler les stocks.

2.6 LA COMMUNICATION ET LA PLANIFICATION DU MARKETING

Rappelons qu'un plan de marketing complet doit comporter les sections suivantes :

1. Définition de la mission de l'entreprise ;

2. Analyse de la situation :
   a. analyse de l'environnement externe,
   b. analyse de la concurrence (nombre, forces, faiblesses),
   c. analyse du marché (analyse quantitative, taille et évolution des parts de marché, analyse qualitative, motifs et décisions d'achat) ;

3. Objectifs de l'entreprise ;

4. Étude du groupe cible (habitudes, mobiles d'achat, caractéristiques socio-démographiques) ;

5. Analyse des produits disponibles actuellement ;

6. Analyse du réseau de distribution ;

7. Analyse de la communication de masse et de la communication personnalisée ;

8. Établissement des objectifs de marketing ;

9. Formulation des stratégies ;
   9.1 produits :
      a. choix de retirer certains produits de la gamme ou d'en lancer de nouveaux,
      b. caractéristiques des produits à lancer,
      c. positionnement ou repositionnement de certains produits ;
   9.2 prix :
      a. détermination,
      b. objectifs, politiques et stratégies,
      c. promotions des prix ;
   9.3 distribution :
      a. réseaux de distribution et intermédiaires,
      b. distribution physique,
      c. révision de la distribution si nécessaire ;
   9.4 communication :
      a. objectifs de communication,
      b. budget,
      c. moyens utilisés,
      d. messages (création, exécution),
      e. médias (portée, fréquence, échéancier) ;

10. Évaluation (efficacité) ;

11. Échéancier et mesures de contrôle.

Le plan de marketing comporte donc de nombreux éléments et est complexe ; la stratégie de communication qu'on choisit doit absolument tenir compte de ce plan de marketing et se mettre à son service.

RÉSUMÉ

Au début du XXe siècle, les entreprises étaient reines du marché et dictaient aux consommateurs ce qu'ils devaient se procurer. Après de fulgurants échecs, elles ont dû faire des recherches, et créer et développer une offre qui répondait aux besoins du consommateur, ce qui a permis l'avènement du marketing. Le marketing consiste à chercher quels sont les besoins du consommateur et à tenter de les satisfaire. La stratégie de marketing repose sur un agencement réussi des quatre variables suivantes : le produit, le prix, la distribution et la communication.

Comme ce livre porte sur la communication de masse, nous avons présenté différents moyens par lesquels les entreprises entrent en contact avec les consommateurs. Par la publicité, l'annonceur achète du temps dans un média afin de placer un message dont l'effet se fait sentir à long terme. Pour sa part, la promotion est un vaste ensemble d'actions susceptibles d'influencer le consommateur. L'effet de ces actions de promotion est à court terme ; ces actions comprennent, entre autres, la réduction sur le prix, la distribution d'échantillons et les concours. Chacune des techniques de promotion offre ses avantages et possède des caractéristiques et des raisons d'être.

Quant aux relations publiques, elles permettent à l'entreprise d'obtenir des retombées dans les médias sans avoir à acheter de l'espace publicitaire. Quoiqu'il ne soit pas toujours possible d'en contrôler les résultats, les techniques des relations publiques sont peu onéreuses et accessibles aux petits budgets. L'entreprise peut aussi utiliser la commandite, c'est-à-dire s'associer à un événement, à un organisme ou à un individu. Cette association peut être un soutien financier ou prendre une autre forme.

Le marketing direct est une nouvelle tendance qui est de plus en plus utilisée. Il consiste à entrer en communication directe avec un seul consommateur à la fois. Cette pratique demande à l'entreprise de posséder des banques de données sur le consommateur, entre autres sur ses habitudes d'achat et ses caractéristiques sociodémographiques.

Nous avons aussi présenté le concept du cycle de vie du produit. Selon ce concept, le ou les moyens de communication spécifiques par lesquels on cherche à influencer le consommateur doivent correspondre à la phase dans laquelle se trouve le produit.

Finalement le concept de planification de marketing réunit ces éléments : la planification assure la création et le développement de stratégies de marketing appropriées, ce qui permet de choisir et d'utiliser correctement les moyens de communication qui sont présentés dans les chapitres suivants.

QUESTIONS DE DISCUSSION

1. Appliquez les variables du marchéage (« marketing mix ») à la commercialisation d'un jus de fruits exotiques (un mélange de mangue, de papaye et de kiwi).

2. Indiquez les différents moyens de communication que la brasserie Molson utilise et donnez un exemple pour chacun d'eux.

3. De nos jours, plusieurs annonceurs intègrent la technique de la promotion à leurs communications de masse. Comment expliquez-vous cette tendance ?

4. Comment, d'après vous, le marketing direct se développera-t-il dans l'avenir ?

5. Quelles sont les différentes phases du cycle de vie du produit ? Quelles sont les caractéristiques de chacune d'elles ?

EXERCICES

1. À quelle étape du cycle de vie se trouvent :
   • les téléviseurs noir et blanc ?
   • les fours à micro-ondes ?
   • la télévision à la carte ?
   • la voiture hybride Prius de Toyota ?
   • les téléviseurs au plasma ?
   • les lecteurs de cassettes audio ?
   • le DVD ?

2. Vous êtes directeur de marketing pour l'un des produits présentés dans la grille ci-dessous. Indiquez, en vous servant d'une échelle de 1 à 10, la priorité que vous accorderiez à chacune des variables contrôlables (1 étant le plus faible niveau d'attention et 10, le plus élevé). Ne placez jamais deux chiffres identiques dans une même colonne ; aussi, il n'y a pas de total à obtenir par colonne. Par exemple, pour les feuilles mobiles, vous pourriez inscrire « 1 » à la ligne produit, ce qui signifierait que pour vous toutes les marques se ressemblent.

3. Choisissez un événement qui a lieu dans votre région et qui mériterait d'être commandité par une entreprise. Par quelle entreprise suggérez-vous que cet événement soit commandité ? Votre choix doit tenir compte des deux critères suivants : 1) l'adéquation entre le public visé par l'événement et le groupe cible de l'entreprise ; 2) la concordance entre la nature de l'événement et l'image véhiculée par la marque.

CAS

La boisson énergisante

Depuis longtemps, les boissons non alcoolisées constituent un important marché, dominé par Coca Cola et Pepsi. On remarque cependant depuis quelques années une légère baisse de la demande pour les boissons non alcoolisées du type cola, alors que le marché des boissons énergisantes est en plein essor. C'est en Asie, au début des années 1980, qu'on a commencé à commercialiser des boissons énergisantes pour le corps et l'esprit. Vers la fin des années 1980, Dietrich Mateschitz a obtenu une licence d'exploitation pour un produit qu'il avait découvert en Thaïlande. En mélangeant du soda carbonaté, de la caféine et de la taurine (un acide aminé), il a créé la première boisson énergisante. Grâce à une présence tapageuse lors des épreuves de ski de fond sur le circuit européen, sa marque, la Red Bull, a vite été connue. Elle s'accapare aujourd'hui près de 60 % du marché des boissons énergisantes et ses ventes atteignent 1 milliard de canettes.

D'abord utilisé dans les soirées rave par les danseurs pour tenir le coup toute la nuit, ce type de boisson a par la suite été adopté par les culturistes et les adeptes de sports extrêmes.

Depuis l'apparition de la Red Bull, plusieurs autres marques ont été créées et presque toutes connaissent un fulgurant succès.

Pour récupérer leur part de marché, les géants de l'industrie ont tenté de commercialiser certaines boissons non alcoolisées comme solution de rechange au cola traditionnel, comme Pepsi Crystal,

Grille de la priorité des variables contrôlables de différents produits				
	Bière Molson Ex	**Feuilles mobiles**	**Essence Petro-Canada**	**Voiture Ferrari**
Produit				
Prix				
Distribution				
Communication				

ou Coke vanille, mais en vain. Après ces échecs, ces manufacturiers ont emboîté le pas en créant leur propre boisson énergisante, SoBe pour Pepsi et KMX pour Coca Cola, mais ils restent bien loin derrière le leader, car leurs parts de marché sont inférieures à 10 %.

L'approche publicitaire pour ces produits est loin de la communication traditionnelle. Finis les messages de 30 secondes à la télévision, les annonceurs optent davantage pour des commandites de sports extrêmes tel que le saut à l'élastique du haut d'un pont. La vente au détail de ces boissons connaît une véritable explosion aux États-Unis où elle atteint la somme de 900 millions de dollars US par année, tandis que plus de 200 millions de litres en sont vendus annuellement en Europe.

Si les yuppies aiment prendre leur café bien chaud dans une tasse, les jeunes préfèrent obtenir leur caféine en buvant des boissons énergisantes qui en contiennent elles aussi une forte dose. Les consommateurs types de ces boissons sont en grande majorité des jeunes de 16 à 24 ans. Il s'agit d'un marché à dominante masculine dans lequel on observe un groupe relativement important d'innovateurs prêts à essayer de nouveaux produits et de nouvelles saveurs. Les stratégies de marketing des différentes marques semblent avoir réussi, au fil des ans, à établir des images de marque sinon très différenciées, du moins très solidement implantées dans l'esprit des consommateurs.

Au Canada, le marché des boissons et des barres énergétiques est en croissance de 81 % dans les épiceries et atteint les 15 millions de dollars. Au Québec, la croissance des ventes atteint 200 %. Comme l'alimentation santé est une tendance privilégiée, bien des jeunes consommateurs ont délaissé les boissons non alcoolisées traditionnelles comme Coke, Pepsi ou 7up pour des boissons énergisantes. De plus, les boissons sans sucre ou réduites en calories répondent à un besoin certain de la part des consommateurs. En outre, les boissons incolores sont souvent associées aux produits santé. Par contre, ces boissons ont souvent mauvaise réputation, car elles contiennent une très forte dose de caféine, ce qui peut entraîner des effets secondaires dommageables lorsqu'elles sont consommées en grande quantité. D'autre part, certains adeptes aiment mélanger ces boissons avec leur alcool favori pour en faire une boisson alcoolisée.

Créée au Québec, Guru est l'une des marques de boisson énergisante les plus importantes. L'entreprise positionne son produit en le présentant comme une boisson entièrement naturelle. La combinaison de guarana, de ginseng sibérien, de ginko biloba et d'échinacée dont Guru est faite est un mélange énergisant.

Il est très difficile pour un nouveau produit d'être introduit dans les grandes chaînes d'alimentation. L'espace sur les tablettes coûte très cher et il faut donc se démarquer par une approche de marketing innovatrice.

Un fabriquant de boisson énergisante vous contacte et vous demande de lui préparer un plan de marketing qui contient des propositions précises en ce qui concerne les quatre variables contrôlables (voir à cet égard les éléments d'un plan marketing à la section 2.6). La grille suivante vous aidera pour la détermination du prix.

Grille des prix des boissons énergisantes		
Marque	Unité	6 bouteilles
Re-load		
Guru		
Red Bull		
Bigg Juice		
SoBe		
Ajoutez au besoin		

3

LA CONNAISSANCE DU CONSOMMATEUR AU CŒUR DE LA COMMUNICATION DE MASSE

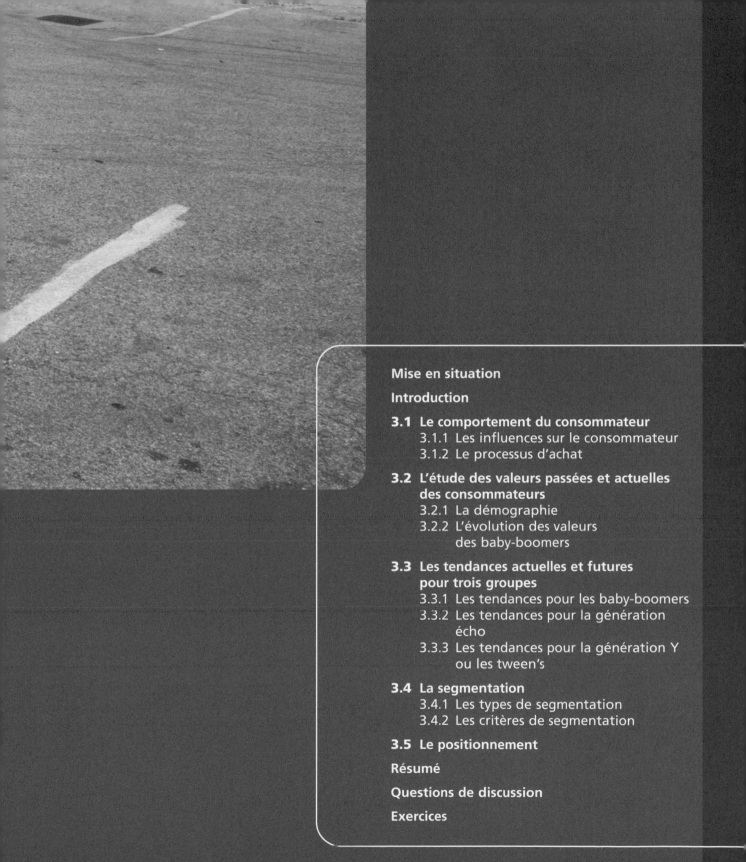

Le monde de la publicité ne cesse de me surprendre. Plus je me documente sur le sujet, plus sa vivacité m'étonne.

Prenez Song, par exemple. Ce transporteur aérien créé par Delta vise une clientèle sophistiquée. On y sert de la bouffe biologique préparée par un chef, les sièges sont hyperconfortables, les passagers peuvent regarder la télé par satellite, etc.

Lorsque vint le temps de créer l'image de Song, les gens de Delta se sont tournés vers Andy Spade, un as du marketing qui œuvre dans la mode. Spade a pris le concept initial de Song (un hôtel boutique avec des ailes) et l'a poussé à son maximum.

Premièrement, il a trouvé une couleur : vert, une teinte apaisante qui représente l'espoir, le respect de la nature et l'élégance. Deuxièmement, il a organisé de nombreux groupes de discussions afin de savoir ce que les gens aiment et n'aiment pas lorsqu'ils prennent l'avion. Ces rencontres lui ont permis d'apprendre que les femmes sont en général assez insatisfaites des services offerts par les transporteurs aériens. Spade s'est donc dit : « Eureka ! Nous avons trouvé notre clientèle, Song s'adressera aux femmes. »

Quelques séances plus tard, Andy Spade a créé le portrait-robot de la cliente type de Song. Elle a un mari et trois enfants, possède un 4 x 4 et une auto sport, utilise les cartes de crédit Nieman Marcus, lit les classiques de la littérature et feuillette en même temps le magazine People. Spade lui a même trouvé un nom : Carrie. Comment l'atteindre ? En parlant son langage. Pour Spade, pas de doute : Carrie adore le cinéma étranger, particulièrement les productions françaises. Il s'est donc inspiré des vieux films de Truffaut et de Godard pour créer les premiers messages télé de Song[1].

INTRODUCTION

Pour que les campagnes de communication de masse qu'on met au point soient efficaces, décodées convenablement et qu'elles « accrochent » le groupe cible, il est essentiel de connaître le consommateur que l'on vise. L'article reproduit dans la **Mise en situation** l'illustre tout à fait. La personne visée est-elle un amateur de films étrangers, comme dans cet exemple ? Les messages publicitaires qu'on choisit de télédiffuser s'inspirent donc de vieux films européens.

Ce chapitre est consacré à la connaissance du consommateur. Nous y abordons certains modèles de comportement du consommateur, nous expliquons les particularités du consommateur québécois et nous donnons un aperçu des tendances qui se dessinent en consommation.

---

1. MARTINEAU, Richard. « Les ailes d'un ange », *Infopresse*, vol. 20, n° 6, mars 2005, p. 54.

3.1 LE COMPORTEMENT DU CONSOMMATEUR

La nécessité de comprendre le comportement du consommateur a généré de nombreuses recherches visant à décrire ou à expliquer les influences qu'il subit au cours du processus d'achat. Ces recherches empruntent leurs méthodes et présupposés théoriques à diverses disciplines des sciences humaines comme l'anthropologie, l'économie, la psychologie et la sociologie.

3.1.1 Les influences sur le consommateur

Le modèle d'influences créé par Engel, Blackwell et Kollat est celui que nous retenons parce qu'il est le plus connu. Paru pour la première fois dans les années 1960 et régulièrement mis à jour depuis, leur livre[2] a été le premier ouvrage pédagogique entièrement voué à l'étude du comportement du consommateur[3]. Selon ce modèle, l'individu subit deux sortes d'influences : les influences extrinsèques ou exogènes (qui proviennent de sources extérieures à la personne) et les influences intrinsèques, aussi appelées endogènes (inhérentes à la personne).

3.1.1.1 Les influences extrinsèques

Ces influences sont diverses et elles comprennent la culture, les classes sociales et les groupes sociaux.

La culture ▪ Les différences culturelles peuvent être comparées à des paires de lunettes qui permettent de percevoir et d'interpréter le monde de différentes façons. La culture est un concept qui englobe les valeurs et les coutumes d'un groupe. En effet, les valeurs d'une société caractérisent sa culture ; elles concernent le vrai, le beau, le juste et le moral. En marketing, la liste des valeurs de Khale, aussi appelée LOV (*List of Values*), est fréquemment utilisée pour segmenter un marché en fonction de ses valeurs, c'est-à-dire pour subdiviser un groupe nombreux d'individus en segments homogènes. Au Québec, on se sert de neuf valeurs pour segmenter le marché : l'amusement et la joie de vivre, la quête de sensations fortes, le respect des autres à l'égard de soi, l'épanouissement personnel, le sentiment d'appartenance, la recherche de sécurité, le sens de l'accomplissement, la volonté d'établir des relations chaleureuses avec les autres et, finalement, le respect de soi. Certaines études québécoises menées à partir de la liste LOV ont conclu à l'existence de trois groupes de consommateurs : les hédonistes, les dynamiques et les conservateurs.

Le marché québécois est particulier puisqu'il constitue une sous-culture de la culture nord-américaine, et a fait l'objet d'analyses approfondies ; nous vous présentons, dans cette section, les deux études qui ont le plus marqué la communication de masse au Québec.

---

2. ENGEL, James F., Roger D. BLACKWELL et David T. KOLLAT. *Consumer Behavior*, 8e édition, New York, Holt, Rinehart and Winston, 1995.

3. D'ASTOUS, Alain *et al. Comportement du consommateur*, Montréal, Chenelière/McGraw-Hill, 2002, p. 21.

En 1978, la publication d'un livre intitulé *Les 36 cordes sensibles des Québécois*[4] a révolutionné le monde de la publicité au Québec. Jacques Bouchard, auteur et publicitaire de renom, y a décortiqué les caractéristiques propres aux consommateurs québécois à partir de six racines communes, générant chacune six cordes sensibles. Le but de cette recherche était de prouver aux annonceurs canadiens-anglais qu'il était impératif que les messages publicitaires destinés au marché du Québec soient distincts puisque, comme Jacques Bouchard l'a affirmé alors, la culture québécoise est différente de celle du Canada anglais. Selon une étude de Léger Marketing dont les résultats sont commentés dans l'article reproduit à l'encadré 3.1, seulement 10 de ces 36 cordes sont moins « sensibles » de nos jours, reflet d'une certaine mutation des valeurs collectives québécoises. Le tableau 3.1 présente d'abord les 36 cordes sensibles selon l'étude de Jacques Bouchard de 1978.

Tableau 3.1 Les cordes sensibles des Québécois selon l'étude de Jacques Bouchard	
A. Racine terrienne	**D. Racine catholique**
1. Le bon sens	19. L'antimercantilisme
2. L'amour de la nature	20. Le mysticisme
3. La simplicité	21. L'esprit moutonnier
4. La fidélité au patrimoine	22. Le fatalisme
5. La finasserie	23. Le conservatisme
6. L'habileté manuelle	24. La xénophobie
B. Racine minoritaire	**E. Racine latine**
7. Le complexe d'infériorité	25. La joie de vivre
8. Le bas de laine	26. L'amour des enfants
9. L'envie	27. Le besoin de paraître
10. L'étroitesse d'esprit	28. Le talent artistique
11. Le matriarcat	29. La sentimentalité
12. Le commérage	30. L'instinctivité
C. Racine nord-américaine	**F. Racine française**
13. La superconsommation	31. Le chauvinisme
14. La recherche du confort	32. Le cartésianisme
15. Le goût bizarre	33. L'individualisme
16. La solidarité continentale	34. La sensualité
17. Le sens de la publicité	35. La vantardise
18. Les nationalismes	36. Le manque de sens pratique

---

4. BOUCHARD, Jacques. *Les 36 cordes sensibles des Québécois*, Montréal, Éditions Héritage, 1978, 308 p.

Au cours du dernier quart de siècle, les Québécois ont changé. Mais ont-ils changé tant que ça ? Difficile de savoir. D'abord parce que le terme même de « Québécois » ne désigne plus les mêmes personnes ; la société a connu une évolution démographique importante. Ensuite parce que tous les phénomènes qui permettraient de caractériser ce changement ne sont pas quantifiables.

Ces vingt-cinq années, ce sont celles qui se sont écoulées depuis la publication par le fondateur de la firme publicitaire BCP, Jacques Bouchard, d'un essai sur *Les 36 cordes sensibles des Québécois*. Il y était question de situer, à partir des six racines desquelles la majorité québécoise tirait sa spécificité — terrienne, minoritaire, nord-américaine, catholique, latine et française —, les attributs qui déterminent « le » Québécois.

Plus tôt cette année, le sondeur Jean-Marc Léger a tenté de voir ce qu'il était advenu de ces cordes sensibles : il en est arrivé à la conclusion que 26 d'entre elles tenaient toujours la rampe. Hier, lors d'une allocution prononcée au dernier jour de la Semaine québécoise de la citoyenneté, Jean-Yves Samson, vice-président à la recherche et au marketing chez Léger et Léger, a repris l'essentiel de ces observations. Il en a fait sourciller quelques-uns.

Ainsi, sur une période de vingt-cinq ans, les Québécois auraient perdu une dizaine de leurs attributs fondamentaux : la simplicité, notamment en raison de l'urbanisation et de l'instruction ; le complexe d'infériorité, enseveli sous le sentiment de former une majorité ; la mentalité du bas de laine, qui a fait place à un endettement galopant ; l'étroitesse d'esprit, transformée en permissivité et en tolérance ; le commérage, disparu au profit de l'individualisme — et des nouvelles technologies ? ; le goût bizarre, ou le kitsch désormais canalisé par La Petite vie ; l'antimercantilisme, passé de mode à l'ère de la mondialisation et du capitalisme triomphant ; le mysticisme, mis au rancart par un sain scepticisme et la « privatisation » de la religion ; l'esprit moutonnier (voir individualisme) ; et le manque de sens pratique.

À l'inverse, le gros bon sens, la joie de vivre, le fatalisme, la sensualité, la vantardise, l'instinctivité, le matriarcat, la finasserie, parmi d'autres, resteraient bien vivants. Ce qui permettrait de déduire que les racines minoritaire et catholique ont le plus écopé de l'ère post-Révolution tranquille, pendant que la racine terrienne, elle, ne s'en est pas trop mal tirée... contre toute attente.

« On s'éloigne d'une société agricole et on se "banlieusarde". En 1997, 67 % préfèrent la campagne, alors que 33 % aiment mieux la ville », notait Jean-Marc Léger.

Que valent ces assertions ? M. Samson précise que, dans la majorité des cas, elles sont fondées sur des données obtenues lors de sondages ; dans les autres, elles relèvent plutôt d'une observation générale de la société et de « l'opinion d'un sondeur » aguerri. Elles ne sont pas, du moins pas toutes, vraiment scientifiques, a-t-il reconnu hier.

L'une, en tout cas, ne fait pas l'unanimité : la xénophobie (racine catholique) serait ainsi toujours présente. Les Québécois sont moins de 10 % à dire qu'ils sont racistes mais, dans un sondage, différents comportements racistes ont été testés et le taux est passé à 60 %.

Une allusion qui a fait bondir l'ancien ministre des Relations avec les citoyens et de l'Immigration, André Boisclair. « Les deux bras m'en sont tombés », confiait-il hier, lui qui participait à la rencontre. « Tous nos sondages donnent des résultats contraires. » Le ministre n'a d'ailleurs pas tardé à faire part d'une enquête qui indique que les Québécois jugent majoritairement (56 %) que les immigrants favorisent le développement économique, qu'ils contribuent au développement démographique (68 %) et que l'immigration représente une richesse culturelle (72 %).

De son côté, le président du Congrès juif du Canada (section Québec), Jack Jedwab, souligne qu'une telle analyse « ne reflète pas la pluralité du Québec ». « Nostalgique » et surtout pas scientifique, l'exercice « ne concerne que la majorité franco-catholique. Ce sont les 26 cordes sensibles des pseudo-Québécois », critique-t-il.

À ces arguments, M. Samson réplique qu'il ne s'agissait pas de présenter ce que les Québécois veulent être dans l'avenir, mais ce qu'ils sont maintenant. « Nous ne sommes pas des saints », dit-il. D'autre part, les francophones dits de souche constituent bien encore 80 % de la population de la province.

Mais les choses changent, et elles changent de plus en plus vite, a-t-il conclu. Le même exercice risque d'ailleurs de donner des résultats radicalement différents dans cinq ou dix ans à peine.

Source : DION, Jean. « Nos cordes sensibles, vingt-cinq ans plus tard », *Le Devoir*, 15 novembre 1997, p. A2.

Claude Cossette, autre figure éminente du monde de la communication au Québec, a proposé vers la même époque une typologie des consommateurs québécois basée sur la capacité individuelle à s'adapter au changement et à l'innovation. Bien que ce modèle ait presque une trentaine d'années, il est toujours une référence importante dans le domaine des études du comportement du consommateur québécois[5]. Cossette distingue les quatre grands groupes de consommateurs suivants.

Les inertes : ils constituent 35 % de la population et véhiculent des valeurs traditionnelles conservatrices, telles que la religion, la famille et le travail.

Les amovibles : ils représentent 40 % de la population ; ils ont besoin d'encouragement pour évoluer ; ils cherchent à améliorer leur sort sur les plans économique et social.

Les mobiles : ils constituent 15 % de la population ; ils suivent les tendances, s'informent beaucoup ; ils font preuve d'une certaine ouverture d'esprit et rêvent de posséder une belle maison et une belle voiture.

Les versatiles : ils ne représentent que 10 % de la population ; ils figurent parmi les gens les plus instruits et les mieux informés.

Le tableau 3.2 présente quelques comportements typiques de chacune des catégories.

Tableau 3.2 Les comportements associés aux quatre groupes de la typologie de Cossette

Comportements	Inertes	Amovibles	Mobiles	Versatiles
Vie sociale	Limitée à la parenté	Quelques parents et amis	Réseau étendu, mais sa visée est utilitariste	Réseau étendu, implication dans le milieu
Sources d'information	Télévision	*Sélection du Reader's digest*	Best sellers	*L'Express*, *Time's*, bibliothèque personnelle
Sport	Aucun	Motoneige	Golf	Ski de fond
Déplacements	D'un quartier à l'autre	D'une ville à l'autre	L'Amérique	D'un continent à l'autre
Milieu d'origine	Même que celui de leurs parents	Essaient d'améliorer leur sort	Issus d'une classe plus basse	Viennent de la classe moyenne, ont accédé à une classe plus élevée
Valeur fondamentale	L'esprit de clan	Le travail	L'ordre	L'authenticité

5. CHEBAT, Jean-Claude, Pierre FILIATRAULT et Michel LAROCHE. *Le comportement du consommateur*, Montréal, Gaëtan Morin éditeur, 2003, p. 305-307.

Les deux études présentées dans cette section ont à leur époque révolutionné la communication de masse au Québec. Cependant, le caractère cosmopolite de la société québécoise est de plus en plus incontournable et, depuis une vingtaine d'années, il est nécessaire de considérer des éléments de sous-culture dont ces études ne tiennent pas compte. La proportion croissante de certains groupes ethniques ou religieux dans la société québécoise pousse les stratèges de la communication commerciale à concevoir des messages spécifiques à leur intention.

Les classes sociales ▪ La notion de classe sociale désigne chacun des groupes relativement homogènes qui structurent la société selon certains critères. Le modèle d'Engel, Blackwell et Kollat s'appuie sur des variables telles que le revenu, la catégorie socioprofessionnelle, le niveau d'éducation. La société est ainsi divisée en trois grandes classes sociales, la classe supérieure, la classe moyenne et la classe inférieure. Chacune de ces classes est elle-même subdivisée en deux sous-catégories, l'inférieure et la supérieure, ce qui donne ainsi six classes sociales. On constate que les membres d'une même classe sociale partagent des valeurs communes et que leurs habitudes de consommation sont similaires.

Les groupes ▪ Les groupes exercent une influence considérable sur toutes nos décisions. L'expression « groupe de référence » désigne « tout individu ou groupe d'individus, réel ou fictif, qui influence les croyances, les opinions, les valeurs, les attitudes et les comportements d'un consommateur, en lui servant de référence, de base de comparaison[6] » . Il peut donc s'agir de groupes d'appartenance ou de groupes d'aspiration.

Il existe plusieurs groupes d'appartenance, comme la famille, les collègues de travail, les amis, les voisins. Chaque personne fait partie d'un ou de plusieurs groupes sociaux ayant chacun ses propres normes, conventions et codes, le code vestimentaire étant souvent le plus manifeste. La figure 3.1 illustre un exemple de publicité portant sur l'influence du groupe social.

Les groupes d'aspiration sont des groupes dont les membres exercent une certaine attirance sur un individu qui rêve d'en faire partie. Si ce rêve est réalisable, on parle alors de groupe d'anticipation, comme dans le cas d'un étudiant en médecine pour qui le milieu médical sert de référence : il en adopte le vocabulaire, lit les mêmes magazines, défend les mêmes valeurs. Le groupe symbolique, quant à lui, désigne un groupe dont un individu n'est pas membre et dont il ne deviendra jamais membre, malgré son envie d'en faire partie, mais auquel il s'identifie fortement. Il s'agit la plupart du temps de célébrités reconnues

Figure 3.1
Un exemple de publicité portant sur l'influence du groupe social.

la maison
SIMONS
QUÉBEC   MONTRÉAL   SHERBROOKE

Source : La maison Simons.

---

6. D'ASTOUS *et al. Op. cit.*, p. 222.

pour leur talent, leur performance ou leurs exploits, mais aussi parfois d'experts dans leur domaine. C'est ce qui explique que certaines campagnes de communication recourent à des célébrités comme porte-parole, comme Claudia Schiffer pour les produits Revlon, Vanessa Paradis pour le parfum Coco de Chanel et Céline Dion pour Air Canada. D'autres types de communication commerciale mettent l'accent sur l'expertise, réelle ou simulée, du porte-parole : par exemple, des produits d'hygiène ou de premiers soins sont vantés par un personnage en blouse blanche, qui représente symboliquement le monde médical.

3.1.1.2 Les influences intrinsèques

Les variables intrinsèques sont celles qui sont inhérentes à l'individu et indépendantes de facteurs extérieurs. Les influences intrinsèques, ou endogènes, qu'un individu subit sont liées à sa motivation, à sa personnalité, à ses attitudes, à son apprentissage et à sa perception.

La motivation ▪ Selon Abraham Maslow[7], la quête de la satisfaction de nos besoins est le moteur de toutes nos actions. Les termes *moteur* et *motivation* ont d'ailleurs la même racine latine (*movere*, qui signifie « bouger »). Maslow a partagé en cinq grandes catégories la multitude des besoins que l'être humain peut ressentir. Ces besoins sont non seulement catégorisés, mais aussi hiérarchisés : avant de chercher à assouvir des besoins d'un échelon supérieur, un individu doit avoir assouvi les besoins d'un niveau inférieur. La théorie de Maslow est illustrée dans la fameuse pyramide des besoins présentée à la figure 3.2 :

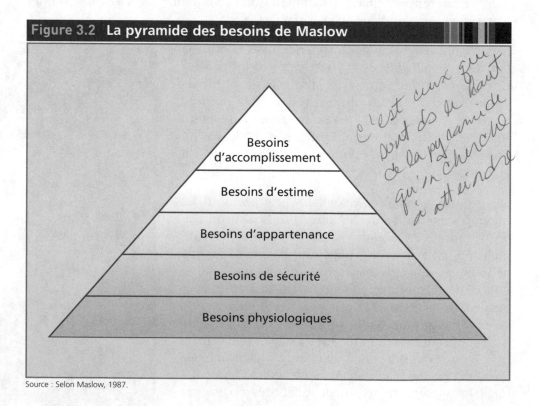

Figure 3.2 La pyramide des besoins de Maslow

Besoins
d'accomplissement

Besoins d'estime

Besoins d'appartenance

Besoins de sécurité

Besoins physiologiques

C'est ceux qui sont ds le haut de la pyramide qu'in cherche à atteindre

Source : Selon Maslow, 1987.

---

7. MASLOW, Abraham. *Motivation and Personality*, 3e éd., New York, Harper and Row, 1987, 293 p.

Les besoins physiologiques tels que la soif, la faim, les besoins sexuels et le besoin de dormir sont ceux que l'individu cherche prioritairement à satisfaire ; une fois satisfaits, ils ne constituent plus une source de motivation. Les besoins du niveau immédiatement supérieur prennent alors le relais.

Les besoins de sécurité concernent la sécurité et la sûreté (tant sur le plan physique que psychologique), ainsi que la quête de stabilité.

Les besoins d'amour et d'appartenance concernent l'affection, l'amitié, l'affiliation.

Les besoins d'estime englobent l'estime de soi, le prestige, la quête de reconnaissance, la valorisation par autrui. La figure 3.3 donne un exemple de la satisfaction des besoins d'estime.

Les besoins d'accomplissement portent l'individu à réaliser pleinement son potentiel.

L'encadré 3.2 donne un exemple de consommation motivée par des besoins de niveaux différents.

Selon Claude Cossette, « une bonne campagne de publicité s'appuie toujours sur l'une ou l'autre de ces motivations. Mais le concepteur publicitaire ne doit choisir qu'une seule motivation : la bonne. […] C'est ce qu'on appelle l'axe motivationnel, l'axe sur lequel s'appuie toute la démonstration, l'argumentation[8]. »

Source : Nautica.

Figure 3.3
Un exemple de la satisfaction des besoins d'estime.

Encadré 3.2 Les besoins qui motivent la consommation d'un produit

Deux personnes différentes peuvent se procurer un même produit pour satisfaire deux niveaux de besoin différents, comme en témoigne cette anecdote.

Dans un cours de marketing dispensé le soir dans le cadre de l'éducation permanente, le professeur explique la théorie de Maslow. Les étudiants sont de jeunes adultes déjà sur le marché du travail, qui viennent au cégep un ou deux soirs par semaine et ne se connaissent pas entre eux, à l'exception de deux jeunes femmes, que nous appellerons Jeanne et Marie, qui manifestement se fréquentent aussi dans un autre contexte. Lorsque le professeur demande au groupe de donner des exemples pour illustrer la théorie de Maslow, Marie explique que Jeanne et elle-même sont membres d'un même club de karaté. Alors que Jeanne est ceinture noire, participe à l'occasion à des démonstrations dans des centres commerciaux, éprouve une véritable passion pour cet art martial et cherche toujours à progresser davantage, Marie, qui travaille de nuit dans un bar et a déjà été victime d'une agression en rentrant chez elle, s'est mise au karaté pour pouvoir se défendre. Jeanne est donc motivée par le besoin d'accomplissement et Marie, par le besoin de sécurité.

---

8. COSSETTE, Claude. *La publicité, déchet culturel*, Québec, Les éditions de l'IQRC, Les Presses de l'Université Laval, 2001, p. 103.

La personnalité ▪ La personnalité d'un individu se reflète aussi dans ses motivations inconscientes. Les neurosciences nous apprennent que le cerveau est séparé en trois sections : le cerveau reptilien, siège de l'instinct et du plaisir, le cerveau limbique, siège des émotions, et le cortex, siège de la raison. En cas de conflit, le cerveau reptilien l'emporterait toujours. Selon Clotaire Rapaille[9], si le publicitaire s'adresse au cortex (c'est-à-dire à la raison) en disant : « Mangez moins de gras, c'est bon pour vous », jamais le message ne passera. De plus, la communication de masse doit aussi chercher à toucher la dimension inconsciente des comportements du consommateur envers certains produits. Rapaille illustre cette réalité à partir de l'exemple d'un produit aussi banal que le fromage. En France, où il est fabriqué à partir de lait cru, le fromage est considéré comme vivant ; les consommateurs le laissent donc sur le comptoir. Pour les consommateurs américains, qui consomment surtout du fromage pasteurisé, le fromage est un produit mort, ils le déposent donc à la morgue, soit dans le réfrigérateur[10].

L'emprise de l'inconscient sur les comportements a été l'objet de nombreux travaux depuis Sigmund Freud. On a découvert que certains comportements d'achat qui paraissent absolument irrationnels répondent en fait à des mobiles inconscients, et que toute justification rationnelle est impossible dans ces cas, puisque les consommateurs achètent plus le symbole rattaché à un produit que le produit lui-même.

Les attitudes ▪ Le terme « attitudes » désigne l'ensemble des prédispositions d'un individu envers un produit, un service, une marque. Une attitude est la résultante de trois dimensions de l'individu : la dimension cognitive, qui englobe les croyances, fondées ou non, concernant l'objet de l'attitude ; la dimension affective, qui désigne les sentiments suscités par l'objet de l'attitude ; et la dimension conative, qui relève des intentions, du comportement par rapport à l'objet de l'attitude. Les attitudes peuvent être modifiées. Il y a quelques années, les producteurs de porc du Québec ont dû investir dans des campagnes de communication massives pour modifier l'attitude des Québécois envers la viande de porc, perçue jusqu'alors comme une viande grasse et qui convenait peu à ceux qui tenaient à ce que leur alimentation soit saine.

L'apprentissage ▪ L'apprentissage désigne le processus par lequel une personne acquiert de nouvelles connaissances ou adopte de nouveaux comportements. Les connaissances d'un individu façonnent sa façon d'appréhender le monde. Les spécialistes du marketing accordent une grande importance aux diverses théories de l'apprentissage, afin d'en tenir compte le plus efficacement possible dans leur démarche de communication persuasive.

Les techniques de marketing se rattachent à trois grandes écoles de pensée en ce qui concerne l'apprentissage : l'école de la psychologie cognitive, axée sur

---

9. RAPAILLE, Clotaire, propos recueillis par LACHAPELLE, Sophie. « Le triomphe de l'instinct », *Infopresse*, janvier-février 2000, p. 56.

10. AUGER, Martine. « Un psychiatre français découvre la dimension inconsciente des produits », *Les Affaires*, le samedi 24 mai 1997, p. 40.

Tableau 3.3 L'utilisation de la technique du renforcement dans l'introduction d'une nouvelle saveur de biscuit

Séquence d'apprentissage	Stimulus : technique de communication de masse	Renforcement
Faire connaître l'existence du produit ; susciter l'intérêt.	Publicité : annonces dans les grands médias ; Relations publiques : lancement du produit dans le milieu de l'alimentation.	Prise de conscience de l'existence du produit ; connaissance de ses caractéristiques.
Faire essayer le produit.	Promotion des ventes : dégustation dans un supermarché avec remise d'un bon de réduction de 1,50 $; distribution d'échantillons gratuits accompagnés d'un bon de réduction de 1,50 $.	Saveur du biscuit Bon de réduction
Inciter à acheter à faible coût.	Promotion des ventes : le bon de réduction de 1,50 $ est utilisé. Un autre bon de réduction de 0,75 $ est inclus dans l'emballage.	Saveur du biscuit et bons de réduction
Inciter à acheter à coût moyen.	Promotion des ventes : le coupon trouvé dans la boîte de biscuit est utilisé à l'achat d'un paquet de biscuits à un coût modéré.	Saveur du biscuit
Inciter à acheter à plein prix.	Fin de la promotion des ventes : le produit est acheté sans incitatif monétaire ; il fait partie des habitudes d'achat.	Saveur du biscuit

le traitement de l'information ; la théorie de la socialisation, selon laquelle les individus apprennent de leurs interactions avec leur milieu, par modélisation ou renforcement ; et l'école behavioriste, selon laquelle les apprentissages sont le résultat d'un conditionnement obtenu par la technique du renforcement. Le tableau 3.3 présente une application de la technique du renforcement dans le domaine de la communication de masse[11].

La perception ▪ La perception est le processus par lequel un individu sélectionne, interprète et organise l'information transmise par ses sens. Les sens d'un individu sont bombardés de stimuli, mais il n'y prête pas toujours attention ; il a plutôt tendance à sélectionner les informations qui peuvent servir ses besoins immédiats. Par exemple, une personne est ainsi beaucoup plus réceptive aux annonces sur les téléviseurs lorsqu'elle envisage la possibilité de remplacer son vieil appareil. Ce phénomène s'appelle la perception sélective. Pour contrecarrer les filtres perceptuels, les stratèges du marketing ont mis au

---

11. D'après DARMON, René Y., Michel LAROCHE et John V. PÉTROF. *Le Marketing, fondements et applications*, Montréal, Les Éditions de la Chenelière, 1996, p. 109.

point plusieurs techniques de communication, telles que les présentoirs promotionnels sur les lieux de vente. En voici quelques exemples[12] :

- les ventes moyennes des produits en solde augmentent de 40 % lorsqu'on ajoute une couleur à une publicité publiée imprimée en noir et blanc ;
- les publicités placées au verso de la couverture avant et au verso de la couverture arrière d'un magazine sont lues par 30 % des gens, tandis que celles publiées en quatrième de couverture reçoivent 60 % d'attention ;
- une publicité imprimée d'une pleine page a presque deux fois plus d'effet qu'une publicité d'une demi-page.

3.1.2 Le processus d'achat

La longueur du processus d'achat varie selon le type de produit acheté : le processus est court dans le cas de l'achat d'une barre de chocolat au dépanneur ; il est long s'il s'agit de l'achat d'une première voiture. Les différentes étapes du processus d'achat sont les suivantes :

- reconnaissance du besoin ;
- recherche d'informations ;
- évaluation des solutions possibles ;
- achat ;
- comportement postérieur à l'achat.

Tout au long de ce processus, le consommateur subit les influences intrinsèques et extrinsèques décrites à la section précédente.

3.2 L'ÉTUDE DES VALEURS PASSÉES ET ACTUELLES DES CONSOMMATEURS

3.2.1 La démographie

La démographie est la discipline qui analyse les diverses données d'une population, comme ses taux de natalité et de mortalité, l'immigration et l'émigration, etc. Selon David Foot[13], démographe canadien, la démographie explique les deux tiers des actions d'un individu. Environ 90 % de ce qu'un individu fait serait caractéristique du groupe d'âge auquel il appartient. D'autres chercheurs soutiennent que la démographie n'explique pas tout et que les goûts et les valeurs des gens n'ont rien à voir avec leur âge. Alain Giguère[14] est l'un de ceux qui affirment que l'âge n'explique pas tout ; en effet, selon le président de CROP Recherche, l'âge n'explique pas pourquoi, par exemple, un certain produit plaît aux *explorateurs* de 15-37 ans, mais qu'il pourrait aussi être acheté par les *engagés* de 54 ans et plus.

---

12. D'ASTOUS *et al. Op. cit.*, p. 75-76.

13. FOOT, David. *Entre le boom et l'écho*, Montréal, Boréal, collection « Infopresse », 1999, p. 15.

14. DANSEREAU, Suzanne. « Consommation : l'âge n'explique pas tout, le plaisir domine toujours », *Les Affaires*, février 2001, p. 18.

Selon les tenants de l'influence de l'âge sur les goûts (thèse de la démographie), il est fort probable qu'un enfant de 10 ans n'aime pas les pétoncles et l'opéra, mais que, plus tard dans sa vie, il achètera sa première voiture, louera son premier appartement et se mariera, et ce, fort probablement en même temps que les autres individus de son âge. Selon les démographes, les personnes du même âge consomment les mêmes biens, alors que d'autres études affirment que c'est plutôt la culture qui influence le comportement d'achat.

Le tableau 3.4 présente la répartition de la population par groupe d'âge.

Tableau 3.4 La population canadienne par groupe d'âge

Année de naissance	Génération	Nombre[15] (en milliers)	% de la population canadienne
1947 à 1966	baby-boom	9 481,3	29,6 %
1960 à 1966	X	5 154,3	16,1 %
1967 à 1979	creux dans les générations	6 789,5	21,3 %
1980 à 1995	Y ou écho	6 466,3	20,2 %
1996 à 2010	creux du millénaire	3 611,1	11,3 %

3.2.2 L'évolution des valeurs des baby-boomers

Dans cette section, nous tentons de décrire brièvement l'évolution que subissent, au cours de différentes périodes, les baby-boomers, qui forment le groupe démographique le plus nombreux.

3.2.2.1 Avant 1960

Dès la fin de la deuxième guerre mondiale en 1945, les hommes qui avaient combattu sur le front européen reviennent au bercail. Dès leur retour à la maison, ils se marièrent et eurent plusieurs enfants… C'est le début du baby-boom, en 1947. À cette période, les mères canadiennes avaient quatre enfants en moyenne. Le baby-boom prend fin avec l'avènement de la pilule contraceptive et l'augmentation du nombre de femmes qui travaillent.

Les différentes tendances de consommation sont souvent reliées aux valeurs mouvantes de la société. Avant les années 1950, les Québécois partageaient des valeurs communes, uniformes, à cause de l'influence très importante qu'avait la religion sur la population. Graduellement, les Québécois se sont libérés du joug de la religion ; n'adhérant plus automatiquement à la morale dictée par l'Église, ils se sont permis beaucoup plus d'audaces. La société québécoise est devenue donc beaucoup moins homogène au fil des ans.

3.2.2.2 Les années 1980

Par la suite, dans les années 1980, le consommateur s'est engagé dans une course folle à la consommation. Il recherchait la réussite et voulait gagner à tout

---

15. Statistique Canada, <www.statcan.ca>, site visité le 30 juillet 2005.

prix. Son apparence, son look sont devenus primordiaux. On a assisté à l'avènement des *yuppies*, (acronyme américain pour Young, Urban, Professionnals). Tout comme la publicité, les téléromans véhiculaient les valeurs mouvantes de la société. Par exemple, la populaire série télévisée *Lance et compte* est représentative des valeurs des années 1980 : Pierre Lambert joue, s'amuse, sort le soir, gagne ses matchs et roule dans des voitures de luxe[16]. C'est aussi durant cette période que la chaîne de centres de conditionnement physique Nautilus a connu son essor ; elle vendait ses services en promettant un beau corps.

3.2.2.3 Les années 1990

Dans les années 1990, les gens avaient peur de perdre leur emploi et ont vécu avec un sentiment d'insécurité croissant. Effrayé par la violence, le consommateur, pessimiste, recherchait la sécurité du confort et restait à la maison, d'où l'avènement du coconnage (*cocooning*). À cette même période, certaines valeurs traditionnelles ont regagné en popularité, comme la famille, les enfants, la santé et le plein air. Chrysler a connu durant cette période un fulgurant succès avec la fourgonnette Caravan, un véhicule adapté aux familles lancé un peu avant 1990. Réussir à tout prix, comme dans les années 1980, n'était plus une valeur aussi prisée ; on misait surtout sur la qualité de vie. C'est dans ces années que le magnétoscope domestique, qui recrée un cinéma dans le confort du foyer, a fait son apparition ; les fabricants de voiture ont alors offert des véhicules plus sécuritaires et l'ordinateur personnel a connu un grand succès. Nautilus annonçait alors qu'« il n'y a pas de mal à se faire du bien », et les annonceurs prônaient la bonne forme, la santé. À la télévision, c'est *Scoop*, une critique sociale, qui était populaire. Les jeux de pouvoir y étaient fréquents. Dans cette série, Rousseau, le riche père, vit difficilement sa relation avec sa fille qui lui paraît révolutionnaire, selon ses principes. Les relations familiales ont aussi la cote ; celles du milieu rural sont décrites dans les séries *Les Filles de Caleb* et *Blanche*[17], elles aussi très populaires à la télévision dans ces années.

3.2.2.4 Les années 2000 et suivantes

Au début des années 2000, les Québécois sont plus endettés et ne consomment plus tous azimuts. Finis la grosse voiture, la maison et les articles de sport luxueux. Les consommateurs n'achètent plus uniquement pour le prestige ni pour duper sur leur situation réelle, comme le faisaient les *yuppies* des années 1980. Une tendance importante se dessine présentement : le consommateur privilégie un ou deux créneaux de consommation (le vélo, le camping ou le vin, par exemple), mais s'y adonne très intensément, devenant un accro de consommation dans ce domaine. Il achète des magazines et des livres portant sur le sujet. Ses sorties et les discussions qu'il a avec ses amis y sont consacrées. Ce domaine devient son principal centre d'intérêt, car tout tourne autour de sa passion.

---

16. DESAULNIERS, Jean-Pierre. *De la famille Plouffe à la Petite vie – Les Québécois et leurs téléromans*, Montréal, Les Éditions Fides, 1996, p. 60.

17. *Ibid*.

3.3 LES TENDANCES ACTUELLES ET FUTURES POUR TROIS GROUPES

Nous présentons dans les sections suivantes des analyses des tendances actuelles et des prévisions pour trois groupes, soit les baby-boomers, la génération écho (c'est-à-dire celle des enfants des baby-boomers) et la génération Y ou les *tween's* (c'est-à-dire un sous-groupe de la génération écho).

3.3.1 Les tendances pour les baby-boomers[18]

Les baby-boomers vieillissants tiennent à ce que les services qu'ils reçoivent soient excellents et sont prêts à payer plus cher pour cette qualité. Les secteurs suivants seront en hausse : le domaine pharmaceutique, le marché boursier, la détente et les loisirs. Les baby-boomers sont des consommateurs comportant de multiples facettes. Ils recherchent l'aubaine dans un magasin à grande surface, mais aussi la meilleure qualité dans une boutique spécialisée : le haut de gamme et le bas de gamme les intéressent, mais pas de milieu[19]. Lorsqu'ils magasinent, ils recherchent des divertissements, une ambiance[20] particulière et fréquentent donc les centres commerciaux dont les espaces de repos et les fauteuils où on peut lire son journal répondent à cette tendance. De toute façon, les centres commerciaux se sont déjà adaptés à l'âge des baby-boomers : le volume de la musique d'ambiance est un peu plus fort ! De plus, les fabricants de téléviseurs leur offrent déjà des écrans plus grands pour combler la baisse de leur vue !

Les baby-boomers manquent de temps et cherchent à obtenir des informations qui leur feront justement gagner du temps. La recherche d'informations sur Internet deviendra de plus en plus importante. Par contre, la transaction commerciale risque de continuer à se faire au magasin, car les baby-boomers cherchent à vivre une expérience lors de leur magasinage.

Faith Popcorn est une conseillère en marketing très recherchée. Son entreprise, BrainReserve, a comme clients les plus grandes entreprises américaines, qui la consultent pour connaître les prévisions en matière de tendance sociale.

Pour l'avenir, Faith Popcorn prévoit le renforcement du coconnage[21], tendance que nous avons présentée précédemment. Mais si le cocon dans lequel se renferment les baby-boomers se renforce, deviendra-t-il une forteresse blindée ? Une tendance observée aux États-Unis, le « bunkering », pourrait le laisser croire, comme l'explique l'article présenté dans l'encadré 3.3. Il existe déjà une puce sous-cutanée pour les animaux domestiques, permettant aux maîtres de savoir où sont leurs animaux de compagnie. Va-t-on en concevoir

18. FOOT. *Op. cit.*, p. 89, 94 et 96.

19. DANSEREAU, Suzanne. « Le caméléon fait son entrée chez les détaillants », *Les Affaires*, 29 avril 2000, p. 3.

20. DANSEREAU, Suzanne. « Le client n'achète plus des produits, il veut des expériences », *Les Affaires*, 29 avril 2000, p. 5.

21. POPCORN, Faith. *Le rapport Popcorn : Comment vivrons-nous l'an 2000*, Montréal, Les Éditions de l'Homme, 1994, p. 39.

un modèle adapté pour les enfants ? Ceux qui veulent surveiller leur maison en tout temps peuvent déjà utiliser, directement du bureau, un système de surveillance de la maison par caméra.

Encadré 3.3 Quand le *cocooning* tourne au « bunkering »

Lorsque la sociologue et spécialiste des tendances Faith Popcorn a identifié et popularisé le cocooning durant les années 80, se doutait-elle que sa description de cet art de vie urbain se durcirait au fil du temps pour devenir ce qu'elle appelle aujourd'hui le bunkering ? De l'appréciation du confort douillet de la maison à l'utilisation de sa résidence pour se prémunir des « assauts » extérieurs de la vie moderne, le pas à franchir était facile. Et pour certains, il a été fait.

La perception du logis comme forteresse, surtout en cours chez nos voisins du Sud, s'est accentuée au lendemain des attentats du 11 septembre 2001. Devant la menace envisagée, plusieurs se sont occupés à rendre leur cocon un peu plus hermétique. Au détriment des voyages, la rénovation résidentielle a progressé et on s'est assuré, du coup, d'être sauf et en sécurité à la maison. Systèmes d'alarme, caméras, aménagement des pièces des étages inférieurs (jugées plus sécuritaires), tout a été alors mis en place pour se sentir protégé d'un univers extérieur, perçu comme agressif et violent. Le cocon douillet possède désormais le rôle de bunker, de terrier...

Au Canada, le phénomène est beaucoup moins marqué. Cependant, il existe à sa façon, bien que les spécialistes ne croient pas qu'il s'immiscera aussi solidement qu'aux États-Unis. Ici, le bunkering est sporadique et prend plutôt la forme d'une course folle pour se procurer une génératrice au lendemain de la crise du verglas, de préparer sa résidence pour résister aux crues d'une rivière capricieuse ou encore d'un poêle à bois (au cas où) pour les mois glaciaux d'hiver. Mais ce qui se passe ailleurs finit tout de même par avoir des retombées de notre côté de la frontière.

Jacques De Guise, professeur associé au département d'information et de communication à l'Université Laval, spécialisé notamment en marketing social et sur le sujet de la violence à la télévision, constate l'importance grandissante du marché des « gadgets de sécurité ». Une situation qu'il croit encouragée par le nombre grandissant d'actes violents au petit écran et qui crée une méfiance chez la population.

S'il ne constate pas de baisse dans la demande pour les systèmes d'alarme, Patrice De Luca, vice-président marketing et développement des affaires chez Protectron, confirme néanmoins qu'il y a ces dernières années une augmentation constante pour ce marché.

La technologie étant plus abordable et simple d'utilisation, elle permet d'incorporer de plus en plus de systèmes sophistiqués dans les résidences. Les caméras de surveillance auraient particulièrement la cote. « Il n'y a pas une tendance très lourde au bunkering, observe cependant M. De Luca, dont l'entreprise surveille les arrières de plus de 170 000 clients, d'un océan à l'autre. Sans doute, notre côté latin qui n'aime pas les barreaux, estime-t-il. « Mais il existe une préoccupation plus grande pour la sécurité personnelle ».

Une préoccupation qui atteint parfois des sommets, peu connus ici. Le professeur De Guise donne en exemple son neveu qui habite en banlieue de Miami. Spécialiste en sécurité, il habite un *gate community*, ces quartiers barricadés et sous haute surveillance, avec guérite à l'entrée.

Un type d'aménagement résidentiel que M. De Guise ne s'attend pas à voir au Québec demain matin, malgré l'intérêt grandissant pour la sûreté résidentielle. Actuellement, selon les données de la Société canadienne d'hypothèques et de logement (SCHL), aucun complexe du genre ne serait répertorié au pays.

M. De Guise croit que le cocooning est encouragé par le fait que la population soit vieillissante. Et par la bande, le bunkering avance également. On n'a qu'à penser aux résidences pour personnes âgées où il n'est désormais plus possible d'entrer sans montrer patte blanche, souligne-t-il.

Aux abris ?

Terrorisme, tsunamis, tueries... Sommes-nous insouciants, ou alors est-ce le pays de l'Oncle Sam qui y va un peu fort ? « Il n'y a pas d'indices qu'il faut avertir les Canadiens [pour qu'ils se protègent de façon plus sérieuse] », estime Jacqueline Meunier, conseillère principale, recherche et diffusion d'information à la SCHL. « La dernière frousse était la bombe atomique », rigole-t-elle. « Mais il y a toujours des gens qui s'inquiéteront. »

À la SCHL, aucune donnée concernant le bunkering n'existe, alors que les conseils disponibles se penchent surtout sur la prévention du vol dans les résidences.

Rien en ce qui concerne une attaque au mortier ou au bacille du charbon (anthrax) !

Toujours à l'affût des tendances, Claude Cossette, professeur de publicité sociale à l'Université Laval, s'étonne un peu lorsqu'il entend l'appellation bunkering. Un terme qui fait image, qui sert à intéresser les gens et qui s'inscrit dans une stratégie de marché destinée à faire vendre dans le domaine de l'immobilier, pense-t-il.

Rien de bien nouveau à son avis, simplement une façon différente de décrire ce qui existe pourtant depuis longtemps.

Ce qui est perçu à tort comme une « solution miracle » pour Los Angeles ou Washington, ne s'adapte pas à toutes les sociétés, avise M. Cossette.

« Au Québec, comme dans les pays latins, la vie sociale, celle de la cité, a son importance. Le bunkering va à l'encontre de ça ! » Une situation qui se retrouve également sur le Vieux Continent, alors que le phénomène est là aussi très marginal. « Ça protège de l'extérieur, mais tu ne peux en sortir ! Ça satisfait certaines personnes, souvent des gens riches, mais pas toutes », poursuit l'homme de marketing. Pour lui, il s'agit d'une façon d'entrevoir sa demeure dans un cadre « à la Disneyworld », qui reste très états-unienne.

« Au Québec, on n'est pas dans cette civilisation. Je doute qu'on en arrive là ![22] »

Comme tendance, en plus du coconnage, madame Popcorn propose des aventures fantastiques : comme par exemple une journée dans un centre de paintball, un souper thaïlandais, un mur d'escalade dans un bar, activité après laquelle on rentre confortablement à la maison. Dans le même ordre d'idées, on peut citer l'utilisation, par les baby-boomers, de leur vélo de montagne sur la piste cyclable située en face de leur maison. Les baby-boomers tentent de combler un besoin d'évasion et de plaisir. La demande pour le tourisme d'aventure, souvent coûteux, augmente chaque année. L'hôtel de glace est représentatif de cette tendance. Après le succès de l'hôtel de glace, on a construit des hôtels sous-marins et on prévoit même un complexe hôtelier spatial, sans compter que Virgin a annoncé que des vols en haute altitude seront bientôt offerts aux téméraires.

Dans le domaine de la publicité, un message très caractéristique du mode de vie du coconnage a été récemment présenté à la télévision. Dans ce message, un couple cherche un film dans un club vidéo. Une fois le film choisi, l'étagère des films se déplace et le couple se retrouve à la maison. Par ce message, Illico présente la possibilité de louer des films sans avoir à sortir de chez soi.

Alain Giguère, président de CROP Recherche, prédit une autre tendance : la production de masse sur mesure[23]. On est loin du temps où Henry Ford lançait son Modèle T, en 1910, et en offrait un choix de couleurs, à condition que le consommateur choisisse la couleur noire ! De nos jours, le consommateur exige du sur mesure. Les techniques de production rendent possible cette innovation. Par exemple, Levi's offre un jeans sur mesure sur son site Internet et dans certaines boutiques.

22. MASSICOTTE, Jean-Sébastien. « Quand le cocooning tourne au "bunkering" : La sécurité excessive à la maison, un phénomène encore marginal au Canada », *Le Soleil*, le samedi 26 mars 2005, p. E2.

23. GIGUÈRE, Alain. « La quête de sens », *Infopresse*, janvier-février 2000, p. 52.

3.3.2 Les tendances pour la génération écho

La génération écho regroupe les ~~enfants des baby-boomers~~. Ces personnes vivent peu en région, presque tous se trouvent dans les grands centres urbains. Ils sont un grand nombre, donc les professionnels du marketing s'intéressent à eux. Comme leurs deux parents travaillent depuis leur jeunesse, ils leur remettaient de l'argent pour les menus achats à l'épicerie, pour la famille. Ils ont été habitués dès leur jeune âge à consommer. Lorsqu'ils étaient enfants, les membres de cette génération rentraient à la maison après l'école avec la ~~clé dans le cou~~ et la télévision leur servait alors de gardienne. Grâce au zapping, ils choisissent les canaux spécialisés. Plusieurs sont enfants du divorce et leur réseau familial est vaste… ce qui est quand même agréable les jours de fête.

Les individus appartenant à la génération écho ~~travaillent, mais durant leurs études, ils demeurent chez leurs parents~~. L'argent qu'ils gagnent est dépensé en sorties, en musique et en vêtements.

Comme plusieurs d'entre eux portent des vêtements Nike, ils se ressemblent d'un pays à l'autre, malgré certaines différences régionales. Ils maîtrisent très bien la technologie qu'ils utilisent abondamment. D'ailleurs pour eux, un ordinateur, ce n'est pas vraiment de la « ~~technologie~~ », mais plutôt un appareil avec lequel ils ont grandi. Ils sont ~~individualistes~~[24] et aiment les sports extrêmes qui se pratiquent en solitaire. Comme les individus de la génération écho commencent à quitter la maison familiale, la chaîne suédoise de magasins de meubles Ikea est promise à quelques années lucratives. La Toyota Echo est d'ailleurs conçue pour ce groupe et d'autres constructeurs lanceront de petites voitures d'ici quelques années à son intention.

Les individus de cette génération ont ~~peu d'argent, mais ont beaucoup de temps~~. Pour l'achat d'une chaîne stéréo, les baby-boomers ne veulent pas magasiner longtemps, ils n'ont pas beaucoup de temps et sont prêts à acheter un produit dans un magasin spécialisé et à payer pour son installation. Ceux de la génération écho, au contraire, magasinent pendant plusieurs jours et sont prêts à consacrer quelques heures pour l'installation du produit si cela leur fait économiser quelques dollars[25].

3.3.3 Les tendances pour la génération Y ou les *tween's*

Sous-groupe de la génération écho, la génération Y, qui comprend celle des *tween's* (8-12 ans), regroupe des jeunes très consommateurs, futés et branchés sur le Net, le câble ou le satellite dès l'âge de 5 ou 6 ans. Ils connaissent bien les marques et les recherchent. Plusieurs adolescents américains possèdent leur propre numéro de téléphone, distinct de celui de leurs parents. Ils ne partent jamais sans leur téléphone cellulaire, et ont un appareil de télévision dans leur chambre. Comme ils sont jeunes, ils profitent des « six poches », soit celles des deux parents et des quatre grands-parents. ~~Leur influence sur les~~

---

24. NOËL, Kathy. « 15 à 24 ans : des individualistes et fonceurs », *Les Affaires*, 12 octobre 2002, p. 46.
25. FOOT. *Op. cit.*, p. 138.

décisions familiales est grande[26]. Les filles de 13 à 17 ans adorent courir les boutiques. Elles savent ce qu'elles veulent et sont exposées à toute une panoplie de magazines qui leur sont dédiés. Elles n'ont pas conscience des dettes ou des obligations financières comme l'achat de la nourriture et le loyer. Elles recherchent les marques branchées ; d'ailleurs, des boutiques spécialisées visent spécifiquement les 7-14 ans, comme Gap kids et Le Château junior.

3.4 LA SEGMENTATION

Selon un des concepts de base du marketing, on doit satisfaire les besoins des consommateurs. Au Québec, cela signifie que l'on cherche à satisfaire plus de 7 millions de Québécois, mais ceux-ci n'ont pas tous les mêmes besoins. La segmentation désigne l'action de découper le marché total en segments relativement homogènes, de façon profitable pour l'entreprise. On doit découper les segments de façon à ce que, dans un segment, la réaction à l'effort de marketing soit la même. Les consommateurs appartenant au même segment sont semblables et ont les mêmes goûts. Le concept de segmentation implique que l'on ne peut pas vendre le même produit aux consommateurs de 7 à 77 ans. Tintin n'existe donc pas aux yeux des professionnels du marketing !

3.4.1 Les types de segmentation

Dans le marketing indifférencié, la segmentation n'existe pas. Un seul produit et un seul marchéage (mix de marketing) sont offerts à toute la population, comme le montre la figure 3.4. Il est difficile de trouver des marchés ou des produits auxquels on peut appliquer cette pratique. Le sucre pourrait en être un exemple.

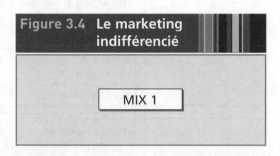

Figure 3.4 Le marketing indifférencié

MIX 1

Dans le cas du marketing concentré, l'entreprise choisit un segment et propose un mix de marketing (marchéage) pour ce segment uniquement, comme le montre la figure 3.5. Les produits de luxe comme les voitures Jaguar en sont un exemple.

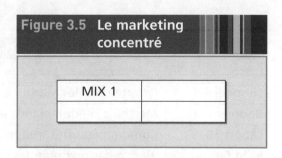

Figure 3.5 Le marketing concentré

MIX 1

Dans le cas du marketing différencié, l'entreprise choisit différents segments et élabore un marchéage spécifique pour chaque segment, comme l'illustre la figure 3.6. On trouve ce type de marketing dans le domaine de l'automobile, où les fabricants offrent plusieurs modèles différents destinés à des segments différents.

3.4.2 Les critères de segmentation

On peut effectuer la segmentation d'un marché à partir de différents critères, qui peuvent être de nature géographiques, sociodémographiques ou psychographiques. Le tableau 3.5 présente ces critères.

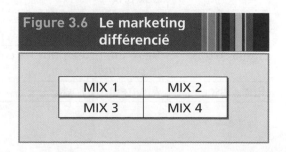

Figure 3.6 Le marketing différencié

| MIX 1 | MIX 2 |
| MIX 3 | MIX 4 |

26. DANSEREAU, Suzanne. « Les jeunes ont une forte influence sur les achats », *Les Affaires*, 10 juin 2000, p. 18.

Tableau 3.5 Les critères de segmentation

Critère		Catégories
Géographique	Région	Maritimes, Ontario, Québec, Colombie-Britannique.
	Ville	49 999 habitants et moins, 50 000 à 99 999, 100 000 à 299 999, 300 000 à 399 999, 400 000 à 499 999, plus de 500 000.
Démographique	Âge	0-4 ans, 5-9, 10-14, 15-19, 20-24, 25-59, 30-34, 35-39, 40-44, 45-49, 50-54, 55-59, 60-64, 65-69, 70 ans et plus.
	Sexe	Masculin, féminin.
	Type de famille	Célibataire, couple sans enfant, couple avec enfants à la maison (nid rempli), famille monoparentale, couple plus âgé sans enfant (nid vide), célibataire plus âgé (survivant).
	Revenu annuel	Inférieur à 24 999 $, 25 000 $ à 34 999 $, 35 000 $ à 49 999 $, 50 000 $ à 59 999 $, 60 000 $ et plus.
	Scolarité	Primaire, secondaire complété ou non, collégial complété ou non, université complétée ou non.
Psychographique	Classe sociale	Inférieure basse, inférieure élevée, moyenne basse, moyenne élevée, supérieure basse, supérieure élevée.
	Style de vie	Activités, intérêts, opinions, valeurs, croyances.
	Personnalité	Compulsif, autoritaire, ambitieux, introverti, extraverti.
	Fréquence d'achat	Rarement, occasionnellement, régulièrement, souvent.
	Fréquence d'utilisation	Basse, moyenne, élevée.
	Fidélité à la marque	Aucune, moyenne, forte, totale.
	Disposition à l'achat	Ne connaît pas le produit, en a entendu parler, est informé, s'y intéresse, le désire, a l'intention de l'acheter.
	Attitude envers le produit	Enthousiaste, positif, indifférent, négatif, hostile.

Tableau 3.6 Quelques bières de Labatt et leurs consommateurs

Bière	Consommateur	Critère de segmentation
Shooner	Offerte dans les Maritimes.	Géographique
Boomerang	Marché à prédominance féminine.	Sociodémographique
Labatt 50	Consommateurs à fréquence d'utilisation élevée.	Psychographique
Wild Cat	Bière à bas prix pour les consommateurs sensibles aux prix.	Psychographique
Labatt ,5	Bière sans alcool pour les consommateurs soucieux de leur alimentation.	Psychographique
Stella Artois	Bière importée pour les consommateurs recherchant le prestige.	Psychographique
Budweiser	Amateur de rock.	Psychographique

La variable démographique n'explique pas tout, comme il a déjà été dit. Par exemple, elle n'explique pas pourquoi, dans le cas de deux hommes de 35 ans ayant le même revenu, l'un achète de la bière importée mais pas l'autre. Par contre, la variable psychographique (comme les catégories « personnalité » ou « style de vie ») peut l'expliquer.

Certaines compagnies prévoient différents produits qui s'adressent spécifiquement à des segments découpés selon plusieurs critères. Le tableau 3.6 présente différentes marques commercialisées par la brasserie Labatt ainsi que les consommateurs auxquels elles s'adressent.

3.5 LE POSITIONNEMENT

Après avoir déterminé le segment auquel son produit s'adresse, l'entreprise doit entreprendre une recherche pour situer, dans l'imaginaire du consommateur, chacune des marques selon deux critères ou plus. Pour ce faire, on se sert d'une carte perceptuelle conçue à partir d'un plan cartésien. Par exemple, si on décide que les deux critères applicables à l'achat d'une voiture sont « apparence distinctive » et « économique », ce sont ces deux critères qui constituent les axes du plan cartésien de la carte perceptuelle. Par la suite, on doit placer, sur le plan, les différentes marques selon leur place sur chacun des axes (donc selon les deux critères). La figure 3.7 présente un exemple de positionnement à partir de deux critères. Il est possible de situer sur ce plan les différentes marques d'un fabricant.

Une fois le positionnement effectué, on peut alors plus facilement définir la stratégie de communication. Par exemple, cette stratégie pourrait être :

Source : LÉGER, Jean-Marc (Président Léger Marketing) et Serge LAFRANCE (Vice-Président Recherche).

- de mettre l'accent sur la caractéristique positive ;
- de tenter de changer une perception de la marque (par exemple, d'informer les consommateurs que BMW n'est pas une marque si dispendieuse que la plupart le croient) ;
- de changer la perception qu'ont les consommateurs des produits concurrents (par exemple, dire que Pepsi a meilleur goût que Coke).

Cette dernière stratégie est dangereuse, car le concurrent peut y réagir ; les lois permettent de faire de la publicité comparative, mais interdisent de dénigrer le concurrent, comme il est expliqué au chapitre 12.

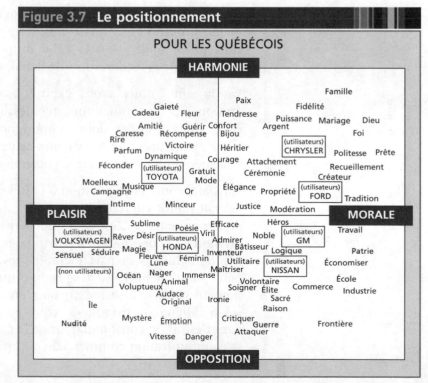

Figure 3.7 Le positionnement

Le positionnement est la position, sur le plan, qu'un annonceur veut que son produit ou son service prenne par rapport à ceux des concurrents. La Volkswagen Golf au Québec a le positionnement suivant : c'est une voiture anticonformiste, rebelle, jeune et active ; ce positionnement est complètement différent en Europe, où la position de la voiture la situe comme étant « économique ».

Quand au repositionnement, il consiste à déplacer (selon les axes du plan) l'image de la marque dans l'esprit des consommateurs.

L'utilisation du positionnement est très utile pour la conception des messages, car elle permet, entre autres, à l'annonceur de miser sur son point fort ou de tenter de modifier la perception qu'ont les consommateurs d'un critère particulier.

RÉSUMÉ

Quelle que soit la communication à faire, il est primordial de bien connaître le destinataire. Il en est de même pour la communication commerciale où il est essentiel de bien connaître le consommateur avant de concevoir des annonces. Dans ce chapitre, nous avons présenté le concept du comportement du consommateur. Il est important de saisir, dès le départ, les étapes du comportement d'achat, mais surtout les influences caractéristiques de chacune de ces étapes. Plusieurs influences proviennent de l'entourage du consommateur (influences extrinsèques) ; nous avons présenté l'une de ces influences, la culture, et plus particulièrement la culture québécoise, entre autres à partir de la recherche de Jacques Bouchard sur les cordes sensibles des Québécois.

Pour ce qui est des influences qui proviennent du consommateur lui-même (influences intrinsèques), nous avons présenté entre autres le concept de motivation et celui de personnalité, concepts qu'il est important de considérer lors de l'analyse d'un comportement d'achat.

Par la suite, nous avons exposé les valeurs passées de différents groupes de consommateurs, tels les baby-boomers et la génération écho, deux groupes dont l'importance démographique est grande. Nous avons présenté les valeurs actuelles et futures de ces groupes, marquées entre autres par le coconnage.

Satisfaire toute la population à la fois est impossible ; chaque produit devrait plutôt chercher à satisfaire une partie précisément délimitée de la population. C'est ce à quoi sert la segmentation, c'est-à-dire la division de la population à partir de différents critères géographiques, démographiques et psychographiques. Les consommateurs ont une perception bien précise des produits qui leur sont offerts. Le positionnement consiste à situer sur un plan cartésien chacune des marques selon différents critères. Ce concept permet d'établir la perception dans l'esprit du consommateur de la marque à vendre et de concevoir la communication commerciale plus précisément.

QUESTIONS DE DISCUSSION

1. Énumérez quelques-unes des tendances de consommation actuelles et celles qu'on prévoit pour l'avenir des baby-boomers et de la génération écho.

2. Quelles sont les différentes options qui s'offrent pour créer une stratégie de communication une fois qu'on a effectué le positionnement d'un produit ?

3. Décrivez quelle influence la culture québécoise peut avoir sur le comportement d'achat des consommateurs des produits laitiers au Québec.

4. Utilisez le critère de segmentation psychographique pour segmenter le marché des jus de fruits naturels.

5. Expliquez pourquoi un fabricant de chaussures devrait se servir du concept de segmentation. Donnez-en un exemple.

6. Expliquez comment on pourrait mettre à profit le mode de vie du coconnage dans une publicité de voiture.

7. Décrivez brièvement le processus d'achat et expliquez l'influence de la communication publicitaire à chacune de ces étapes.

EXERCICES

1. Présentez en classe trois publicités de marques différentes d'un même produit. Incluez dans la présentation une carte perceptuelle qui indique la position de ces trois marques.

2. L'Orpailleur est un producteur de vin blanc des Cantons de l'Est. Quelles racines des québécois (selon la terminologie de Jacques Bouchard) ce producteur pourrait-il utiliser dans une campagne de communication ? Créez trois publicités correspondant à trois racines différentes que vous aurez choisies.

3. Présentez en classe différentes publicités qui mettent à profit les tendances futures présentées dans ce chapitre.

4. Déterminez le positionnement de trois marques de bière (déterminez à la fois les critères des axes et le positionnement). Créez, pour chacune de ces bières, une publicité répondant à un choix d'une des stratégies possibles selon leur positionnement.

5. Appliquez la technique de renforcement présentée au tableau 3.3 à un magasin d'articles de sport qui vient d'ouvrir ses portes dans votre quartier.

6. Décrivez les caractéristiques géographiques, démographiques et psychographiques du groupe cible de Song tel qu'il est décrit dans la mise en situation qui ouvre ce chapitre.

CHAPITRE 4

LA STRUCTURE ET L'ORGANISATION DES ORGANISMES DE COMMUNICATION DE MASSE

L'AAPQ se prononce contre le huis clos et la non-publication à la Commission Gomery

Montréal, le 21 mars 2005 — L'Association des agences de publicité du Québec (AAPQ) juge essentiel que le public et les médias puissent faire clairement le partage entre les membres légitimes et honnêtes de l'industrie québécoise de la publicité et les individus qui ont trempé dans le fameux scandale des commandites. C'est pourquoi elle s'objecte à la demande de huis clos et de non-publication formulée par ces individus cités à comparaître devant la Commission Gomery. Quant à l'ordonnance de non-publication, si le commissaire décidait de restreindre la diffusion de ces travaux, ces restrictions devraient être le plus limitées possible.

« Les agissements répréhensibles commis par une poignée de personnes ont éclaboussé la bonne réputation de l'ensemble des artisans de l'industrie québécoise de la publicité », de déclarer le président de l'AAPQ, M. Yves St-Amand. « Selon nous, la justice sera mieux servie si la Commission démasque publiquement les seuls véritables responsables de ce gaspillage éhonté de fonds publics. »

Les agences de publicité du Québec emploient collectivement plus de 3 500 professionnels et génèrent une activité économique de plus de 350 millions de dollars. Plus d'une trentaine de ces agences, représentant 75 % du chiffre d'affaires de l'industrie, sont réunies en association justement dans le but de défendre les intérêts de l'industrie, de contribuer à l'amélioration de la publicité au Québec, de sensibiliser le public au rôle important des agences de publicité ainsi que de définir les règles d'un code d'éthique.

« Nous encourageons la Commission à poursuivre son mandat qui consiste à démasquer publiquement la magouille et les arnaques qui ont entaché la réputation d'une industrie hautement intègre », de conclure le président de l'AAPQ[1].

INTRODUCTION

Les différentes agences de communication contribuent directement au succès de la stratégie de marketing de leurs clients. Le scandale des commandites, qui défraie les manchettes depuis 2004, ne doit pas occulter le travail remarquable accompli par la plupart des agences et leur contribution au succès de plusieurs entreprises.

Ce chapitre est donc consacré aux agences spécialisées dans la communication commerciale, à leur rôle, à leur fonctionnement et aux modes de rémunération qui ont cours dans ce milieu.

---

1. Association des agences de publicité du Québec, <www.aapq.ca >, site visité le 7 avril 2005.

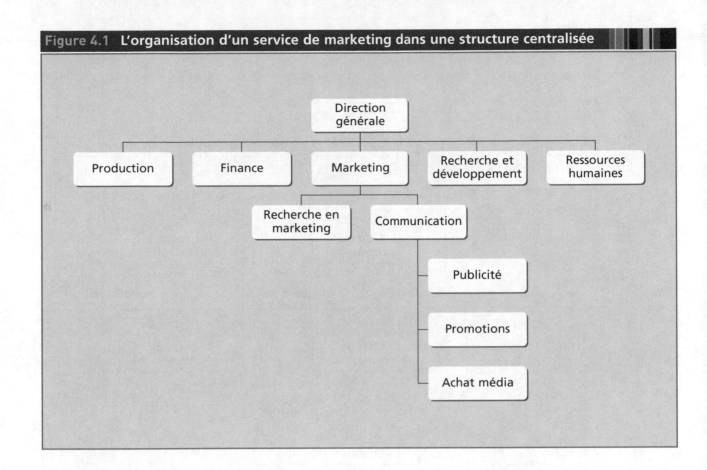

4.1 L'ORGANISATION DES ACTIVITÉS DE MARKETING

La décision de centraliser ou non les activités de marketing dépend de la taille de l'entreprise et du nombre de produits qu'elle offre.

4.1.1 Les activités centralisées

Les petites et moyennes entreprises optent généralement pour une structure organisationnelle fonctionnelle, qui implique un système centralisé des activités de communication commerciale. Dans ce type de structure, le service des communications est responsable de toutes les activités de communication, pour tous les produits. La figure 4.1 illustre ce type de structure.

Les principaux avantages de ce type de structure sont les suivants :

- la centralisation des diverses activités favorise l'implication de la haute direction dans les décisions concernant l'effort de marketing et dans sa cohésion ;
- cette structure facilite la communication interne et la prise de décision ;
- il est possible de réaliser des économies d'échelle grâce à une optimisation des ressources.

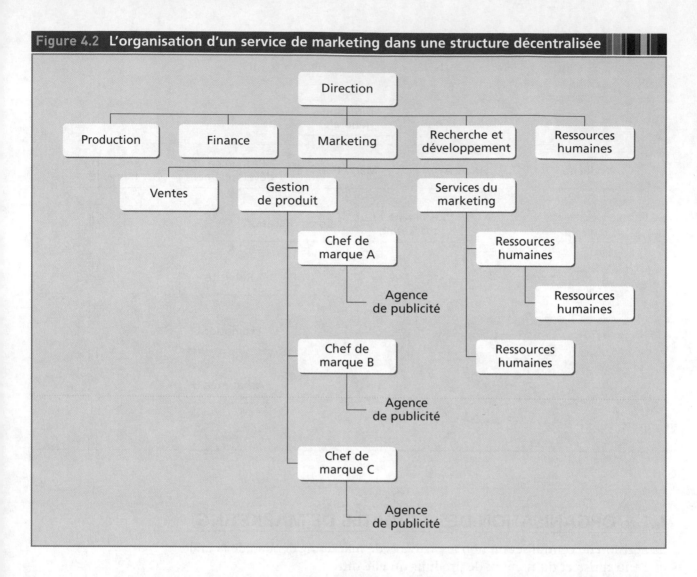

Si cette forme d'organisation peut convenir à une entreprise dont la gamme de produits est restreinte, elle s'avère inefficace dans le cas d'une grande entreprise dont la gamme de produits et de services est étendue, et elle peut être un frein au développement des traits spécifiques à chacune des marques.

4.1.2 Les activités décentralisées

Dans ce type de structure, chaque produit est géré de façon indépendante, comme l'illustre la figure 4.2.

Les principaux avantages de ce type de structure sont les suivants :
• la stratégie de communication permet de consolider l'image de la marque ;
• le fait de se concentrer sur une seule marque permet à l'équipe de mieux ajuster la stratégie au marché ;
• la marque est gérée avec une certaine souplesse qui lui est bénéfique.

Cette décentralisation a comme inconvénient d'alourdir le processus décisionnel et de requérir plus de ressources à cause de la duplication des fonctions.

4.2 LES AGENCES DE COMMUNICATION

Comme nous l'avons exposé au chapitre 1, les premières agences avaient pour seul rôle de placer dans le journal l'annonce qui était elle-même conçue par l'annonceur. Leur rôle se limitait à celui de courtier en achat d'espace. Quelquefois, un employé de l'agence traduisait un texte de l'anglais vers le français, en se bornant à retranscrire l'annonce mot à mot dans l'autre langue.

De nos jours, les agences de communication ont la responsabilité d'effectuer des mandats destinés à atteindre les objectifs de l'annonceur, leur client. Ces mandats, exprimés en termes de stratégies de communication, sont établis par l'annonceur et selon une compréhension attentive de sa situation d'affaires, d'une analyse et d'une évaluation du marché.

Il existe plus de 100 agences de publicité au Québec et 20 % d'entre elles contrôlent 80 % des budgets publicitaires. Beaucoup de ces agences sont de propriété internationale et possèdent des bureaux dans plusieurs pays. Ces agences font partie de grands groupes internationaux comme Omnicom de New York, WPP de Londres ou Publicis de Paris. Ces agences se font souvent octroyer la responsabilité pour la publicité d'un client présent dans plusieurs pays. Il est à signaler que, parmi les sept plus importantes agences présentes au Québec, seule Publicis n'est pas de propriété québécoise en majorité, alors que les quatre autres le sont.

Le tableau 4.1 présente les sept plus grandes agences du Québec en 2004, classées selon le nombre d'employés ; quelques-uns de leurs clients respectifs sont aussi nommés.

Tableau 4.1 Les agences de publicité au Québec		
Nom de l'entreprise et adresse du site Web	Nombre d'employés au Québec	Principaux clients (par ordre alphabétique)
Groupe Cossette Communication www.cossette.com	615	Banque de Montréal, Bell Canada, Bell Mobilité, Brasseries Molson, Coca-Cola, General Mills, General Motor Canada.
Marketel www.marketel.com	141	Air Canada, Hydro-Québec, L'Oréal Canada (L'Oréal Maybelline), Johnson & Johnson.
Publicis Montréal www.publicis.ca	125	Brasseries Molson, CIBC, Club Med, Groupe TVA, Kia Canada.
Diesel www.dieselmarketing.com	104	Aéroplan, Bell, Cirque du Soleil, Commission Canadienne du tourisme, Gaz Métro, Loto Québec, Mercedes Benz.
BBDO Montréal www.bbdo-montreal.ca	87	Alcan, Brasserie Labatt, Cascades Groupe Tissu, Daimler Chrysler Canada.
Palm www.palm.ca	83	Brasserie Labatt du Québec, Cadillac Fairview, Dell Computers, Papiers Scott, Provigo (le Choix du Président, Loblaw).
Bos www.bos.ca	82	Alimentation Couche-Tard, Aliments Ultima, Concessionnaires Honda, Rôtisseries St-Hubert, Groupe Jean Coutu.

Source : Ce tableau a été rédigé par les auteurs à partir des informations obtenues dans le Guide annuel des entreprises de services de communications, *Infopresse* COM, 2005, p. 9.

4.2.1 Les services d'une agence de communication

Comme le montre le tableau 4.1, les agences servent plusieurs clients, mais jamais deux entreprises concurrentes. Cela s'explique par le fait que, lors de l'élaboration de la campagne, chaque annonceur dévoile sa stratégie de marketing et de communication à l'agence qu'elle choisit. Par exemple, une même agence ne pourrait avoir les chaînes d'alimentation Métro et Provigo comme clients simultanément. Mais cette règle tacite est appelée à évoluer. En effet, le monde des agences n'échappe pas à la vague des fusions et des acquisitions, et on peut s'attendre à ce que, dans un avenir rapproché, un nombre restreint d'agences se partagent le marché mondial. Alors, ces agences devront probablement confier les marques concurrentes à des équipes de compte distinctes.

En revanche, un client peut confier chacune de ses marques à des agences différentes. Cette répartition des marques permet d'obtenir des créations publicitaires variées, car dans certains cas les différentes marques d'un même annonceur peuvent être des concurrentes, comme c'est le cas pour deux marques distinctes de Procter & Gamble, dont nous reproduisons à la figure 4.3 les publicités concurrentes.

Un fabricant de voitures peut confier à plusieurs agences ses différentes marques, afin de s'adresser à divers groupes de la population, comme nous l'avons exposé au chapitre 3.

Lorsqu'un annonceur cherche une agence, il procède par une présentation spéculative (appelées *pitch*, dans le milieu). Dans ce cas, l'annonceur publie un appel d'offres ou invite certaines agences de son choix à une présentation spéculative. Lors de cette rencontre, la stratégie de marketing (produits, marché, clientèle, objectifs) est présentée à ces agences, ainsi que les objectifs de communication (ces sujets sont abordés au chapitre 6).

Figure 4.3

Deux publicités de deux marques concurrentes de Procter & Gamble.

Source : Procter & Gamble.

Figure 4.4

Bell fait affaire avec Cossette Communication marketing depuis 1984.

Les agences disposent d'une certaine période de temps pour présenter des propositions créatives correspondant à la stratégie de l'annonceur. Ces présentations peuvent inclure des créations publicitaires et même des publicités télévisées. Des dépenses assez importantes sont donc engagées par les agences qui participent aux présentations spéculatives. Il arrive que certains annonceurs défrayent une partie des coûts pour éviter que les dépenses des agences soient trop importantes.

Après avoir reçu et évalué les différentes créations et dans bien des cas un plan médias, l'annonceur choisit l'agence qui répond le mieux à sa commande. L'annonceur et l'agence font ensuite affaire pour la réalisation des différents mandats de communication. La durée de cette relation est plus ou moins longue selon le cas.

Certaines grandes agences offrent une carte de services complets, incluant plan médias, création, production, recherche, alors que d'autres sont spécialisées dans un domaine particulier de la communication commerciale. La structure de ces grandes agences est complexe, comme le montre la figure 4.5. Les annonceurs qui préfèrent confier leur projet à ce type d'agence misent sur l'effet de synergie. Le Groupe Cossette Communication propose, par le biais de ses différentes composantes, la gamme complète des services reliés à la communication commerciale ; sur le site du groupe, on explique ainsi cette synergie :

Figure 4.5 La structure d'une agence de publicité « tous services »

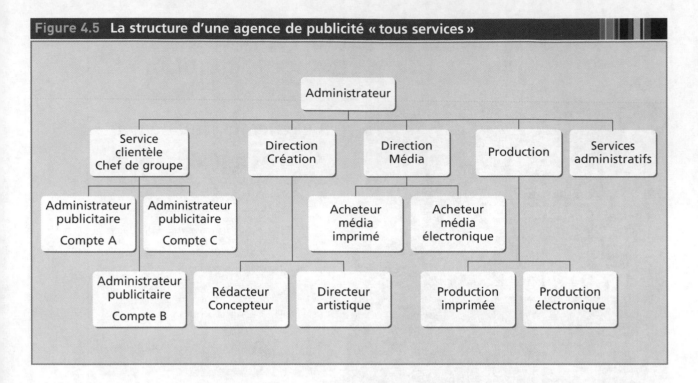

« La convergence existe quand une équipe multidisciplinaire composée de différents spécialistes de la communication travaille de façon orchestrée autour d'une stratégie commune, afin de créer des exécutions intégrées et spectaculaires appliquées dans les spécialités pertinentes. Cette approche collaborative donne alors naissance à une campagne convergente qui assure un plus grand impact grâce à son effet cohérent et synergique sur les auditoires que nous tentons de convaincre. Cette approche coordonnée et performante garantit que nos clients en ont plus pour leur argent, maximisant ainsi le retour sur leur investissement et en communication[2]. »

D'autres annonceurs préfèrent répartir les différents mandats entre plusieurs agences spécialisées dans un domaine particulier de la communication de masse, pour bénéficier de la meilleure expertise possible dans chaque domaine.

Les sections suivantes présentent les différents services d'une agence, leur rôle respectif ainsi que les différentes formations requises pour occuper un poste dans ces services.

4.2.1.1 Le service à la clientèle

Le service à la clientèle (quelquefois appelé groupe conseil) regroupe les administrateurs publicitaires (ou chefs de groupe ou superviseurs de comptes) qui agissent, auprès de l'agence, comme les représentants du client ; ces administrateurs publicitaires travaillent donc, en quelque sorte, pour deux entreprises en même temps, soit l'agence et l'annonceur. Parce qu'ils sont proches du client (l'annonceur) et qu'ils agissent comme conseillers en communication commerciale, ils peuvent déceler les bonnes occasions, indiquer les nouvelles

---

2. <www.groupecossette.com >, site visité le 1er avril 2005.

tendances de consommation ainsi que détecter et analyser tout changement dans l'environnement concurrentiel. Plus particulièrement, les administrateurs publicitaires sont responsables, entre autres :

- de gérer les activités quotidiennes du compte ;
- d'analyser les données du marché en fonction des objectifs du client ;
- de fournir des conseils au client et de traduire ses objectifs en stratégies de communication ;
- d'initier les projets de création, de plan médias et les autres projets dans l'agence ;
- d'effectuer le suivi des campagnes ;
- de contrôler l'allocation budgétaire.

Le client fournit à l'administrateur publicitaire toute l'information nécessaire à son travail. Lors du démarrage d'un mandat publicitaire, l'annonceur remet à l'administrateur les informations permettant de rédiger les instructions de campagne pour cette création. Ce document, aussi appelé *brief*, inclut :

- l'information et l'historique sur le produit ou le service ;
- le groupe visé, ses motivations et les freins possibles à la consommation ;
- les caractéristiques du produit (son positionnement) et celles des produits concurrents (leur positionnement) ;
- la recommandation pour les médias ;
- l'objectif de communication ;
- le budget de cette campagne.

Ces instructions de campagne pour la création sont par la suite présentées à l'interne, en particulier à l'équipe de création et à l'équipe de plan médias. Les instructions de campagne sont expliquées en détail au chapitre 6, où on en trouve un exemple complet.

Après avoir reçu de l'administrateur les instructions de campagne, l'équipe de création doit créer et produire le message, et l'équipe médias doit placer la publicité dans les médias. Le tout doit être fait en veillant à respecter le budget de l'annonceur, ce qui est l'une des tâches les plus importantes du responsable du service à la clientèle.

Les administrateurs publicitaires ont souvent une formation en administration et en marketing. Dans certains cas, une formation en communication peut aussi donner accès à un poste d'administrateur publicitaire. L'exemple du Groupe Cossette Communication marketing donne un bon aperçu de l'importance de ce service : ce groupe, le plus important au Québec, employait 490 personnes en 2004 à Montréal ; de ce nombre, 130 personnes œuvraient au service à la clientèle.

4.2.1.2 La création
Une équipe de création comporte deux postes : le rédacteur concepteur et le directeur artistique. Le rédacteur concepteur est le spécialiste du texte. Il conçoit le concept, et rédige le titre et le texte de la publicité pour l'imprimé

ou le texte de la publicité radio ou télévisée. Le rédacteur concepteur travaille en étroite collaboration avec le directeur artistique. Ce dernier est le spécialiste de l'image. Il travaille avec le rédacteur concepteur afin de créer tous les éléments visuels de la publicité.

Après avoir entendu les instructions de campagne de la création, l'équipe de création a pour tâche de concevoir l'ébauche de l'annonce, c'est-à-dire une maquette, dans le cas d'une publicité imprimée. Cette maquette est soumise au responsable du service à la clientèle pour approbation. Dans le cas d'une publicité télévisée, l'ébauche consiste en un scénario maquette représentant chaque scène par une illustration.

L'équipe de création remet au service à la clientèle deux ou trois propositions différentes, mais toujours accompagnées d'une recommandation. Lorsque la maquette est proposée, le service à la clientèle l'accepte telle quelle ou demande qu'on la modifie. Une fois que le concept est approuvé par le service à la clientèle, le service de la création travaille à une version plus élaborée qui est ensuite remise à l'administrateur publicitaire, lequel, à son tour, la soumet au client pour approbation finale. Si le client accepte le concept, l'équipe de production prend le relais pour le réaliser. Comme il a été dit précédemment, le Groupe Cossette Communication employait 490 personnes à Montréal en 2004 ; de ce nombre, 90 travaillaient en création.

Souvent, le rédacteur concepteur a une formation en littérature ou en communication. Le directeur artistique a généralement suivi une formation en arts visuels, en graphisme, en illustration ou dans tout autre domaine connexe.

Les employés du service de la création d'une agence sont des personnes d'une grande curiosité intellectuelle, toujours à l'affût des nouveautés. Spontanés, enthousiastes et dynamiques, ils connaissent les comédiens de l'heure, les tendances en cinéma, en illustration et en photographie. Ils sont prêts à bûcher jour et nuit, toujours à la recherche de la bonne idée. Ils possèdent une connaissance approfondie des médias et des clients de l'agence.

Le service de la création est important, puisque les agences sont jugées principalement sur la partie visible du travail de ce service, c'est-à-dire les annonces publicitaires elles-mêmes.

4.2.1.3 La production

Le directeur artistique et le directeur de la production imprimée ou électronique travaillent en étroite collaboration. La production est gérée par l'agence, mais elle est souvent conçue par une ressource externe. Le directeur artistique a pour tâche de choisir, entre autres :

• le photographe ou l'illustrateur pour l'imprimé ;

• la maison de production et le réalisateur pour la publicité télévisée.

Le directeur artistique choisit le réalisateur, le graphiste, le photographe ou l'illustrateur de façon à ce que son style corresponde à l'atmosphère qu'il recherche. Le service de la production est responsable des délais et des coûts. Il doit acheminer le matériel aux différents médias à temps pour sa diffusion. Son rôle de coordonnateur est donc primordial.

4.2.1.4 Le service médias

Le service médias est impliqué dès le début du processus de la campagne. La conception d'une stratégie médias se fait à partir de plusieurs critères : le budget disponible, le public visé, le message à transmettre, etc. Le service médias est responsable de proposer le plan médias, de l'exécuter et d'en assurer le suivi. L'équipe médias est présente dès les instructions de campagne du début, puisqu'elle requiert une partie importante du budget du client. En effet, environ 80 % du budget total de communication d'un annonceur sont utilisés en achat d'espace dans les médias. L'équipe médias se doit d'être impliquée dès le début du processus pour une autre raison : les achats et les réservations dans les médias, et particulièrement ceux pour la télévision, doivent être faits rapidement. Par exemple, les espaces publicitaires à la télévision pour les émissions à haute cote d'écoute doivent être réservés une saison à l'avance. La taille du service médias est assez importante : par exemple, dans le Groupe Cossette, qui employait 490 personnes en 2004, 35 personnes étaient assignées au service médias.

4.2.1.5 Les autres services des agences

Les services des grandes agences de communication ne se limitent pas au service à la clientèle, à la création, à la production et au service médias. Ces agences offrent aussi d'autres services, dont les suivants :

- recherche de nom de produit ;
- marketing direct ;
- relations publiques ;
- promotion des ventes ;
- recherche commerciale ;
- services administratifs.

Encadré 4.1 Les PME et les agences de communication

Ce ne sont pas tous les annonceurs qui font affaire avec une agence de communication. En effet, bien des PME et même de grands annonceurs font réaliser leurs annonces à l'interne, par une agence maison. L'agence maison est plus qu'un simple service de publicité interne, car l'annonceur utilise ses propres ressources pour des mandats de communication. Certaines agences maison possèdent même une identité propre, comme l'agence maison Grip de Labatt. D'autres grands annonceurs, comme Calvin Klein et Benetton, recourent aussi à leur agence maison pour certains mandats précis et font affaire avec une agence externe pour d'autres.

Mais une PME doit-elle utiliser les services d'une agence de communication ? Une étude réalisée aux États-Unis révèle que la création et la production sont les tâches les souvent déléguées à l'externe, alors que le marchandisage et la promotion des ventes sont habituellement réalisés à l'interne[3]. En effet, il est souvent impératif pour un annonceur d'utiliser les services d'un graphiste ou d'un imprimeur pour réaliser ses annonces, alors que le marchandisage constitue une tâche quotidienne dans la PME. Le responsable de l'entreprise doit donner des mandats clairs au sous-traitant, car ce dernier ne fait que réaliser la commande qui lui a été donnée. D'autre part, il existe de petites agences offrant des ressources et des tarifs très avantageux que les PME peuvent utiliser pour la réalisation de leurs mandats de communication. Ces petites agences, souvent de même taille que les PME elles-mêmes, disposent d'une banque de pigistes dans tous les domaines dont l'utilisation des services permet aux PME de se concentrer sur des tâches de marchandisage, laissant aux agences la tâche de créer et de produire le matériel publicitaire.

---

3. BELCH, George E. *et al. Communication marketing, une perspective intégrée*, Montréal, Chenelière/McGraw-Hill, 2005, p. 73.

Figure 4.6
Cette campagne de Coke a été créée par une agence maison.

4.3 LES AGENCES SPÉCIALISÉES DANS LE PLACEMENT MÉDIAS

Deux types d'entreprises se disputent les contrats de placement : les agences de communication et les agences spécialisées en médias. Comme nous l'avons expliqué précédemment, les agences de communication créent pour leurs clients les annonces et placent eux-mêmes ces annonces dans les différents médias.

De leur côté, les agences spécialisées dans le placement médias ne créent pas les concepts publicitaires, mais se concentrent plutôt sur la sélection et l'achat d'espace journal et de temps d'antenne. À Montréal, c'est Carat qui est l'agence spécialisée indépendante la plus importante de placement médias. La proposition médias que l'agence spécialisée conçoit doit bien entendu être présentée au client. Lorsque cette proposition est acceptée, l'agence spécialisée dans le placement doit contacter les médias très longtemps à l'avance pour effectuer les réservations et par la suite concrétiser les achats de temps ou d'espace.

Le tableau 4.2 présente six agences de planification médias parmi les plus importantes au Québec, classées selon le nombre d'employés. Il est à noter que la première en importance est le service médias du Groupe Cossette Communication.

Tableau 4.2 Les agences de placement médias au Québec

Nom de l'entreprise et adresse du site Web	Nombre d'employés au Québec	Principaux clients (par ordre alphabétique)
Cossette Média www.cossette.com	65	Banque de Montréal, Bell Canada, Coca-Cola, General Motors.
Carat	50	Corbeil Électroménagers, Danone, Desjardins, Gouvernement du Québec, Rôtisseries St-Hubert.
Média Experts www.mediaexperts.com	33	Corel, Danier Leather, Fidelity Investments Canada, Groupe Aldo, Tommy Hilfiger Canada.
Touché !	19	BMW, Boulangerie Gadoua, Brasserie Sleeman, Loto Québec.
Zénith Optimédia Montréal (Publicis) www.publicis.ca	18	Garnier Parfums, Molson Black Label, Nestlé, Subway.
OMD Montréal	16	Alcan, Daimler Chrysler Canada, Restaurants McDonald's.

Source : Ce tableau a été rédigé par les auteurs à partir des informations obtenues dans le Guide annuel des entreprises de services de communications, *Infopresse* COM, 2005, p. 26.

Comme les agences de placement médias sont spécialisées dans la planification et l'achat médias, l'annonceur ne leur accorde que l'achat médias et délègue la création à des agences spécialisées dans ce domaine. Comme les agences spécialisées en achat médias travaillent pour plusieurs clients à la fois, elles peuvent regrouper leurs achats et ainsi obtenir de meilleurs tarifs.

Le service médias a également la responsabilité de vérifier si la publicité a été diffusée conformément au calendrier établi. La rémunération de l'agence est en général calculée en pourcentage des montants dépensés dans les médias.

Un plan médias débute par une section réservée aux objectifs médias. Ces objectifs reprennent ceux qui ont été établis dans la stratégie marketing, ainsi que la cible visée, entre autres. La deuxième section du plan formule une recommandation pour l'ensemble des médias choisis et les justifications de ces choix. Présentée sous forme de tableau, la troisième section du plan indique l'ensemble des emplacements choisis pour chacun des médias, les dates de chacune des publicités de la campagne, les tarifs pour chacune des publicités, et finalement le budget total. L'élaboration d'un tel plan est une tâche complexe qui requiert des habiletés en arithmétique ; de plus, un certain talent de négociateur est nécessaire afin que les tarifs obtenus des différents médias soient les meilleurs possible. Les agences de placement médias sont souvent à la recherche d'employés compétents dans ce domaine. Cette tâche n'est pas toujours prise en considération par les postulants aux emplois dans les agences ; elle est pourtant riche en possibilités.

4.4 LES AGENCES SPÉCIALISÉES EN PROMOTION DES VENTES

En ce qui a trait à la création des annonces, il existe des agences spécialisées dans des champs particuliers. Certaines offrent uniquement des services de graphisme, d'autres ne font que concevoir des campagnes de promotion des ventes.

Le tableau 4.3 présente cinq agences de promotion importantes, classées selon le nombre d'employés. Il est à noter que Blitz Direct fait partie du Groupe Cossette Communication Marketing.

Comme les annonceurs ont tendance à accorder beaucoup d'importance à la promotion des ventes, ils ont quelquefois recours à des agences spécialisées dans ce domaine de la communication de masse. Dans le cas des agences de promotion et de création, le montant facturé est habituellement calculé à l'heure.

Tableau 4.3 Les agences de promotion		
Nom de l'entreprise	Nombre d'employés au Québec	Principaux clients (par ordre alphabétique)
Biltz Direct Data & Promotion (membre du groupe Cossette)	100	Banque de Montréal, Bell Canada, Brasseries Molson, General Motors, Métro.
Le Clan	34	Agropur, Garant, Multi-Marques, Natrel, Van Houtte.
Cartier Communication Marketing	15	Association canadienne du transport urbain, Biscuits Lu, Cafés bistrots Van Houtte, Danone, Société des Casinos du Québec.
P2P Proximité Marketing	11	A. Lassonde, Frito Lay, Molson, Musique Plus, Provigo, Rogers Sans fil.
Offensive Communications	7	A. Lassonde, Goodyear Canada, Kraft Canada.

Source : Ce tableau a été rédigé par les auteurs à partir des informations obtenues dans le Guide annuel des entreprises de services de communications, *Infopresse* COM, 2005, p. 22.

4.5 LES AGENCES SPÉCIALISÉES DANS LE MARKETING DIRECT

Il existe aussi des agences spécialisées dans le marketing direct. Au Québec, la plus importante est Blitz Direct Data, du Groupe Cossette Communication Marketing. Parmi les agences les plus actives, on retrouve également Cartier Communication Marketing, comme l'indique le tableau 4.3.

La plupart des agences de promotion s'occupent aussi de marketing direct.

L'agence de marketing direct facture à l'annonceur des honoraires selon le nombre d'heures travaillées par chaque membre de l'agence.

4.6 LES CABINETS DE RELATIONS PUBLIQUES

On trouve aussi des agences qui limitent leur action aux relations publiques. Ces agences sont appelées cabinets de relations publiques. Le rôle des cabinets de relations publiques est de rédiger des communications dans le but de changer ou de maintenir des comportements ou des habitudes. Dans bien des cas, il s'agit de planifier et d'organiser des événements. Les conseillers en relations publiques ont habituellement une formation universitaire en relations publiques, en communication, ou parfois en journalisme. Avoir une grande facilité à rédiger constitue un atout certain pour un conseiller en relations publiques.

Le tableau 4.4 présente les cinq plus importants cabinets de relations publiques au Québec, classés selon le nombre d'employés. Il est à noter qu'Optimum Relations publiques fait partie du Groupe Cossette Communication.

Tableau 4.4 Les cabinets de relations publiques		
Nom de l'entreprise et adresse du site Web	Nombre d'employés au Québec	Principaux clients
Le Cabinet de relations publiques National www.national.ca	100	Banque Nationale du Canada, Hoffman LaRoche, Merck Frosst, Wal-Mart.
Optimum Relations Publiques (membre du Groupe Cossette) www.cossette.com	40	Alcan, Banque de Montréal, Bell Canada, Bell Mobilité, Loto Québec.
HKDP Communications et affaires publiques	30	Brasserie Labatt, Gaz Métro, Rôtisseries St-Hubert, Ultramar.
Weber Shandwick	22	Bausch & Lomb, Home Depot, La Cage aux Sports, Mouvement Desjardins.
Torchia Communications www.torchiacom.com	14	Agropur, Bridgestone, Jacques Villeneuve/ Craig Pollock.

Source : Ce tableau a été rédigé par les auteurs à partir des informations obtenues dans le Guide annuel des entreprises de services de communications, *Infopresse* COM, 2005, p. 29.

4.7 L'ORGANISATION DES VENTES POUR LES MÉDIAS

Les médias, tant écrits qu'électroniques, comptent sur des représentants publicitaires pour vendre l'espace qu'ils ont à offrir. Ces derniers ont pour tâche de représenter le média auprès des annonceurs, mais surtout auprès des services de planification médias des agences. Ces directeurs de compte doivent convaincre les annonceurs ou les agences que leur média correspond aux besoins de l'annonceur. Pour ce faire, ils doivent rencontrer les annonceurs ou les planificateurs médias des agences et leur présenter leur média. Ils doivent avoir une excellente connaissance de leur média, qu'il soit imprimé, diffusé à la radio ou à la télé, ou encore sur le Web. D'ailleurs, les occasions d'emploi se multiplient dans le cas des représentants de sites Web.

Les représentants possèdent généralement une formation en marketing jumelée à un talent certain pour la vente. La représentation des médias est une porte d'accès au monde des communications que les postulants négligent souvent.

4.8 LES PIGISTES

En communication commerciale, beaucoup de tâches sont confiées à des pigistes. Que ce soit un photographe pour une photo, un illustrateur pour une image, un musicien pour une ritournelle publicitaire ou un rédacteur pour un mandat particulier, des pigistes sont engagés à contrat par les agences. Selon le cas, c'est le rédacteur, le directeur artistique ou l'équipe de production qui donne au pigiste son contrat. Cette forme de travail permet aux plus petites agences d'obtenir des services de différents types sans avoir à embaucher des employés salariés.

Dans tous les cas de production télévisée, c'est à contrat que la firme de production est engagée pour le tournage. Le chapitre 9, consacré à la publicité électronique, présente cette situation de façon détaillée.

L'encadré 4.2 présente une description du marché de l'emploi dans le secteur des agences de communication commerciale.

Encadré 4.2 Le marché de l'emploi dans le secteur des agences de communication commerciale

UN PARI SOUVENT RISQUÉ MAIS TOUJOURS STIMULANT
Des agences sous les feux de la rampe

Depuis qu'a éclaté le scandale autour du programme fédéral de commandites, les agences de communication ont eu droit à plus de visibilité que jamais. Mais c'est le genre d'attention dont elles se seraient bien passées. Certains observateurs craignent que ce scandale n'ait un impact négatif sur la vitalité des agences dont le travail est de veiller à l'image et à la visibilité de leurs clients.

Mais il est peu probable que la crise ait des effets durables sur ce secteur désormais incontournable qui emploie une panoplie de spécialistes de la communication capables de développer un plan de marketing ou d'organiser un événement de presse.

La plupart des grandes entreprises comme Hydro-Québec, Desjardins ou Bombardier ont leur propre service de relations publiques, mais certaines préfèrent confier leurs communications et le contrôle de leur image à des firmes spécialisées comme National, ou bien engager des experts de ces firmes pour des mandats ponctuels et spécifiques. Beaucoup de ces experts sont d'ailleurs d'anciens journalistes qui se sont recyclés.

Si les périodes de crise sont des moments difficiles à passer pour les entreprises, elles deviennent souvent, pour les cabinets de relations publiques chargés de limiter les dégâts, des « occasions en or » de se faire valoir. En effet, l'image d'une entreprise est souvent son capital le plus précieux. Aussi, lorsqu'elle est prise dans une controverse, elle appelle aussitôt le relationniste à la rescousse. Comme les dossiers sont parfois importants (centrale au gaz du Suroît, OGM, mises à pied massives de travailleurs, etc.), le relationniste devient un peu l'« avocat de la défense » de l'entreprise en faisant connaître son point de vue. De plus, les relationnistes sont souvent les interlocuteurs des journalistes ou leurs intermédiaires pour obtenir des entrevues avec les personnes clés de l'entreprise.

Mais les relationnistes traitent aussi des dossiers plus plaisants : lancement d'un produit, ouverture de nouveaux bureaux, etc. Ils viennent souvent en aide aux publicitaires pour consolider la marque de commerce d'un produit ou d'une compagnie ; c'est ce qu'on appelle le *branding*.

Le « relationniste ultime » est le lobbyiste. On choisit toutefois plus souvent celui-ci pour son réseau de contacts que pour ses capacités de communication.

La pub s'internationalise

Du côté de la communication créative, l'industrie publicitaire québécoise reste relativement vigoureuse malgré la menace d'une certaine mondialisation des messages publicitaires. Ce phénomène est dû, en grande partie, à la chaîne McDonald's qui se sert dorénavant de la même publicité dans tous les pays.

La crainte de l'uniformisation des idées publicitaires n'est pas propre au Québec, mais ses effets pourraient être plus pernicieux dans un marché aussi petit que le nôtre. Plusieurs créateurs publicitaires – dont Jacques Bouchard, considéré comme un des pères de la publicité au Québec – mettent d'ailleurs leurs jeunes collègues en garde contre le danger d'adapter simplement la publicité internationale.

Selon plusieurs, les concours internationaux comme celui de Cannes ont même une influence extrêmement négative sur la création parce qu'ils standardisent les messages publicitaires. « L'essence de la publicité, c'est de trouver une façon unique de communiquer », déclare d'ailleurs Martin Beauvais, vice-président création chez BBDO.

À cela, François Forget, vice-président création chez Cossette, rétorque en ces termes : « Nous ne sommes pas des artistes, nous sommes des communicateurs. Nos clients ne nous demandent pas de créer une œuvre unique, mais un outil de communication efficace. »

La communication reste donc un pari souvent risqué, mais, pour ceux qui aiment relever des défis, le jeu en vaut largement la chandelle[4].

4.9 LA RÉMUNÉRATION DES AGENCES[5]

4.9.1 La commission

Jusqu'aux années 1990, la plupart des agences étaient rémunérées à la commission seulement ; ce mode de rémunération, bien que souvent jumelé à d'autres modes de facturation, demeure encore très répandu. Par exemple, pour un message publié dans un magazine qui coûte 20 000 $ à l'annonceur, le média facture à l'agence 17 000 $. L'agence facture un montant de 20 000 $ à l'annonceur, le 3 000 $ de différence représente le 15 % de commission habituelle. Depuis, d'autres types de facturation ont tendance à s'imposer.

4.9.2 Les honoraires

Les honoraires peuvent être calculés selon une tarification mensuelle fixe ; dans ce cas, le client est crédité pour le montant des commissions accordées par les médias. Les honoraires peuvent aussi être combinés aux commissions ; dans ce cas, le tarif mensuel est réduit du montant des commissions reçues.

4.9.3 Les coûts plus marge

Lorsque cette forme de rémunération est retenue, l'agence doit fournir à son client un calcul détaillé des coûts reliés au travail exécuté pour le client, incluant l'imputation des frais généraux. Le total des coûts est alors majoré d'un pourcentage déterminé.

---

4. MARSOLAIS, Michel. *Le Guide de l'emploi et des entreprises qui recrutent. Édition 2004-2005*, Sainte-Foy (Québec), Septembre éditeur, 2004, p. 169-171.

5. BELCH *et al. Op. cit.*, p. 87-88.

4.9.4 La rémunération au rendement

Cette pratique commence à se développer, sous la pression des clients annonceurs. La rémunération de l'agence est dans ce cas directement proportionnelle au degré d'atteinte des objectifs de la campagne, exprimés en termes d'accroissement de part de marché ou d'augmentation du volume des ventes.

RÉSUMÉ

Dans les petites et moyennes entreprises (PME), les activités de communication commerciale sont généralement centralisées et relèvent d'une autorité unique, alors que les entreprises offrant une gamme de produits plus étendue adoptent une structure où les activités de communication sont décentralisées, chaque marque bénéficiant d'une stratégie propre.

Le domaine des communications commerciales comporte de nombreux acteurs : l'annonceur, les agences, les médias et des travailleurs pigistes. Certaines des agences sont des agences « tous services », qui sont actives dans toutes les étapes de la campagne publicitaire (création, plan médias, gestion du compte) et offrent d'autres services liés à la communication et au marketing, tels que la recherche commerciale, le marketing direct et les relations publiques.

Il existe également des agences spécialisées telles que les agences de placement médias, les agences de promotion et les cabinets de relations publiques. Plusieurs travailleurs autonomes, notamment des graphistes, des photographes et des illustrateurs, gravitent autour des agences qui leur octroient des mandats ponctuels.

La rémunération des agences est constituée de pourcentages calculés sur les achats médias et d'honoraires facturés au client.

QUESTIONS DE DISCUSSION

1. Qu'est-ce qu'une maquette ? Qui, dans une agence, est responsable de sa réalisation ? À quoi sert-elle ?

2. Quelles sont les différentes catégories d'emploi que l'on trouve dans une grande agence de communication ? Expliquez le rôle spécifique de chaque catégorie d'emploi.

3. Quels sont les différents services qu'une grande agence de communication peut proposer à ses clients ? Expliquez brièvement chaque service.

4. Qu'est-ce qu'une présentation spéculative (*pitch*) ? Discutez de ses raisons d'être en prenant en considération les coûts importants que cette pratique occasionne aux agences. Par quoi proposeriez-vous de remplacer cette pratique ?

5. Lors de la production d'un message télévisé, qui est responsable de trouver le réalisateur ? Pourquoi est-ce ainsi ?

6. Qu'est-ce qu'un *brief* de création ? Qui le réalise ? Que contient-il ?

7. Pour un annonceur, quels avantages et inconvénients y a-t-il à recourir à une agence à service complet, par rapport à une agence qui lui offre un seul service ? Donnez, pour les deux types d'agence, les raisons pour lesquelles un annonceur privilégierait ce type d'agence plutôt que l'autre.

8. Quelles sont les raisons qui pourraient pousser une entreprise à mettre fin à ses relations avec une agence de communication commerciale ?

9. Quels sont les différents modes de rémunération d'une agence ? Quels sont les avantages spécifiques de chacun de ces modes pour l'agence ? Et pour le client ?

EXERCICES

1. Choisissez une agence de communication de votre région (ou encore une agence spécialisée dans un domaine). S'il en existe peu, demandez à une agence de Montréal ou de Québec de vous faire parvenir sa documentation. Rencontrez un porte-parole de cette agence et demandez-lui de vous en dresser un portrait, que vous compléterez vous-même par de la documentation sur ce sujet. Préparez un portrait de l'agence qui inclut entre autres ses clients et sa structure hiérarchique. Présentez vos résultats en classe.

2. Vous êtes le président d'une agence nommée Communication +. Votre agence compte quatre employés en plus de vous. Vos principales fonctions sont de coordonner les employés et de rechercher de nouveaux clients. Un des employés est affecté au service à la clientèle ; on trouve aussi une rédactrice, une directrice artistique et une personne qui exécute le travail de secrétariat. Les facturations totales atteignent deux millions de dollars par année, répartis sur quatre clients, dont un important et trois plus petits. Après avoir déterminé les forces et les faiblesses de votre agence, élaborez un plan de développement pour votre agence, Communication +.

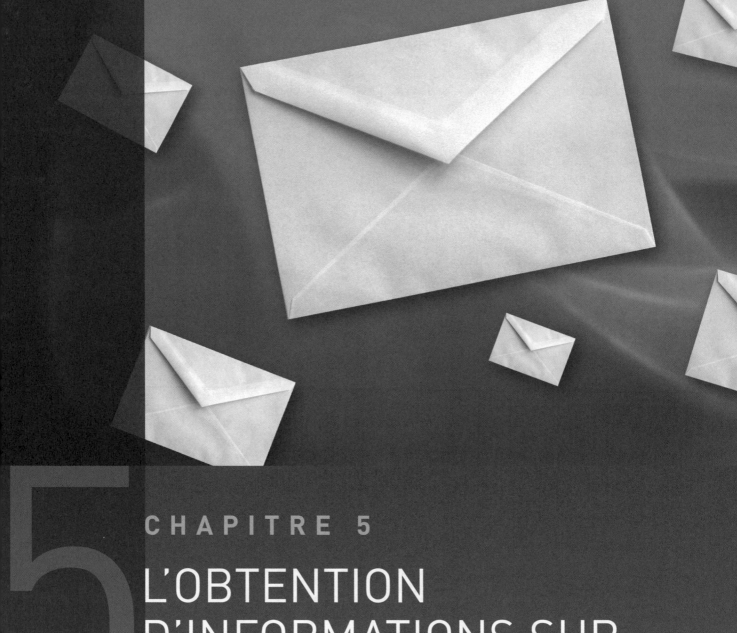

5

L'OBTENTION
D'INFORMATIONS SUR
LE CONSOMMATEUR

[...] De façon générale, l'industrie de la recherche marketing et du sondage a connu une forte croissance durant la dernière décennie. En 2000, les revenus générés par les 25 plus gros acteurs au monde ont atteint 8,8 milliards (G $), soit une augmentation de 8,7 % par rapport à 1999, selon l'American Marketing Association. Au Canada seulement, les revenus ont atteint 200 M $ en 2000, une augmentation de 8 % par rapport à l'année d'avant.

Les grandes entreprises et, de plus en plus, les PME ont recours à la recherche pour positionner leurs produits ou services, constate Sylvain Desrochers, directeur du certificat en publicité à l'Université de Montréal.

À grands coups de sondages, de groupes de discussion, de questionnaires et d'évaluations, les entreprises veulent percer l'âme du roi consommateur. Et les experts sondeurs sont devenus les nouveaux devins pour interpréter leurs faits et gestes. Grâce à des techniques de plus en plus sophistiquées, plusieurs se targuent de pouvoir prédire les croissances de parts de marché. En offrant en plus du conseil stratégique, les firmes de sondage jouent dans les plate-bandes des grands cabinets-conseils et des agences de publicité...

[...] L'industrie fait aussi face au phénomène de la diminution des taux de réponse des consommateurs. Les répondeurs, boîtes vocales, numéros confidentiels et autres filtres qui interceptent les communications empêchent désormais les sondeurs d'entrer dans les foyers sans frapper. Sans compter que les consommateurs s'impatientent devant le grand nombre de sollicitations. Bien qu'il dise maintenir un taux de réponse de 60 %, Jean-Marc Léger (président de la firme Léger Marketing) est conscient du problème. « Bientôt, il faudra payer les gens pour qu'ils répondent aux sondages. Le consommateur est aussi de plus en plus conscient de l'impact de son opinion[1] ».

INTRODUCTION

En marketing, la recherche d'informations comprend la cueillette, la compilation, l'analyse et l'interprétation de données relatives au marché. La façon dont ces activités sont menées dépend des objectifs de la recherche, tels qu'ils ont été déterminés lors de la planification de la recherche, et de la méthode de recherche qui a été retenue. Les résultats d'une recherche permettent, entre autres, de connaître les besoins des consommateurs, de prévoir les ventes, d'évaluer le positionnement d'une marque par rapport aux marques concurrentes et de trouver la cause d'un problème de mise en marché. En effet, une stratégie de marketing est continuellement nourrie d'informations concernant son marché cible, et la communication de masse fonctionne de même. Avant de concevoir une campagne de communication commerciale, il

---

1. NOËL, Kathy. « L'industrie de la recherche marketing explose », *Les Affaires*, dossier spécial « Recherches et sondages », le samedi 19 janvier 2002, p. 47.

faut s'assurer de bien connaître le consommateur visé, ses besoins, ses valeurs, ses habitudes de vie et ce à quoi il est sensible. Pour mesurer l'effet d'une campagne, on cherche à évaluer, selon l'objectif visé, comment celle-ci a été perçue, quel effet elle a produit sur la notoriété de la marque, ou encore si les attitudes des consommateurs envers la marque ont changé. Dans ce chapitre, nous présentons la démarche de la recherche commerciale, et plus particuliè-rement les différents types de recherche employés dans le domaine de la communication commerciale.

5.1 LA RECHERCHE DE DONNÉES SECONDAIRES

Il existe deux types de données : les données secondaires et les données pri-maires. Les données secondaires sont des données qui existent déjà et qu'il ne faut que trouver. Elles peuvent être de source interne, c'est-à-dire produites par l'entreprise elle-même, ou encore de source externe, produites par d'autres entreprises ou organismes.

5.1.1 Les données secondaires de source interne

Les différents services d'une entreprise produisent, dans l'exercice normal de leurs fonctions respectives, une multitude d'informations qui peuvent être analysées afin que les décisions relatives au marketing soient les meilleures possible. Voici quelques exemples d'informations de source interne :

• les données de la comptabilité ;

• les rapports de vente (factures et bons de commande) ;

• les données de la force de vente (commentaires de la part des clients) ;

• le rapport d'une recherche précédente ;

• les données du service à la clientèle.

5.1.2 Les données secondaires de source externe

Certaines entreprises privées et des organismes gouvernementaux disposent de nombreuses statistiques facilement accessibles qui permettent à l'entreprise qui sait bien les utiliser de suivre l'évolution des tendances du marché. En voici quelques exemples :

• Institut de la statistique du Québec (<www.stat.gouv.qc.ca>) ;

• Statistique Canada (<www.statcan.ca>) ;

• Bureau de commercialisation de la radio (<www.bcrq.com>) ;

• CEFRIO (Centre de recherche en informatisation des organisations), où l'on trouve des données sur la publicité sur le Web (<www.cefrio.qc.ca>) ;

• CRIQ (Centre de recherche industrielle du Québec), où l'on trouve un répertoire des produits disponibles au Québec (<www.criq.qc.ca>).

Cette liste est loin d'être exhaustive. Une liste complète de tous les organismes gouvernementaux et de toutes les entreprises privées offrant des statistiques tiendrait dans un volume complet. Le chercheur doit savoir trouver les sources disponibles les plus appropriées à l'objectif de sa recherche.

Les données secondaires sont abondantes, facilement accessibles, peu coûteuses et parfois même gratuites ; elles permettent donc de réaliser un gain important de temps et d'argent. Cependant, ces données sont parfois désuètes, sans compter qu'elles n'apportent pas toujours la réponse aux interrogations des chercheurs en marketing, car elles n'ont pas été spécifiquement produites en fonction de leurs besoins propres. C'est la raison pour laquelle une entreprise doit souvent entreprendre une recherche pour recueillir des données primaires, c'est-à-dire des données qui n'ont jamais été recueillies et analysées auparavant.

5.2 LA RECHERCHE DE DONNÉES PRIMAIRES

Les données primaires sont celles qu'une entreprise doit recueillir pour répondre expressément à ses propres besoins. Certaines firmes spécialisées dans la recherche se chargent d'effectuer des sondages et d'analyser les résultats. Le tableau 5.1 présente 11 agences québécoises spécialisées dans la recherche commerciale ; ce sont les plus importantes et elles sont classées selon le nombre d'employés. Il est à noter que Léger Marketing est la firme la plus importante au Canada depuis qu'elle a fait l'acquisition de Criterion Research Corporation (de l'Alberta) en avril 2005.

Il existe deux types de recherche commerciale : la recherche qualitative et la recherche quantitative. Dans une recherche quantitative, les données recueillies sont numériques et elles sont analysées de façon statistique. Dans le cas d'une recherche qualitative, les informations obtenues sont plutôt des caractéristiques, des réactions, des commentaires, des phénomènes qui sont regroupés selon certains critères de classification. Dans les deux cas, il est nécessaire de sélectionner un échantillon, c'est-à-dire le groupe de personnes à interviewer. Dans les recherches quantitatives, le choix de la taille de l'échantillon et la

Tableau 5.1 Les agences québécoises spécialisées dans la recherche			
Compagnie	Nombre d'employés au total	Nombre d'employés au Québec	Adresse du site Web
Léger Marketing	404	279	www.legermarketing.com
Saine Marketing	350	350	www.sainemarketing.com
Ad hoc recherché	185	185	www.adhoc-recherche.com
CROP	170	170	www.crop.ca
Cogem	161	160	www.cam.org/cogem
SOM	160	159	www.som.ca
Descaries & Complices	135	135	www.descaries.com
UniMarketing	110	110	www.unimarketing.ca
Jolicœur & associés	40	40	www.etudesondage.com
Carat	38	38	www.carat-canada.com
Impact Recherche	37	32	www.cossette.com/impact

Source : <www.lesaffaires.com>, site visité le 8 avril 2005.

sélection de chaque personne qui en fait partie sont effectués au moyen de méthodes statistiques. Il existe en effet des méthodes qui permettent de choisir un échantillon représentatif de la population, que les personnes soient des consommateurs ou non.

5.2.1 Les modes de collecte de données

Les méthodes pour prélever les données varient selon le support et la forme qu'on utilise : le téléphone, la poste, Internet, l'entrevue individuelle ou l'entrevue de groupe. Les sections suivantes présentent les caractéristiques de ces différentes méthodes de collecte d'information.

5.2.1.1 Le sondage par téléphone

L'enquête par téléphone est une méthode permettant de réaliser une recherche d'informations rapide, dont le taux de réponse est généralement bon et dont le risque de biais de la part de l'enquêteur est réduit. La recherche téléphonique est peu dispendieuse et permet, par exemple, de joindre rapidement 1 200 personnes au Québec et d'effectuer un sondage représentatif de l'ensemble de la population. Cependant, ce type de recherche ne permet pas de recueillir beaucoup d'informations en profondeur, car l'entrevue téléphonique ne dure habituellement pas plus de 15 minutes. De plus, il est impossible pour les chercheurs de présenter aux interviewés des éléments visuels (photo, publicité, etc.). D'autre part, s'il est facile de mener une étude quantitative par téléphone, il est plus difficile de faire une recherche qualitative.

Dans bien des cas, l'annonceur veut vérifier si les consommateurs ont vu sa publicité et s'ils reconnaissent le nom de l'annonceur. Comme on ne peut montrer de visuel, il est donc difficile de faire, au téléphone, une recherche sur des médias imprimés[2]. Les messages diffusés à la radio peuvent être décrits plus clairement aux répondants ; on peut même leur faire entendre la bande sonore d'un message dont on a effacé, au besoin, le nom de l'annonceur. Quant aux messages diffusés à la télévision, on peut aussi poser par téléphone des questions à leur sujet, quoique plus difficilement ; il est possible, par exemple, de décrire un message ou d'en faire entendre la bande audio.

5.2.1.2 L'enquête par la poste

Cette technique n'est pas très dispendieuse, mais son taux de retour est faible. L'annonceur a la possibilité d'inclure dans l'envoi la reproduction d'une annonce, d'envoyer un échantillon pour faire essayer le produit et même d'offrir un cadeau en récompense. Cette méthode élimine toute interférence de la part de l'enquêteur ; de plus, le questionnaire permet d'obtenir de l'information plus en profondeur que pour l'entrevue téléphonique. Cependant il est impossible de s'assurer que la personne qui remplit le questionnaire correspond vraiment aux critères qui définissent la population qu'on veut étudier. Le questionnaire envoyé par la poste est utilisé surtout pour des recherches quantitatives. Son faible taux de participation en a cependant réduit l'utilisation.

---

2. DESCARIES & COMPLICES, *Bulletin D*, 18 février 2003, <descarie.com/bulletin.php>, site visité le 27 avril 2005.

5.2.1.3 Le questionnaire en ligne

Les recherches quantitatives sur Internet a peu à peu pris la place de l'enquête par la poste. En effet, Internet permet de joindre simultanément, à un coût quasi nul, un très grand nombre de personnes. C'est le support idéal pour des présentations multimédias, l'évaluation d'un projet d'emballage ou d'une publicité. L'absence d'enquêteur élimine tout risque de biais. De plus, Internet permet un accès rapide aux individus ; par exemple, une enquête sur Internet a permis de joindre 700 répondants en deux jours. Moins chère que d'autres moyens de recherche, l'utilisation d'Internet permet de présenter des bandes sonores d'annonces radio, des vidéos et des photographies de porte-parole[3]. On peut facilement sonder ses propres clients par Internet, par exemple s'ils ont été identifiés par leur numéro de carte client. On peut ainsi leur demander leurs intentions d'achat, leur appréciation d'un nouveau produit ou d'une nouvelle publicité. Mais l'efficacité du sondage par Internet se mesure surtout à la rapidité de la cueillette de données. Par exemple, le 21 avril 2005, à 19 heures, le premier ministre du Canada Paul Martin a commencé à s'adresser à la nation. Dès 19 h 20, 505 répondants québécois remplissaient un questionnaire en ligne à propos de l'effet de ce discours sur leur attitude envers le gouvernement libéral. Les résultats ont été publiés dans l'édition du 22 avril du *Journal de Montréal*, soit à peine une dizaine d'heures après l'allocution du premier ministre.

Cependant, sonder par Internet ne présente pas que des avantages. En effet, il n'existe pas de liste des gens qui accèdent à Internet. Aussi, même si le taux de pénétration d'Internet augmente, une partie de la population n'y a toujours pas accès. De plus, on peut supposer que ces gens qui n'y ont pas accès ont tous le même profil sociodémographique, ce qui implique qu'une partie de la population échapperait complètement aux enquêtes.

5.2.1.4 L'entrevue personnelle

Souvent utilisée dans un centre commercial mais aussi de porte à porte, cette méthode est plus dispendieuse que d'autres. Elle permet aussi d'obtenir une information plus détaillée et plus en profondeur que les autres méthodes. Avec l'entrevue personnelle, il est possible de montrer à la personne interviewée, une image, un scénario maquette, et de lui faire essayer un échantillon. L'entrevue personnelle permet une certaine segmentation du public, car il est possible de sélectionner les répondants en leur posant une ou deux questions préliminaires. Cette méthode est couramment utilisée avant le lancement d'un nouveau produit, et presque toutes les campagnes de communication sont prétestées au moyen de cette technique. Ces entrevues peuvent être l'occasion de demander à des consommateurs de goûter des biscuits, d'évaluer un nouvel emballage ou de visionner une ébauche de message publicitaire. Une petite entreprise peut dépenser environ 10 000 $ pour une recherche de ce type effectuée auprès d'un échantillon de 300 consommateurs ; les résultats lui permettent d'éviter bien des lancements de produits qui ne sont pas encore au point et d'économiser ainsi beaucoup d'argent. L'entrevue comporte cependant le risque que l'enquêteur biaise les résultats ; de plus, le type de recherche qu'elle permet est plutôt qualitative.

---

3. DESCARIES & COMPLICES, *Bulletin D,* 13 avril 2005, <descarie.com/bulletin.php>, site visité le 27 avril 2005.

Durant la période de mai à octobre, la firme Décaries & Complices[4] organise chaque mois un sondage de porte à porte pour mesurer l'effet des campagnes d'affichage. Leur étude permet de toucher un échantillon de 300 personnes âgées de 18 à 64 ans, ce qui assure une marge d'erreurs statistique maximale de 5,7 %, 19 fois sur 20. Lors de ces sondages, l'entreprise vérifie plusieurs points : le rappel (si les gens ont vu ou non l'annonce), l'attribution spontanée à l'annonceur (si les gens reconnaissent ou non qui est l'annonceur, lorsque le nom de l'annonceur leur est caché), la compréhension (si le message est compris ou non) et l'appréciation des publicités. Il en coûte 2 400 $ à un annonceur pour que son produit figure dans cette étude.

5.2.1.5 Le groupe de discussion

Encadré 5.1 La forme de recherche marketing qu'est le groupe de discussion doit être utilisée avec jugement.

Prenez un excellent animateur, muni de solides connaissances en marketing et d'un bon sens de l'autorité ; fournissez-lui de quoi écrire, huit chaises et autant de participants autour d'une table triangulaire et vous aurez les ingrédients d'un groupe de discussion selon les toutes dernières tendances.

Une table triangulaire ? C'est la toute dernière idée des experts de Léger Marketing. « Ce sera la prochaine tendance. L'époque des grandes tables rectangulaires est révolue », dit son président, Jean-Marc Léger, en déambulant fièrement dans ses toutes nouvelles salles pour groupes de discussion fraîchement repensées lors du passage des *AFFAIRES.*

« La table triangulaire donne l'autorité à l'animateur et concentre la discussion vers l'avant. Cela lui permet de mieux observer les réactions des participants et de garder le contrôle », dit-il.

Vous aurez beau avoir la table la plus efficace au monde, si votre animateur ne sait pas mener le bal, l'exercice tournera en rond. « Cela prend un excellent animateur avec plusieurs qualités. Il doit être capable de gérer une discussion, bien connaître le marketing et être capable d'écrire », dit Jean Saine, président de Saine Marketing.

Qui plus est, l'animateur n'est pas seulement nécessaire dans la salle des participants, mais aussi dans celle des observateurs ! Jean-Marc Léger se souvient d'un groupe de discussion sur la bière *U*, brassée par Unibroue. Le premier participant avait pris la parole pour dire « *U* comme dans urine ». Il n'en fallait pas plus pour qu'André Dion, le président de la brasserie, décide de changer le nom !

« Nous lui avons dit d'attendre et de voir ce qui allait se passer. Les participants se sont ensuite mis à blaguer avec des expressions employant le mot U, ce qui a donné naissance aux slogans que l'on connaît », raconte Jean-Marc Léger.

Parfois risqués, les groupes de discussion sont pourtant de plus en plus populaires auprès des entreprises. Elles les utilisent à n'importe quel moment d'un projet, pour aller chercher de nouvelles idées ou pour valider une nouvelle publicité.

« Les groupes de discussion ont l'avantage de sonder en profondeur, d'aller chercher les vraies forces et faiblesses d'un produit, d'en tester la valeur et de connaître l'historique de l'achat », dit M. Saine, dont la firme réalise de 600 à 700 groupes de discussion par année.

4. DESCARIES & COMPLICES, *Bulletin D*, 27 avril 2004, <descarie.com/bulletin.php>, site visité le 27 avril 2005.

Source : Unibroue.

Figure 5.1

Un des slogans de
la bière *U*.

« Les groupes sont de plus en plus populaires », confirme également Stéphane Harris, associé chez Ad hoc recherche.

« Maintenant, tout le monde connaît cela. Il n'y a plus d'éducation à faire. Nos clients veulent tout savoir. On pose des questions intimes et très précises. On essaie d'aller chercher les valeurs fondamentales. En fait, le groupe sert à mettre de la chair autour de l'os quantitatif donné par le sondage. »

Auparavant, dit-il, 75 % des groupes de discussion étaient faits auprès des consommateurs. « Maintenant, on en fait autant auprès des gens d'affaires avant de prendre des décisions. Les banques, par exemple, vont mener des groupes de discussion auprès des entrepreneurs et non plus seulement auprès du grand public, pour voir ce qu'ils pensent d'un nouveau logo par exemple. »

Certains experts mettent toutefois en garde les entrepreneurs qui seraient tentés de gérer et de prendre des décisions seulement sur la base des groupes de discussion.

« Le consommateur ne peut pas nous dire ce qu'il ne sait pas. Un prétest peut parfois tuer une création dans l'œuf. Il faut savoir prendre un certain niveau de risque », souligne Sylvain Desrochers, directeur du certificat en publicité à l'Université de Montréal.

Il relate l'exemple du *walkman*, lancé sans consultation au début des années 80 par Sony. « Si Sony avait testé ses appareils, les gens auraient dit : *tout le monde va me regarder, j'aurai l'air fou avec cela sur la tête...* et le walkman n'aurait jamais vu le jour. »

Il faut éviter, sur la seule base d'un groupe de discussion, de tirer des conclusions absolues et définitives, renchérit le professeur au département de communication de l'Université de Montréal, André Lachance.

« C'est devenu une industrie importante au Québec, mais le gestionnaire ne doit pas en faire un acte de foi. L'avenir, on ne le connaît pas », dit-il.

« Je dis à mes clients de ne pas gérer par sondages. Il faut avoir le *feed-back* de ses clients et aller plus loin. Les vrais experts sont l'entreprise et les gens qui y travaillent », concède M. Saine.

Souvent, c'est par insécurité que les entreprises vont recourir constamment à la recherche, pense M. Desrochers. « On ne peut pas demander au consommateur de faire le travail à sa place. Il faut pouvoir déceler les tendances de la société, mais sans être trop précis. Ce n'est pas de cela que nous avons besoin », dit-il.

Ce dernier met en doute également le fait que les groupes de discussion permettent d'aller chercher les vraies émotions. « Le consommateur que l'on assoit à une table avec d'autres ne veut pas avoir l'air imbécile. Il veut être pris au sérieux, être rationnel. Il est même parfois sur la défensive. Il peut dire des choses qu'il ne pense pas. La meilleure façon de le connaître est d'aller l'observer sur le terrain, plutôt que de l'amener dans une salle[5]. »

5. NOËL, Kathy. « L'art de discuter autour de la table... en groupe organisé », *Les Affaires*, dossier spécial « Recherche et sondages », le samedi 19 janvier 2002, p. 49.

Mener un groupe de discussion (*focus group*) signifie, pour une entreprise spécialisée en recherche, de réunir huit à dix personnes pour les faire discuter sur un sujet bien précis. Cette entrevue dure de une à deux heures, et les répondants, s'ils sont choisis parmi la population générale, reçoivent chacun un montant d'environ 50 $. La discussion est dirigée par un animateur qui déclenche les discussions ; celles-ci sont le plus souvent filmées. Les participants sont sélectionnés lors de sondages téléphoniques ; ils ne sont invités à la rencontre que s'ils correspondent à des critères précis. Les recherches que le groupe de discussion permet sont de nature essentiellement qualitative ; malgré le nombre restreint de participants, ses résultats sont très riches en informations de choix. Il est possible en effet de discuter d'une publicité télévisée pour obtenir des commentaires sur la perception et le degré de compréhension qu'en

Tableau 5.2 Comparaison entre les collectes de données par Internet, par correspondance, au téléphone et par entrevue personnelle

Points de comparaison	Enquête par correspondance	Enquête téléphonique	Enquête par l'entremise d'une entrevue personnelle	Enquête en ligne
Coût de l'enquête	Relativement économique, compte tenu d'un taux de retour convenable.	Moyennement coûteuse, compte tenu d'un taux d'achèvement raisonnable.	La plus coûteuse, en raison des honoraires et des frais de déplacement de l'intervieweur.	Une des plus économiques compte tenu de la taille de l'échantillon.
Capacité de sonder et de poser des questions complexes.	Faible, puisque le formulaire doit être bref et simple.	Moyenne, puisque l'intervieweur peut sonder et développer quelque peu les questions.	Importante, puisque l'intervieweur peut montrer des documents visuels, établir un rapport et sonder.	Très bonne, car on peut notamment y associer des présentations multimédias.
Possibilité que l'intervieweur fausse les résultats.	Aucune, puisque l'on répond au questionnaire sans lui.	Existante, en raison de l'inflexion de sa voix.	Élevée, en raison de la voix et de la physionomie de l'intervieweur.	Aucune, puisque l'on répond au questionnaire sans lui.
Anonymat du répondant	Complète, puisque aucune signature n'est exigée.	Partielle, en raison du contact téléphonique.	Faible, en raison du face à face.	Complète ; mais le répondant n'est pas forcément celui qui avait été sélectionné.
Échantillonnage	Bonne couverture ; taux de réponse faible.	Bonne couverture ; facile de trouver des listes ; bon taux de réponse.	Bonne couverture ; souvent difficile de recruter des répondants ; taux d'abandon faible.	Couverture partielle ; difficile de constituer un échantillon quand il n'y a aucune liste préalable ; taux d'abandon variable.

Source : BERKOWITZ, Eric N. *et al. Le Marketing*, Montréal, Chenelière/McGraw-Hill, 2003, p. 257.

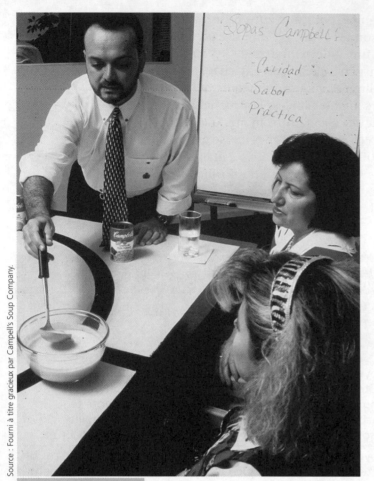

Source : Fourni à titre gracieux par Campbell's Soup Company.

Figure 5.2
Séance réunissant un
groupe de discussion.

ont les participants. Il est également possible de faire essayer un produit et de recueillir immédiatement les impressions des consommateurs, comme illustré à la figure 5.2 qui présente une séance réunissant un groupe de discussion.

Le tableau 5.2 résume les principales caractéristiques de chaque mode de collecte de données (modes d'enquête).

5.2.2 Les outils de collecte de données

5.2.2.1 Le questionnaire

Le questionnaire est un outil dont la forme peut différer selon la méthode choisie, mais dont la structure reste semblable. Au début se trouvent des questions de motivation et d'intérêt. Ces questions, faciles à répondre, ont pour but d'intéresser le répondant. Des questions portant sur l'objet de recherche sont par la suite introduites. Le fait de mélanger ces deux types de questions permet de valider le questionnaire. Les questions d'associations de mots, dans lesquelles on donne des mots aux répondants et on leur demande de dire ce que ces mots évoquent pour eux, donnent de bons résultats. À la fin du questionnaire, on trouve des questions de classification sur l'âge, le sexe, le revenu, etc. Ces questions ne sont posées qu'à la fin pour ne pas décourager le répondant.

Il existe des questions ouvertes et fermées. On appelle questions ouvertes les questions qui nécessitent du répondant qu'il s'investisse dans l'élaboration de sa réponse. Dans ces questions, le répondant doit décrire sa pensée, présenter son opinion sur un sujet précis, comme dans l'exemple suivant : « Que pensez-vous de la possibilité de diffuser de la publicité pour Viagra à la télévision ? » Les questions de ce type permettent d'obtenir plus d'informations que les questions fermées, mais sont plus longues à compiler. C'est pour cette raison qu'on y recourt pour certains types d'entrevue en profondeur mais qu'on les retrouve rarement dans les questionnaires administrés à grande échelle d'une recherche quantitative.

Les questions fermées proposent un choix de réponses accompagnées de cases à cocher. Les réponses proposées sont conçues comme des échelles de mesure. Plusieurs spécialistes recommandent de proposer un nombre pair de choix de réponses, pour éviter que le répondant soit tenté par la valeur intermédiaire. La figure 5.3 présente un exemple de question fermée.

Figure 5.3 Un exemple de question fermée

Indiquez ce que vous pensez de la publicité que vous avez regardée, en entourant le nombre qui correspond le mieux à votre opinion.

Ennuyeuse	1 2 3 4 5 6 7 8 9	Intéressante
Mensongère	1 2 3 4 5 6 7 8 9	Honnête
Originale	1 2 3 4 5 6 7 8 9	Commune

Source : D'ASTOUS, Alain. *Le projet de recherche en marketing*, Montréal, Chenelière Éducation, 2005, p. 165.

Toutes les questions doivent être claires et faciles à comprendre. Aussi, il est primordial de prétester le questionnaire. Une question dont le sens prête à interprétation peut affecter les réponses et ainsi biaiser les résultats. Pour prétester le questionnaire, on l'administre à un échantillon de répondants et on vérifie si chacune des questions est clairement posée.

Le questionnaire permet de mesurer, par exemple :

• la notoriété spontanée (on demande au répondant quelle marque vient à son esprit) ;

• la notoriété assistée (on nomme des marques au répondant et on lui demande lesquelles il connaît) ;

• l'intention d'achat ;

• le dernier achat ;

• les attitudes envers le produit ;

• la perception que le répondant a du produit ;

• la satisfaction que le répondant a du produit.

5.2.2.2 Les autres outils de cueillette de données

On reproche parfois aux recherches commerciales de ne pas prendre en considération les mobiles inconscients du consommateur. Nous avons montré, au chapitre 3, que l'être humain est guidé dans ses comportements par des mobiles dont il n'est pas toujours conscient, mobiles qui peuvent aussi bien freiner sa consommation que l'amener à surconsommer. Nous avons également expliqué l'importance des symboles dans l'inconscient des individus. Or, le questionnaire traditionnel ne rend pas compte de cette réalité, car il ne saisit que la partie consciente de la pensée. Pour remédier à cette lacune, on recourt parfois à d'autres techniques, comme la technique de l'analogie, qui laisse davantage s'exprimer le subconscient. Par exemple, dans un groupe de discussion, on peut demander aux participants de décrire le produit comme une personne, un animal ou une plante. L'encadré 5.2 présente l'exemple de la compagnie Labatt, qui a pour sa part recouru à un procédé de projection : elle a demandé aux jeunes d'un échantillon choisi de se raconter en images.

Labatt fait distribuer des appareils photo à des jeunes pour qu'ils se racontent en images.

La brasserie Labatt a demandé à la firme Crop de dresser un portrait des 18-24 ans afin d'améliorer leur communication avec eux. « C'est le genre de mandat parfait pour l'ethnographie, dit Carlo Bianchini, vice-président, développement de Crop. Ce type de recherche nous permet d'obtenir un portrait intimiste d'une clientèle et de son style de vie. Nous pouvons aussi situer la place occupée par la catégorie de produits dans la vie des individus et même celle d'une marque précise. »

L'étude s'est tenue sur près de trois mois. Crop a d'abord recruté des jeunes parmi les participants à son sondage annuel 3SC, qui suit l'évolution des valeurs et motivations dans la population. D'autres jeunes ont été recrutés dans les bars, pour ensuite être invités à passer un test d'une cinquantaine de questions, un résumé du 3SC. « Nous nous assurons que leurs valeurs reflètent la diversité de celles de l'ensemble du groupe, dit Carlo Bianchini. Par exemple, il ne faudrait pas fausser le portrait avec un nombre trop élevé de participants aux valeurs conservatrices. »

Une quarantaine de jeunes, dont 75 % de garçons ont été sélectionnés. Suivant la technique ethnographique de prédilection chez Crop, « montre et raconte », chaque personne a reçu un appareil photo jetable et un livret explicatif. Ce dernier, en plus de présenter la recherche (sans mentionner le client), indiquait ce qui était attendu du participant, c'est-à-dire de prendre au total 27 clichés sur différents thèmes. Les participants devaient, par exemple, prendre une photo d'eux-mêmes, de leurs amis, de ce qui, selon eux représente la jeunesse, d'endroits ou d'occasions où ils aiment boire de la bière, de lieux où, au contraire, ils n'en consommeraient jamais, de leurs amis ou groupes d'amis, des marques qu'ils aiment et qu'ils n'aiment pas, de leurs loisirs, etc. Ils disposaient d'environ trois semaines pour s'acquitter de leur tâche et retourner l'appareil.

Crop a ensuite fixé un rendez-vous avec chacun, afin qu'il commente ses photos. « Elles nous permettent d'établir un contact particulier, dit Carlo Bianchini. Les jeunes sont plus portés à se révéler tels qu'ils sont vraiment. Nous avons déjà reçu des photos de feuilles de pot, de sous-vêtements ! »

Conclusions

Le « trip » de jeunesse s'épuise tôt. « Dès la vingtaine, les jeunes ont fait le tour des gros "trips" de party et de bar, dit Carlo Bianchini. Ils s'assagissent. C'est un constat intéressant, quand on le met en parallèle avec des images véhiculées dans plusieurs publicités de bière. »

Stress/besoin de décompression. « Les jeunes ont une vie stressante et sont inquiets face à l'avenir, dit Carlo Bianchini. Plusieurs ont un travail qu'ils mènent de front avec leurs études. D'autres sont aussi mariés. Dans leurs moments de repos, ils ont autant besoin de décompresser que de vivre des expériences intenses. Pour plusieurs, la soirée idéale peut être de regarder une vidéo avec leur compagne ou leur ami ! »

La bière empreinte de simplicité et de valeurs traditionnelles. « La bière est consommée lorsqu'on cherche à passer du bon temps en toute simplicité et à établir des rapports authentiques avec les autres, dit Carlo Bianchini. Au contraire, le martini, par exemple, est entouré d'une aura plus sophistiquée, plus avant-gardiste. Le vin pour sa part, est associé à un rituel plus formel[6] ».

5.3 LA RECHERCHE ET LES MÉDIAS

Les médias sont des acteurs tellement actifs dans le domaine du marketing qu'ils méritent qu'une section de ce chapitre leur soit consacrée. Dans le passé, la circulation d'un journal était déterminée par ses ventes. De nos jours, on se fie plutôt aux données du Print Measurement Bureau (ou PMB, à l'adresse <www.pmb.com>), qui se spécialise dans l'étude de la circulation des magazines. PMB compile des données sur la distribution d'un journal, son territoire géographique, les ventes par abonné et par kiosque, les habitudes de lecture, le nombre d'heures consacré à la lecture, le salaire des lecteurs, leur

---

6. *Infopresse,* avril 2004, p. 50.

âge, diverses autres données démographiques et psychographiques, et enfin l'attitude des consommateurs envers certains produits (le voyage, par exemple). Ces résultats constituent une importante source de renseignements pour les magazines, les journaux et les annonceurs. Il existe aussi l'Association canadienne des journaux (ACJ, à l'adresse <www.cna-acj.ca>), qui s'affaire à promouvoir les quotidiens auprès des annonceurs.

Les annonceurs peuvent aussi consulter les études Starch, qui permettent de déterminer si les consommateurs ont vu ou non une publicité, et particulièrement des parties de celle-ci. En effet, l'annonceur peut savoir, par ces études, quelles sections d'une publicité imprimée ont été les plus vues, et par quel pourcentage des consommateurs.

Pour ce qui est des médias électroniques, ils utilisent les services de Sondages BBM (Bureau of Broadcast Measurement, à l'adresse <www.bbm.ca>). Sondages BBM est une coopérative tripartite sans but lucratif, formée d'agences de publicité, d'annonceurs, et de radio- et télédiffuseurs. Elle compile des données sur l'écoute de programmes et les rend publiques, comme le montre l'encadré 5.3.

Encadré 5.3 Palmarès des émissions - Québec francophone

Service audimétrique PPM de Sondages BBM — 28 mars au 3 avril 2005

Données préliminaires

Rang	Émissions	Diffuseur	Jour	Début	Fin	Total 2+AMM
1	Tout le monde en...	SRC	......D	20:00	22:00	1940
2	Nos étés	TVA	L......	21:00	22:00	1814
3	Les Auditions de Star Académie	TVA	L......	19:00	20:00	1595
4	Km/h	TVA	.MA.....	20:30	21:00	1479
5	Histoires de filles	TVA	.MA.....	20:00	20:30	1363
6	Qui perd gagne	TVA	.MA.....	19:00	20:00	1342
7	Les Poupées russes	TVA	..ME....	20:00	21:00	1342
8	Ma maison Rona	TVA	L......	20:00	21:00	1304
9	La Poule aux œufs d'or	TVA	..ME....	19:00	19:30	1275
10	Demandes spéciales	TVA	......D	19:00	20:00	1230
11	Auberge du chien noir	SRC	L......	20:00	21:00	1200
12	Bougon, Les	SRC	..ME....	21:00	21:30	1181
13	Le Cœur a ses raisons	TVA	...J...	20:00	20:30	1158
14	Caméra café	TVA	.MA.....	21:00	21:30	1073
15	Rumeurs	SRC	L......	19:30	20:00	1039
16	Le Procès des Bleu Poudre	TVA	.MA.....	21:30	22:00	1032
17	Vice caché	TVA	...J...	20:30	21:30	1020
18	Dieu créa... Laflaque	SRC	......D	19:30	20:00	974
19	Dans ma caméra	TVA	...J...	19:00	19:30	966
20	Star système	TVA	...J...	19:30	20:00	948

Clé d'interprétation...
Ce rapport indique les 20 émissions de télévision des diffuseurs du Québec les plus regardées dans le marché francophone de la province pendant la semaine indiquée. Les émissions sont classées en fonction de l'auditoire moyen minute exprimé en milliers (AMM (000)). Le rapport identifie aussi le réseau sur lequel l'émission a été diffusée, l'heure du début et de la fin de l'émission (indiquée selon l'heure normale de l'Est), ainsi que les journées de diffusion.

© Sondages BBM 2005

Source : On trouve ces données à l'adresse suivante : <www.bbm.ca/fr/archives_quebec.html>, site visité le 10 avril 2005.

Figure 5.4 Un exemple de cahier d'écoute de Sondages BBM

4B	Dimanche Soirée	ALLUMÉE	ÉTEINTE	TITRE DE L'ÉMISSION	NOM DE LA STATION OU LETTRES D'APPEL	NUMÉRO DE CANAL	4B	QUI REGARDE							
								1	2	3	4	5	6	7	8
41	4:00-4:15 pm						41								
42	4:15-4:30						42								
43	4:30-4:45						43								
44	4:45-5:00						44								
45	5:00-5:15 pm						45								
46	5:15-5:30						46								
47	5:30-5:45						47								
48	5:45-6:00						48								
49	6:00-6:15 pm						49								
50	6:15-6:30						50								
51	6:30-6:45						51								
52	6:45-7:00						52								
53	7:00-7:15 pm						53								
54	7:15-7:30						54								
55	7:30-7:45						55								
56	7:45-8:00						56								
57	8:00-8:15 pm						57								
58	8:15-8:30						58								
59	8:30-8:45						59								
60	8:45-9:00						60								
61	9:00-9:15 pm						61								
62	9:15-9:30						62								
63	9:30-9:45						63								
64	9:45-10:00						64								
65	10:00-10:15pm						65								
66	10:15-10:30						66								
67	10:30-10:45						67								
68	10:45-11:00						68								
69	11:00-11:15pm						69								
70	11:15-11:30						70								
71	11:30-11:45						71								
72	11:45-12:00						72								
73	12:00-12:15am						73								
74	12:15-12:30						74								
75	12:30-12:45						75								
76	12:45-1:00						76								
77	1:00-1:15 am						77								
78	1:15-1:30						78								
79	1:30-1:45						79								
80	1:45-2:00						80								

Faire un X dans la case si votre téléviseur n'a pas été allumé aujourd'hui entre 6 heures am et 2 heures am. ☐

Source : Sondages BBM.

Sondages BBM distribue un cahier d'écoute (on trouve un exemple de cahier d'écoute à la figure 5.4) trois fois l'an. Durant les semaines du sondage (4 semaines à l'automne, 3 au printemps et 2 en été), les participants doivent écrire l'émission de télé qu'ils sont en train d'écouter, et ce, à toutes les 15 minutes, de 6 heures le matin jusqu'à 2 heures la nuit suivante. On fait de même pour la radio avec des périodes et des plages horaires différentes. On demande à tous les membres de la famille d'y participer et on donne deux dollars en récompense à la famille. Sondages BBM mène ce type de sondage l'automne, le printemps et l'été. Cette méthode n'est pas totalement fiable : en raison des multiples chaînes et de la télécommande, les spectateurs changent souvent de chaîne et on peut supposer qu'ils ne prennent pas toujours la peine de noter les nombreux changements de station dans le cahier d'écoute.

L'audimètre traditionnel est un petit appareil qui tend à remplacer les cahiers d'écoute. Placé sur le téléviseur des gens qui acceptent de participer aux enquêtes, l'audiomètre enregistre l'écoute des stations pour chaque membre de la famille. Chaque individu doit appuyer, lorsqu'il est à l'écoute du téléviseur, sur le petit bouton qui lui est destiné. L'appareil est relié à Sondages BBM ou à la compagnie privée AC Nielsen, et envoie en temps réel les résultats de l'écoute. AC Nielsen possède 1 750 audimètres répartis dans tout le Canada et Sondages BBM en possédait dans 480 foyers québécois. Plus précis comme source de renseignements que le cahier d'écoute, l'audimètre est cependant critiqué par certains parce que son utilisation est perçue comme une intrusion sournoise dans la vie privée des consommateurs.

Comme les tarifs publicitaires sont basés sur les cotes d'écoute des émissions de radio ou de télévision, il est important de connaître l'auditoire des émissions. De plus, pour faire le choix des médias dans le plan médias, on doit connaître le profil sociodémographique des auditeurs afin que la campagne touche son but.

Pour que les résultats soient plus complets, Sondages BBM et son partenaire américain Arbitron ont lancé un appareil appelé le PPM (pour *Portable People Meter*). Ce petit appareil de la taille d'un téléavertisseur détecte les codes audio insérés dans les signaux de télévision, de radio et même d'Internet. Placé sur son chargeur le soir, l'appareil envoie à Sondages BBM les résultats de l'écoute des gens, qu'ils soient à l'intérieur ou à l'extérieur du foyer.

Source : Fourni à titre gracieux par AC Nielsen company.

Figure 5.5
Un audimètre placé sur la télévision.

5.4 LE TEMPS PROPICE POUR EFFECTUER UNE RECHERCHE

Il est approprié de faire une recherche à toutes les étapes du développement d'un produit ou d'une campagne de communication. Avant de lancer un produit, on cherche à connaître les besoins des consommateurs, puis on veut mesurer ses réactions au produit. Cela est aussi le cas dans le domaine de la communication commerciale.

Dans le cas d'un produit, on donne un échantillon gratuit avec le questionnaire afin d'obtenir de l'information sur le produit lui-même et sur ses caractéristiques. On fait goûter un produit lors d'entrevues dans des centres commerciaux, d'entrevues porte à porte ou de groupes de discussion. Ces recherches permettent de déterminer les attitudes des gens, ce qu'ils pensent du produit et, dans bien des cas, elles servent à préparer le thème de la campagne de communication.

Au fur et à mesure qu'on développe le concept de la campagne de communication, on peut recourir à différents tests. La recherche prépublicitaire consiste à tester la réaction du public à l'idée maîtresse d'une campagne publicitaire, afin de la valider. Par exemple, avant de commencer le tournage d'un message destiné à être télédiffusé, on montre le scénario maquette (*story board*) à un échantillon de consommateurs et on recueille les commentaires qu'il a suscités. Comme les coûts de production de ce type de publicité sont très élevés, il est souhaitable de savoir le plus tôt possible si l'on fait fausse route. Les ébauches de messages publicitaires sont l'objet de recherche à plusieurs étapes du processus de création (test de concept, test de création). Mais il faut toujours se

---

Encadré 5.4   Performance Banque de Montréal

Demande d'emploi : Un jeune homme passe une entrevue pour un emploi. Les employeurs indiquent une certaine somme au jeune homme, qui leur demande alors si ce montant équivaut aux REÉR auxquels il aura droit ou s'il s'agit de son salaire. Il termine en précisant qu'il doit commencer tout de suite, car il n'a pas de temps à perdre s'il veut prendre sa retraite à 55 ans.

Faible attribution
Le message : « demande d'emploi » permet à la Banque de Montréal d'entrer dans le cercle des annonceurs québécois ayant le plus haut taux de rappel (77 %). Son résultat surpasse d'ailleurs de loin la norme fixée selon le poids médias (de 50 % à 62 %). Le style distinctif du message est sans contredit l'élément clé de sa forte notoriété. En effet, jusqu'à 82 % des gens estiment qu'il se démarque vraiment de la publicité qu'ils ont l'habitude de voir à la télévision, soit 13 points de plus que la norme. Qui plus est, l'humour tranchant de la communication fait sourire, les résultats d'appréciation surpassant à leur tour la norme des messages québécois.

Cela dit, le message bat sérieusement de l'aile au chapitre de l'attribution. Alors qu'on aurait pu s'attendre à un résultat autour de 40 %, seulement 6 % des gens exposés ont identifié la Banque de Montréal à titre d'annonceur. Plus de 70 % déclarent n'avoir aucune idée de son identité, ce qui mine grandement l'efficacité de la communication. La question assistée permet à l'institution de gagner quelques points, mais pas suffisamment afin d'atteindre la norme prévue.

Le message de la Banque de Montréal obtient toutefois de bons résultats sur le plan de la crédibilité et de la clarté. Qui plus est, il semble convaincre les gens puisque la majorité de ceux qui ont reconnu l'annonceur sur une base assistée estiment qu'il améliore ce qu'ils pensent de la Banque de Montréal et les incite à considérer l'institution[7].

---

7. *Infopresse*, juin 2002, p. 68.

rappeler que le produit qu'on teste est en cours d'élaboration et qu'il est très difficile pour un non-initié de porter un jugement sur un croquis destiné à se transformer en un spot publicitaire de 30 secondes.

Après diffusion, on cherche à évaluer si le téléspectateur a vu et retenu le message. Par exemple, dans le cas de la publicité reproduite à l'encadré 5.4, bien des gens ont retenu la réplique du candidat à l'emploi (« Quand est-ce que je commence, qu'on en finisse ? »), mais les résultats d'une recherche sur cette campagne indiquent que, même si plusieurs personnes avaient vu la publicité et l'avaient appréciée, peu d'entre elles pouvaient en identifier l'annonceur.

La recherche peut aussi a voir comme objectif d'évaluer une attitude face au produit et une intention de l'acheteur, avant et après une campagne publicitaire, pour en mesurer les effets. Pour chaque campagne, on détermine si le message a été retenu ou non par les consommateurs. Le test peut être fait tous les trois mois, pour déterminer si les gens ont vu le message, combien de fois ils l'ont vu et quelle marque leur vient à l'esprit (notoriété spontanée ou assistée).

RÉSUMÉ

Une stratégie de marketing est continuellement nourrie par les informations concernant son marché cible. La communication de masse n'échappe pas à cette règle. En effet, comme il est très dispendieux de tourner un message publicitaire pour la télévision, la plupart des campagnes de communication sont testées avant d'être réalisées, puis, une fois réalisées, elles sont à nouveau testées avant et après leur diffusion, afin d'en déterminer l'efficacité auprès du marché cible.

D'autre part, on se sert de deux types de données pour faire une recherche, les données primaires et les secondaires. Les données secondaires sont celles qui existent déjà et que l'annonceur n'a qu'à utiliser, par exemple les indications sur les ventes et les commentaires de clients. On obtient les données primaires par des sondages ou des collectes de données spécifiques répondant aux besoins de la recherche. Différents modes de recherche permettent d'obtenir des données primaires, et chacun présente des avantages et des inconvénients spécifiques. Dans ce chapitre, nous avons présenté certains de ces modes : le téléphone, la poste, le Web, les entrevues individuelles et les entrevues de groupe.

Quel que soit le mode de recherche qu'ils utilisent, les chercheurs doivent concevoir un questionnaire. Ce questionnaire comporte des questions fermées (à choix) ou ouvertes (à développement). Dans le domaine de la communication commerciale, de nombreuses recherches sont menées. Nous avons présenté dans ce chapitre l'organisme BBM, qui regroupe des agences, des annonceurs et les médias (radio et télé), et qui réalise des sondages sur les cotes d'écoute.

QUESTIONS DE DISCUSSION

1. Présentez différents modes de collecte de données primaires en indiquant leurs avantages et inconvénients respectifs.

2. Déterminez toute l'information de source interne qu'il pourrait être possible de recueillir chez un commerce de détail de votre voisinage.

3. Donnez deux moyens d'obtenir les cotes d'écoute à la télévision. Commentez l'exactitude des résultats pour chacun de ces moyens.

4. Certains créateurs d'agences de publicité affirment que la recherche tue les concepts qui se démarquent. Discutez à propos de leur affirmation.

5. Nommez la ou les étapes du processus de création publicitaire auxquelles il est approprié d'entreprendre une recherche.

6. Présentez une méthode de recherche qui permet d'obtenir de l'information en profondeur. Expliquez.

EXERCICES

1. Vous êtes propriétaire d'un resto café du style Van Houtte. Déterminez les informations disponibles qui pourraient être recueillies grâce à l'analyse des factures de votre bistro à la fin d'un mois (produits, heures, jours, employés, etc.). Quelles décisions commerciales pourriez-vous prendre grâce à ces informations ?

2. Vous devez lancer une recherche pour valider vos choix des produits que vous avez créés lors de l'exercice du plan de marketing du chapitre 2. Pour ce faire, vous devez :

   a) visiter le site de Statistique Canada (à l'adresse <www.statcan.ca>) pour obtenir de l'information sur votre groupe cible (données démographiques et autres) et sur le volume des ventes de ce type de produit ;

   b) concevoir une recherche de données primaires en bâtissant d'abord un questionnaire de cinq questions ;

   c) déterminer un échantillon ;

   d) décider sous quel mode vous allez administrer votre questionnaire ;

   e) visiter les sites d'entreprises concurrentes pour analyser leurs forces et leurs faiblesses respectives.

6

LA PLANIFICATION ET LA CONCEPTION D'UNE CAMPAGNE DE COMMUNICATION DE MASSE

Familiprix a misé sur un coup publicitaire spectaculaire pour se démarquer de ses concurrents.

Il est connu que la publicité rapporte et que souvent, une publicité particulièrement réussie rapporte beaucoup. C'est ce qui s'est produit avec la campagne publicitaire « Ah ! Ha ! » de Familiprix, avec son pharmacien toujours stoïque face aux déboires de la vie quotidienne. Lancée en octobre 2002, cette audacieuse campagne télévisuelle a permis à Familiprix d'atteindre des résultats inespérés : le taux de notoriété spontanée de Familiprix est passé de 19 % en 2002 à 55 % actuellement, selon Léger Marketing. Ses publicités sont les plus remarquées par les téléspectateurs, notamment devant celles de Bell Canada, des Producteurs de lait du Québec et de Pharmaprix (selon Dominance, Impact Recherche, janvier 2003).

Familiprix s'est hissée au cinquième rang du palmarès des entreprises québécoises les plus admirées, derrière Rona, Jean Coutu, Pharmaprix et Bombardier (Léger Marketing, mars 2004). Les ventes de médicaments ont connu une hausse de 4 %, et celles des produits de beauté et de santé, de 24 % en septembre 2004, par rapport à septembre 2002.

« Personne ne s'attendait à ce que cela frappe aussi fort en seulement dix jours de diffusion sans grand poids médiatique, dit André Rhéaume, vice-président marketing, de Familiprix. Nous sommes ainsi allés chercher une cote d'amour incroyable auprès du public. »

Pourtant, la première semaine de la campagne avait donné des sueurs froides à tout le monde chez Familiprix. « Les premiers courriels et appels téléphoniques étaient tous négatifs, raconte-t-il. Les gens n'aimaient pas ces nouvelles publicités. Des personnes âgées se disaient même offusquées. » Mais après deux semaines de diffusion, les jeunes se sont mis à adorer ces messages d'un nouveau genre, en en faisant un véritable phénomène de mode.

L'aventure a débuté alors que Familiprix éprouvait un problème de notoriété dans plusieurs régions du Québec, dont le Grand Montréal, l'Estrie et l'Outaouais. L'entreprise devait aussi faire face à l'expansion des grandes chaînes pharmaceutiques, ainsi qu'à l'émergence de pharmacies dans des magasins à grande surface tels que Wal-Mart, Loblaws et Zellers.

« Notre objectif était clair : rajeunir notre image et accroître rapidement notre notoriété, dit M. Rhéaume. Il fallait donc frapper un grand coup. C'est pourquoi nous avons choisi l'agence Bos, réputée pour sa créativité. Celle-ci n'avait jamais travaillé auparavant pour une pharmacie, ce qui était un atout car nous voulions sortir des sentiers battus. »

La demande présentée à l'agence de communication Bos comportait quatre éléments :

- *viser exclusivement le média de masse qu'est la télévision ;*
- *démontrer qu'il s'agit d'une pharmacie ;*
- *rappeler clairement la marque et le logo ;*
- *utiliser une approche créative et originale.*

« Hormis ces quatre règles, l'agence avait carte blanche, précise André Rhéaume. Dès qu'elle nous a présenté son concept sous la forme d'un démo, nous avons su que Bos avait visé juste. » Toutefois, Familiprix a pris le soin de soumettre les premiers messages à cinq pharmaciens, histoire de s'assurer que leur audace ne créait pas un trop grand choc.

La campagne « Ah ! Ha ! » a remporté de nombreux prix internationaux, dont un Lion d'argent à Cannes, en 2003. André Rhéaume souligne d'ailleurs que le punch « Ah ! Ha ! Familiprix » est même connu en République dominicaine, où « les Dominicains disent ça quand ils rencontrent des Québécois ».

Autre effet de la campagne : un dynamisme sans précédent au sein de l'entreprise. Rajeunissement du logo, nouveau design des pharmacies, rénovations majeures dans plus de la moitié des magasins, etc.[1]

INTRODUCTION

Le succès de la campagne Familiprix résulte de la synergie générée par plusieurs facteurs : des objectifs de communication clairement énoncés, un concept qui a su capter l'attention du groupe cible et une créativité incontestable. Ce sont justement ces thèmes que nous abordons dans ce chapitre. Nous montrons d'abord comment définir les objectifs de communication ; nous expliquons ensuite un modèle de conception d'annonce et nous abordons, pour terminer, la question de la créativité dans la communication de masse.

6.1 LES OBJECTIFS DE COMMUNICATION

Toute tâche doit avoir un objectif ; les objectifs commerciaux n'échappent pas à cette règle. En effet, le marketing, la publicité, la promotion et les autres activités communicationnelles doivent viser des objectifs bien précis. Le processus de création du message s'inscrit dans la démarche de la stratégie globale de marketing ; l'entreprise doit donc avoir déterminé ses objectifs commerciaux ou relatifs au marketing avant le début de ce processus. Pour qu'un objectif soit spécifique, il doit avoir les trois caractéristiques suivantes :

- être quantifiable ou évaluable selon un critère objectif ;
- être limité de façon précise dans le temps ;
- viser un groupe cible ou un segment bien défini du marché.

Par exemple, un objectif de commerce ou de marketing pourrait comporter les caractéristiques suivantes : accroître de 10 % les ventes (quantité) de la bière Belle Gueule d'ici deux mois (temps) dans la région de Québec (segment). Lorsqu'il détermine des objectifs de communication, l'annonceur ne doit pas retenir que les objectifs axés uniquement sur les ventes, car les autres éléments du *marketing mix* ont aussi un effet sur les ventes. Une distribution déficiente

---

1. PICARD, Pierre. « Une créativité débridée », *Les Affaires*, 26 mars 2005, <www.lesaffaires.com>, site visité le 7 mai 2005.

ou un prix non concurrentiel peuvent affecter les ventes. Même la pluie ou le beau temps affecte les ventes : une très bonne campagne de communication pour une marque de bière ne peut empêcher les ventes de baisser si l'été est pluvieux, et un été chaud et sans pluie peut avoir l'effet contraire ! Donc, les objectifs relatifs au marketing ou au commerce portent sur les ventes et prennent en considération l'ensemble des éléments du mix de marketing, alors que les objectifs de communication, bien qu'intégrés dans la stratégie globale de marketing, sont plus précis et limités.

Plusieurs modèles de détermination des objectifs de communication ont été proposés par les chercheurs. Nous présentons ici les deux modèles les plus connus.

6.1.1 Le modèle DAGMAR

Élaboré il y presque 50 ans déjà, le modèle DAGMAR[2] (*Defining Advertising Goals for Measured Advertising Results*) est le premier qui incite à se concentrer sur les objectifs de communication et qui les hiérarchise. Il est également le premier à associer des tâches précises et mesurables aux objectifs. Selon ce modèle, les objectifs de communication doivent viser, dans l'ordre :

1. La prise de conscience, c'est-à-dire faire réaliser au consommateur l'existence du produit ou de la marque.
2. La compréhension, soit amener le consommateur à connaître les caractéristiques de la marque.
3. La conviction, donc faire en sorte que le consommateur soit prêt à acheter le produit.
4. L'achat, dernière étape du processus, qui consiste à faire passer le consommateur à l'action.

Considéré comme révolutionnaire à ses débuts, le modèle DAGMAR a depuis suscité plusieurs réserves. Le reproche le plus important qu'on lui adresse est de se concentrer sur l'évaluation quantitative des résultats à court terme de la communication commerciale, alors que la construction d'une image de marque se fait à plus long terme. De plus, les recherches effectuées depuis la conception du modèle DAGMAR indiquent que le consommateur ne passe pas toujours par ces différentes étapes avant de procéder à l'achat d'un produit donné. Néanmoins, ce modèle a servi de point de départ à plusieurs autres travaux.

6.1.2 Le modèle de la hiérarchie des effets

Selon ce modèle, qui a été élaboré par Lavidge et Steiner et demeure le plus utilisé, il faut s'assurer, avant de viser des objectifs de vente, que les autres objectifs de communication ont déjà été atteints. En effet, le consommateur, lors de son évolution de la prise de conscience de l'existence d'un produit jusqu'à l'achat de ce produit, passe par les étapes suivantes :

• sur le plan cognitif, la prise de conscience, la compréhension ;
• sur le plan affectif, l'intérêt, la préférence, la conviction ;
• sur le plan conatif, l'achat.

---

2. COLLEY, Russel H. *La publicité se définit et se mesure*, Paris, Presses Universitaires de France, 1964, 140 p.

Comme nous l'avons mentionné au chapitre 2, la communication de masse cherche à agir sur les opinions et les attitudes des consommateurs afin de déclencher une action qui vient s'ajouter aux autres actions du mix. L'objectif de communication doit donc porter particulièrement sur un changement d'attitude ou une augmentation de la notoriété de la marque, qu'elle soit assistée ou spontanée[3]. De plus, on doit assigner un objectif de communication propre à chaque élément du mix de communication, tels la promotion des ventes, le marketing direct ou la commandite.

Dans le cas de la publicité, par exemple, on évalue la notoriété de la marque ou d'un attribut particulier avant la diffusion de la campagne. Après la diffusion de la campagne, on peut, en reprenant la même recherche, vérifier l'atteinte des objectifs (par exemple accroître de 30 % la compréhension des caractéristiques du hamburger végétarien de Harvey's chez les 18-25 ans résidant à Québec, et ce, d'ici 2 mois).

Le tableau 6.1 présente les effets de la communication de masse sur le consommateur et les activités de communication de masse appropriées à chacune des phases.

Tableau 6.1 La communication de masse, de la prise de conscience à l'achat

Dimensions relatives au comportement	Étapes précédant l'achat	Exemples de promotion ou de publicité pertinents par rapport aux diverses étapes
Conative • Le domaine des motivations. • La publicité stimule ou oriente les désirs.	**Achat** Dom ↑ **Conviction**	• Publicité sur le lieu de vente (PLV) • Annonces d'aubaines et de rabais • Offres de dernière minute • Attrait fondé sur les prix • Témoignages (on l'utilise beaucoup en phil. lanthropie)
Affective • Le domaine des émotions. • La publicité modifie les attitudes et les sentiments.	**Préférence** ↑ **Intérêt**	• Publicités comparatives • Texte argumentatif • Exploitation de l'image de marque • Attrait fondé sur le prestige ou le caractère désirable
Cognitive • Le domaine des connaissances. • La publicité met en valeur des caractéristiques et des faits.	**Compréhension** ↑ **Prise de conscience**	• Annonces publicitaires • Texte descriptif (histoire de cas) • Petites annonces (bouchons) • Slogans • Ritournelles ou chansons publicitaires • Publicité aérienne • Campagnes à énigme (un seul mot sur une affiche pub.)

on vient leur faire préférer notre cause à une autre

ou morceau

ex : dernière campagne de Bell
On ne reconnaît pas l'annonceur.

Source : BELCH, George E. *et al. Communication marketing, une perspective intégrée*, Montréal, Chenelière/McGraw-Hill, 2005, p.172.

---

3. Voir le chapitre 5 à ce sujet.

L'objectif d'une campagne de communication commerciale dépend aussi de plusieurs autres critères, comme la position du produit dans son cycle de vie. L'objectif de communication d'un nouveau produit porte, à la phase de son lancement, sur l'information, l'offre, la description de son fonctionnement, la réduction des craintes associées à la nouveauté. À la phase de croissance du produit, on mise plutôt sur la connaissance des attributs spécifiques afin, par exemple, de favoriser la préférence de la marque chez les consommateurs. À la phase de maturité du produit, on suggère, par exemple, de nouvelles utilisations du produit. Le tableau 6.2 présente les différences entre un objectif relatif au commerce ou au marketing, et un objectif de communication.

Tableau 6.2 L'objectif de commercialisation et l'objectif de communication	
Objectif de commercialisation ou de marketing	Objectif de communication
Accroître les ventes de 5 % dans la région du Saguenay-Lac-Saint-Jean d'ici le mois de juin.	Faire savoir aux consommateurs du Bas-Saint-Laurent que les légumes surgelés contiennent autant de vitamines que les légumes frais.

6.2 L'AXE DE COMMUNICATION

Après avoir défini l'objectif de communication, on détermine l'axe de communication. L'axe[4] est ce qui reste d'un message après en avoir retiré les éléments accessoires (les couleurs, l'humour et la musique, par exemple). L'axe est l'argument premier du message. C'est à partir de l'axe qu'on détermine le slogan. Il ne faut pas tout dire, il faut que le message soit simple, facile à comprendre mais surtout qu'il soit percutant. Un message doit donc provenir d'un seul axe, d'une seule idée. Par contre, plusieurs messages peuvent découler d'un même axe. On doit choisir parmi une série d'arguments celui qui convient le mieux à la cible déterminée. L'axe de communication doit « coller », être adapté étroitement au produit ou à la cible.

Voici quelques exemples d'axes de communication :
• Bell offre un rabais avec l'utilisation de trois services ;
• les voitures Volvo sont sécuritaires ;
• Crest combat la carie ;
• Héritage Montréal veut que Montréal demeure une ville agréable.

L'axe de communication découle de l'objectif de communication. L'axe doit aussi être cohérent avec la stratégie de marketing qui englobe les autres variables du mix. Par exemple, l'axe de communication devrait refléter et véhiculer le fait que le prix d'un produit ou d'un service est très bas. Mais surtout, la détermination de l'axe se fait sur la base du produit ou du service lui-même et

---

4. COSSETTE, Claude et René DÉRY. *La publicité en action*, Québec, Les Éditions Riguil Internationales, 1987, p. 282-284.

de ses caractéristiques intrinsèques. Il est important, pour déterminer un axe de communication, de trouver un trait dominant, un avantage concurrentiel ou une caractéristique unique que possède le produit ou le service et que les autres n'ont pas. Ce sont ces éléments qui sont les plus efficaces pour déterminer un axe de communication. Par exemple, l'axe : « Le savon Ivory flotte, il est pur et doux » est une caractéristique unique qui a permis de concevoir plusieurs messages.

Comme nous l'avons mentionné au chapitre 2, l'annonceur peut décider de mettre l'accent sur le positionnement actuel ou celui qui est désiré ; ce positionnement devient alors l'axe de communication. Puisque le positionnement correspond à la perception du consommateur, l'axe de communication met alors l'accent sur une particularité bien appréciée ou, au contraire, vise à modifier la perception d'une caractéristique mal évaluée.

L'axe de communication peut aussi émaner de la cible, du segment visé, et plus particulièrement :

- du style de vie des consommateurs visés ;
- de leurs traits culturels ;
- de leurs motivations inconscientes.

En ce qui concerne les traits culturels, on pense immédiatement aux six racines des Québécois selon Bouchard (par exemple, l'axe de communication d'un fromage pourrait insister sur le fait qu'il provient des « terres de chez nous »). Les exemples suivants illustrent bien, quant à eux, le recours aux motivations inconscientes des consommateurs : Revlon ne vend pas de l'eau de toilette mais de l'espoir et de la jeunesse, Microsoft vend des solutions, Gap ne vend pas des vêtements mais du mouvement, Coke et Pepsi ne vendent pas de l'eau sucrée mais un plaisir de vivre, et enfin Tommy Hilfiger (qui par ailleurs ne fabrique aucun vêtement) vend de la popularité et même de la réussite sociale.

Que vendons-nous ?

L'objectif de communication détermine l'axe, qui à son tour permet de créer le message. Par la suite, l'équipe médias doit déterminer quels médias sont appropriés pour diffuser le message, c'est-à-dire quels médias vont faire évoluer le consommateur de l'état d'ignorance du produit ou d'une mauvaise attitude à son égard, jusqu'à l'acceptation de l'offre. Mais tout ce processus doit être fait selon une démarche qui comporte des étapes bien précises.

6.3 LA CONCEPTION DE L'ANNONCE

Plusieurs recherches ont porté sur les étapes à franchir afin d'amener le consommateur à accepter l'offre qu'il lui a été faite. Parmi les modèles qui ont résulté de ces recherches, nous avons choisi de présenter le modèle AIDA, qui a été développé par Strong[5] et est très populaire. Selon ce modèle illustré à la figure 6.1, le message doit, dès le départ, capter l'attention du spectateur, par la suite conserver son intérêt tout au long du message, susciter le désir et, à la fin du message, provoquer une action.

---

5. STRONG, E.K. *The psychology of selling*, New York, McGraw-Hill, 1925, p. 9.

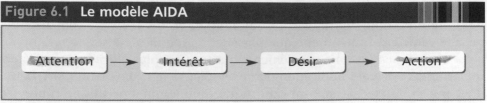

Figure 6.1 Le modèle AIDA

Attention → Intérêt → Désir → Action

Source : Selon Strong, 1925.

Ce modèle permet aussi de déterminer les étapes de la confection du message, qu'il soit imprimé ou sur support électronique. Nous présentons brièvement chacune de ces étapes ainsi que des applications en communication commerciale.

6.3.1 L'attention[6]

L'attention est d'abord sélection. Elle isole un objet, dans un paysage ; l'œil s'attache à un détail particulier. Dès le début d'une communication commerciale, il faut attirer l'attention par une amorce intense : sans attention, on n'obtient pas d'écoute. Une telle intensité ne peut être maintenue tout au long du message. La fatigue même de l'organisme impose son rythme.

Le nombre d'objets sur lesquels un consommateur est capable de porter simultanément son attention est toutefois limité à cinq ou six. L'attention isole le côté proprement affectif de la perception (la sensation agréable ou même douloureuse, par exemple). À la télévision, on doit capter l'attention par les premières images ou pendant les trois premières secondes. L'image attire l'attention ; le son, un bruit, de la musique ou l'absence de son attirent autant l'attention. À l'écrit, c'est souvent une image qui joue ce rôle.

6.3.2 L'intérêt

L'intérêt désigne ce qui importe à une personne, c'est le coefficient de valeur qu'elle accorde à quelque chose. L'intérêt, c'est aussi une sensation d'attention curieuse, par exemple l'intérêt pour le hockey. Pourquoi un long métrage paraît-il, à une personne, captivant pendant deux heures ? C'est peut-être parce qu'on y trouve une intrigue et des rebondissements qui ont su conserver son intérêt. Pour une annonce à la télévision, on doit, après avoir piqué la curiosité lors de la phase de l'attention, conserver l'intérêt par le visuel, par le son ou par la musique. Le modèle AIDA est plus efficace pour les annonces télévisuelles que pour celles qui sont imprimées parce que, dans les médias imprimés, l'attention et l'intérêt sont souvent jumelés. Le texte ne sert souvent qu'à expliquer le titre dont il découle, de phrase en phrase. L'annonce écrite ne doit jamais être très longue. Quel que soit le média employé, l'attention relève plutôt du domaine affectif, tandis que l'intérêt est plutôt lié à la raison. Par exemple, une jolie fille presque nue sur une publicité attire l'attention d'un garçon, mais peut-on dire que l'intérêt de ce garçon est capté lorsqu'il s'aperçoit que cette publicité vise à faire acheter des tampons hygiéniques ?

---

6. DUPUY, Roger Louis. « Psychologie de la publicité », *Dynamique commerciale*, p. 2–12.

La meilleure façon de conserver l'intérêt tout au long du message est de montrer le produit dans une situation où il est en action ou utilisé, et où il satisfait l'acquéreur en lui permettant d'acquérir de nouvelles habitudes. On peut se demander s'il est préférable de présenter le consommateur tel qu'il est ou plutôt tel qu'il voudrait être. La réponse est claire : on ne commet jamais d'erreur en le présentant tel qu'il espère être. Plus la projection de l'avenir qu'offre l'annonce touche le consommateur, plus on a de chance de l'intéresser. Par exemple, une voiture correspond à un rêve de luxe, de confort, de vitesse ou de sécurité, tandis qu'une crème pour la peau évoque la beauté ou la jeunesse espérées.

6.3.3 Le désir

Éprouver du désir, c'est, pour un individu, se représenter d'une manière plus ou moins précise la possession de ce qui lui manque et qui occupe sa pensée. C'est une anticipation, une projection en avant par la suppression des obstacles. C'est comme si, dans son esprit, l'individu possédait déjà cet objet… Bref, le désir est un schéma d'action différée. On a vu que l'attention relève davantage de l'émotion et l'intérêt, de la raison ; le désir est, comme l'attention, de nature affective. Le désir, c'est le fait, pour une personne, de se représenter à l'avance un besoin comme étant satisfait, avec tous les éléments intellectuels ou émotifs qui peuvent y être rattachés. Si le désir est frustré, sa force devient telle que l'individu devient capable d'écarter tous les obstacles qui s'opposent à sa réalisation. La nécessité rend ingénieux l'individu qui désire. Si nécessaire, il replace même l'ensemble de ses satisfactions sur son échelle des besoins.

Le publicitaire doit éveiller le désir de faire ou de posséder. Dans le cas d'une publicité imprimée, le texte doit être descriptif et logique, et comprendre du visuel, comme une image poétique ou affective qui évoque un souvenir. Cette image doit bien sûr être en rapport étroit avec le texte et le thème. Les slogans basés sur un postulat de départ ne sont pas toujours les meilleurs, comme : « Les pâtes sont meilleures lorsqu'elles sont aux œufs, les pâtes Catelli sont aux œufs ! » Ceux qui lancent l'esprit sur une piste sont plus efficaces, comme le suivant : « Jeep, ce que vous voulez, où vous voulez ». Le désir est favorisé, voire amplifié par plusieurs techniques de promotion (tel l'envoi d'un échantillon) et par toutes les formes de vente à crédit ou à essai qui facilitent l'acquisition du bien.

6.3.4 L'action

Il suffit d'observer les achats que fait un individu pour vérifier le fait que, sur dix d'entre eux, seulement quelques-uns sont commandés par des motifs réfléchis qu'il pourrait expliquer de façon logique, et que les autres achats, qui sont sans doute les plus nombreux, relèvent de mobiles affectifs, d'impulsions irraisonnées, de gestes liés à des habitudes ou à des instructions pour lesquels il serait en peine de se justifier[7]. En fait, même s'il arrive que la décision d'acheter ne soit prise qu'après mûre réflexion, l'action d'acheter peut aussi être instantanée, faite sur un lieu de vente. C'est au moment de la prise de décision d'achat que l'on constate si les techniques promotionnelles sont efficaces ou non.

7. Voir le chapitre 3 à ce sujet.

Les publicitaires utilisent plusieurs types d'incitatifs pour pousser les consommateurs à passer à l'action, comme les exemples suivants : *Call now* comme on dit souvent en anglais ou « Venez l'essayer », « Disponible à tel endroit », « En solde à 50 % », « En quantité limitée », « Rien à payer avant telle date », « Téléphonez à... », « Téléphonez au 1 800... », « Cliquez ici », « Dépêchez-vous, le produit est en quantité limitée », « L'offre est réservée aux 200 premiers clients », etc.

6.4 LES TECHNIQUES DE CRÉATION

Puisque le processus du développement stratégique est rationnel et rigoureux, on pourrait croire que la création, pour sa part, laisse place à une émotion totalement subjective. Mais cela n'est pas totalement vrai. On juge la beauté d'une campagne par sa création, bien sûr, plutôt que par sa stratégie, même si elle est très claire. Mais le succès d'une campagne de communication réside dans un judicieux dosage d'originalité, de respect de la stratégie et de respect des règles précises de présentation dans les médias imprimés ou électroniques. Il est essentiel que la création publicitaire capte l'attention et se démarque parmi la multitude de messages dont le consommateur est bombardé. Donc, l'effort de création doit viser à traduire l'axe de communication en un message qui se distingue, toujours en fonction du média choisi.

La création doit bien sûr se faire en réponse à la stratégie choisie. Mais cette tâche est complexe. En effet, la création est une œuvre commandée qui doit répondre à la stratégie, mais elle est aussi un acte créatif, sans compter que le résultat final doit faire en sorte que l'idée se distingue parmi les autres de l'environnement publicitaire. Ce n'est certainement pas facile !

Par exemple, on peut imaginer que la création suivante, qui vise à démontrer la simplicité des démarches d'adhésion d'un assureur, se démarquerait des autres messages. On pourrait, par exemple, présenter un conducteur qui est assis dans sa voiture et cherche à démêler les informations et les symboles des multiples panneaux de stationnement fixés sur le poteau devant lequel il se trouve (voir une publicité de Clarica). Pour se démarquer, le message ne doit pas être collé à une réalité de la vie courante, mais plutôt s'éloigner du déjà-vu. Pour se démarquer, le message doit comporter un élément de surprise. Bien entendu, une création reliée trop étroitement à l'axe donne une campagne efficace mais qui manque de mordant, comme dans l'exemple suivant : « Crest combat la carie ».

Une création se fait en plusieurs étapes et nécessite la collaboration et la concertation de plusieurs intervenants. Les mandats de communication sont initiés par le client annonceur, qui présente sa demande auprès de son représentant du service à la clientèle attitré dans l'agence. Par la suite, le responsable du compte client transmet cette demande au service de la création sous forme de synthèse (instructions de campagne ou *brief*). Cette demande synthèse comprend la planification stratégique, l'historique de l'annonceur, l'évolution de la consommation, les concurrents, leur taille et leur stratégie, et, bien entendu, la demande de communication de l'annonceur. Dans une agence, le responsable du service à la clientèle présente le *brief* à toute l'équipe, soit la création et les médias. La figure 6.2 présente les instructions de campagne (*brief*) à l'origine de la campagne imprimée qu'Héritage Montréal a menée en 2004. Les annonces conçues à partir de ces instructions de campagne sont présentées au chapitre 7.

Figure 6.2 **Un exemple de *brief* (instructions de campagne) de publicité**

NUMÉROS DE DOSSIER

Temps : _____ / Imprimé : _____ / Affichage : _____ / Radio : _____

MANDAT	PRODUIT / SERVICE	MARQUE ET PERSONNALITÉ
Concevoir une campagne de recrutement pour Héritage Montréal. La promesse développée devra également servir d'image de marque. Médias utilisés : imprimé et affichage.	**L'intention d'Héritage Montréal :** Responsabilité collective et individuelle à entretenir, rénover et restaurer les bâtiments anciens et récents. Construire aujourd'hui le patrimoine de demain. **Ses produits :** la « cause », les Architectours, cours de rénovation domiciliaire.	Un organisme voué à la promotion de la protection du patrimoine historique, architectural, naturel et culturel.

C'EST QUOI LE *BRIEF* ?

À qui on parle ?	Quelle est l'unique et essentielle chose à dire ?	Pistes de création
• Où se trouve-t-il ? Sur l'île de Montréal. Il vit probablement plus dans les quartiers-centre de Montréal (Ville-Marie, Plateau, etc.) • Dans quelle langue faut-il lui parler ? La langue de la conscience sociale ! On interpelle « le citoyen » montréalais. Le patrimoine est pour lui un témoignage de notre mode de vie. Il se soucie de ce que nous laisserons derrière nous en tant que société. • À quoi ressemble-t-il physiquement ? 35–54 ans ; c'est un professionnel éduqué. • D'où vient-il et comment vit-il ? Il vit à Montréal depuis longtemps, ou a décidé de s'y installer parce qu'il aime Montréal. • Comment pense-t-il ? Il cultive le beau. C'est le genre de personne qui s'insurge de voir ses voisins arracher le balcon victorien de leur maison pour le remplacer par un balcon à bon marché. • Quelle est sa corde sensible ? Il veut protéger le patrimoine d'hier. Il sait aussi que nous construisons aujourd'hui le patrimoine de demain.	**Héritage Montréal exige que Montréal demeure plaisante. Et vous ?** • Pourquoi y croire ? – La « **cause** » défendue par Héritage Montréal, c'est le plaisir de changer les choses (action auprès des autorités, etc.). – Les « **Architectours** », c'est le plaisir de découvrir, le plaisir de savoir et c'est apprécier le plaisir de la diversité... – Les « **Cours de rénovation et restauration résidentielle** », c'est le plaisir d'agir pour améliorer les choses, d'apprécier la richesse.	**Sans Héritage Montréal, Montréal serait laide et plate.** **Fonds Mondial pour la nature (WWF) pour les bâtiments et sites montréalais.** **Le génie du lieu** (Trouvez la chose manquante dans la personnalité de Montréal.)

Budget	Echéancier	Responsable(s)
Média : n.d. Production : n.d.	Revue interne : 22 mars 2004 Production : Présentation client : 24 mars Diffusion : fin avril	

Figure 6.2 *(suite)*

À CONSIDÉRER

Considérations de création :

- Convergence
  - Logo Héritage Montréal.
  - Site Internet : <www.heritagemontreal.qc.ca>.
- Sélection médias
  - Risque d'évoluer.
- Pertinence de la campagne développée
  - La campagne devra soutenir les trois fonctions de l'organisme.

– Fonctions	Pièce 1	Pièce 2	Pièce 3	Pièce 4
Campagne de recrutement	Annonce imprimée	Affichage	Radio	
Campagne de financement	Annonce imprimée	Pochette	Dépliant	Communiqué
Rayonnement — la « cause »	Annonce imprimée	Affichage	Radio	

- Toute autre idée de pièce peut être discutée.

Source : Fourni à titre gracieux par Cossette Communication Marketing et Héritage Montréal.

Une fois qu'une entente a été faite, à partir du *brief* (instructions de campagne) à propos des médias et des moyens de communication à utiliser, l'équipe de création doit concevoir une annonce qui permette d'atteindre efficacement la cible et l'objectif poursuivi.

On peut commencer la recherche de concepts de plusieurs façons. On peut partir du nom de l'annonceur, de son logo, de ses couleurs graphiques. Par exemple, l'agence Cossette Communication a fait pivoter le logo du club de hockey Canadiens, ce qui en fait un personnage souriant, comme le montre la figure 6.3. L'équipe de création a pris ses distances par rapport à l'usage normal du logo, ce qui a permis à la création de se démarquer.

Le logo peut être le point de départ de la création, mais le slogan peut aussi parfois se prêter à un jeu de mots. Quelquefois, on utilise la technique du

Figure 6.3
Une création publicitaire à partir du logo du Club de hockey Canadiens de Montréal

Source : Canadiens de Montréal : Ray Lalonde, Vice-président, Vente et Marketing — Club de hockey Canadiens ; Yvon Brossard, Vice-président création — Cossette Communication Marketing ; Jean Lafrenière, Concepteur et Directeur artistique — Cossette Communication Marketing.

portrait chinois : on imagine ce que serait le produit s'il était plutôt un animal, un arbre. Les analogies qui en résultent permettent souvent de tirer des idées intéressantes. C'est à partir de ce type d'analogie et du bénéfice recherché que l'on peut créer des personnages comme le tigre d'Esso ou le personnage de Monsieur Net. L'axe peut aussi servir de point de départ. Par exemple, s'il s'agit d'annoncer une réduction du prix de 50 %, pourquoi ne pas présenter un dollar sectionné en deux ? Quant au consommateur cible, son identité peut fournir des pistes pertinentes. On peut le représenter, si ses caractéristiques sont assez connues et précises. On peut aussi utiliser l'avantage, le bénéfice que procure l'offre, tel que décrit dans l'axe. Par exemple, le service d'entretien de voiture Speedy avait comme slogan : « Speedy vous suit » et son message présentait des employés courant derrière des voitures. On a aussi utilisé le bénéfice pour une annonce de café, dans laquelle on raconte l'histoire des gens de mauvaise humeur le matin avant d'avoir pris leur Nescafé. Enfin, tout peut servir de point de départ à une création qui attire l'attention : une expression populaire qu'on modifie (comme « En avril ne te découvre pas d'un… Dim »), une répétition frappante (comme « des tonnes de copies… ») ou des contrastes (comme « Dur avec la saleté, tendre avec les couleurs »).

Il existe aussi des techniques précises qui permettent de générer des idées. Les sections suivantes en présentent quelques-unes.

6.4.1 Le remue-méninges (ou *brainstorming*)

Le remue-méninges est une technique de créativité mise au point dans les années 1950 à l'agence de publicité Batten, Barton, Durstine et Osborn, mieux connue aujourd'hui sous le nom de BBDO. Contrairement à l'image qu'on en colporte souvent, le remue-méninges n'est pas une méthode où règne l'anarchie totale et où tous parlent en même temps de façon cacophonique ; au contraire, cette technique dispose de règles qui en permettent le bon fonctionnement. Dans les sections qui suivent, nous présentons cette technique qui permet de trouver des idées de communication mais peut aussi être utilisée pour trouver une solution à un problème ou dans toute circonstance où l'on doit faire appel à la créativité.

Une séance de remue-méninges regroupe cinq à dix personnes, idéalement des gens dont les champs d'intérêt sont différents, afin de favoriser la mixité des types de personnes. La séance dure environ une heure ou jusqu'au moment où les participants manifestent de la fatigue mentale. Une personne qui fait office de secrétaire prend en note les idées lancées, mais peut aussi, à l'occasion, servir de meneur de jeu si la séance dérape. Dans certains cas, il est utile de fournir le sujet aux participants quelque temps avant la séance afin qu'ils soient bien préparés. Les six conseils suivants permettent de rendre une session de remue-méninges plus efficace.

1. La meilleure façon de s'assurer d'avoir une bonne idée est d'en avoir plusieurs, puisque la qualité finit par jaillir de la quantité. L'analogie suivante permet de bien comprendre ce principe : pour obtenir une bonne photo, le photographe en prend plusieurs du même sujet (20, 30 ou même

plus), en changeant chaque fois la vitesse, la position du modèle, l'angle ou l'éclairage. Le principe de maximisation des idées affirme donc que, pour trouver une bonne idée, il faut d'abord en trouver plusieurs.

2. Il faut aussi se défaire de ses idées préconçues. Cela permet de s'ouvrir et de ne pas toujours demeurer dans la conformité. Le problème suivant permet de mettre en pratique ce principe. Supposons qu'un détective vous raconte qu'il est entré dans une pièce et qu'il a vu les cadavres de Jean et de Marie sur le sol, au milieu d'une flaque d'eau et de verre brisé. Si le détective vous demande alors de quoi sont morts Jean et Marie, vous devrez voir le problème sous plusieurs angles différents[8]. Pour se démarquer, il faut sortir de ses idées préconçues.

3. Pour être créatif, il faut aussi savoir se laisser aller et risquer de divaguer, il ne faut surtout pas s'arrêter à la première idée. On a souvent tendance à trouver que la première idée est bonne et à arrêter le processus. Plus on se laisse aller, même au risque de s'égarer, plus on est créatif et plus on peut trouver des idées originales. Par exemple, Alexandre Graham Bell cherchait plutôt une prothèse auditive pour sa fille sourde lorsqu'il a inventé le téléphone ; pour sa part, J.-A. Bombardier a inventé la motoneige après que son enfant est décédé parce que les intempéries avaient rendu tout déplacement impossible. On peut se laisser aller et accepter de faire « fausse route » à partir d'un mot, comme le mot « restaurant » à partir duquel on peut trouver « reste au rang » et « sortir du rang », et ouvrir des pistes pouvant amener des idées de création. Se laisser aller, même au point de se tromper, favorise la création et la bonne idée finit par jaillir de la nouveauté.

4. Il est bon d'employer des méthodes efficaces pour laisser son esprit divaguer, comme celle de « faire du pouce » sur l'idée de l'autre. « Faire du pouce » sur l'idée d'une personne signifie que lorsqu'elle dit un mot, les autres participants cherchent à quoi ce mot leur fait penser, et par association d'idées, les participants se promènent, errent, ils « font du pouce » sur son idée. Au début de la séance, les participants doivent se rendre compte que le groupe est plus important que chaque individu. À la fin du remue-méninges, c'est au groupe que revient le mérite d'avoir trouvé une idée géniale. Les participants ne doivent pas chercher, individuellement, à être les meilleurs, c'est plutôt l'ensemble du groupe qui cherche plusieurs idées. Les participants ne doivent pas avoir peur de reprendre l'idée, de remplacer le mot par son synonyme, son antonyme ou tout simplement par ce à quoi il fait penser. Si, par exemple, un participant dit le mot « restaurant », les autres peuvent trouver, en faisant du pouce, « vaisselle », puis « service », et en divaguant encore plus : « tennis », ensuite « Wimbledon », puis « Angleterre » et ainsi de suite.

5. Il est primordial que les participants s'abstiennent de toute critique durant la séance. Plusieurs peuvent avoir envie de commenter les idées des autres au fur et à mesure qu'elles sont énoncées, mais cette critique nuit à la créativité. On ne doit porter aucune évaluation, qu'elle soit positive ou négative.

---

8. C'est absolument essentiel, car dans ce cas, Jean et Marie sont des poissons rouges…

Lorsque quelqu'un émet des commentaires durant la séance, cela risque de créer une compétition nuisible à la génération d'idées. Il faut attendre après la fin de la séance pour évaluer chaque idée.

6. Le tamisage des idées (c'est-à-dire la sélection des meilleures idées parmi toutes celles qui ont été lancées) se fait après la séance. Les organisateurs du remue-méninges doivent alors tenir compte de plusieurs facteurs. Entre autres, ils doivent se demander si l'idée trouvée, quoique très intéressante, colle à la stratégie, si le positionnement est respecté, si cette idée va permettre d'engendrer un message clair pour le segment, etc. Il ne faut pas retenir une idée pour la seule raison qu'elle est amusante et drôle. À cette étape, il faut retrouver l'esprit critique : parmi les bonnes idées, il ne faut conserver que celles qui collent à la stratégie.

Si on recherche des idées pour un concept ou une série de mots, on peut utiliser la technique du pouce pour chacun des mots. Par exemple, si on doit trouver une idée pour un biscuit au chocolat, on fait un remue-méninges pour chaque mot : *biscuit* et *chocolat*. Par la suite, on établit des relations entre les deux séries de mots trouvés.

6.4.2 La carte mentale (ou *mind mapping*)

Le principe de la carte mentale, ou schéma heuristique, a été imaginé par Tony Buzan vers la fin des années 60 alors qu'il était étudiant à l'université. Il a par la suite développé cette technique en collaboration avec son frère[9]. La carte mentale est une technique de recueil d'informations et de perceptions qui permet d'appréhender une situation ou une idée, sous un œil neuf et d'en envisager tous les éléments à la fois. Conçue à l'origine pour favoriser les apprentissages en contexte scolaire et universitaire, la carte mentale est vite devenue une technique de résolution de problèmes et de génération d'idées fort prisée dans le domaine du management et du marketing. En voici la démarche.

On inscrit d'abord le thème, l'idée ou la situation à explorer dans une bulle centrale.

On y associe en roue libre tous les mots venant à l'esprit, sans les classifier, sans les hiérarchiser, comme lors d'une séance de remue-méninges, en se laissant guider par les émotions et sentiments, les souvenirs ou les analogies. On inscrit chaque mot autour de la bulle centrale. Quand cette première étape de production comporte environ une dizaine de mots, on oublie le contenu de la bulle centrale de départ pour travailler à partir des mots de cette première couronne un par un, et on recommence l'association en roue libre pour chacun d'eux. Cet exercice est plus fructueux lorsqu'il est effectué en groupe de trois à cinq personnes. La figure 6.4 présente un exemple de carte mentale. Dans cet exemple, il s'agit de trouver un concept d'affiche publicitaire pour l'agence de voyage Solmer, spécialisée dans les forfaits vacances « tout compris ». L'axe de communication retenu est que si l'on confie nos vacances à Solmer, on n'a plus à se préoccuper de rien.

---

9. BUZAN, T. et B. BUZAN. *Dessine-moi l'intelligence*, Paris, Les éditions d'Organisation, 1995, 317 p.

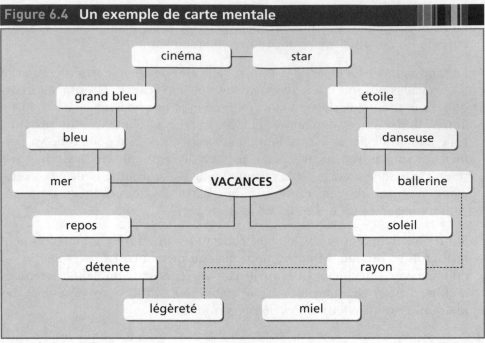

Figure 6.4   Un exemple de carte mentale

Source : Selon Buzan, 1995.

Dans le cas de cet exercice de carte mentale, on a choisi de représenter sur une affiche une ballerine (sa grâce, sa légèreté indiquent qu'on n'a plus aucun souci) dansant sur un rayon de soleil (qui est associé aux vacances).

6.4.3 La technique des chapeaux de Bono

Considéré comme un véritable gourou de la pensée créatrice, Edward de Bono s'est d'abord fait connaître mondialement par son livre sur la pensée latérale[10]. Il est depuis reconnu comme l'expert mondial dans le domaine de la créativité. Selon de Bono, la créativité est inhibée par la verticalité, c'est-à-dire par la logique et le processus hiérarchique auxquels obéit le fonctionnement de la pensée. Edward de Bono a créé une technique qui permet d'éviter que les discussions de groupe restent stériles et que chacun ne cherche qu'à faire valoir son point de vue et à critiquer celui des autres. Cette technique, appelée les chapeaux de Bono, oblige les participants à dresser l'inventaire de la multiplicité des points de vue possibles et à exercer différents types de pensée (la pensée critique, la pensée de l'objectivité, la pensée émotionnelle, la pensée latérale, la pensée positive et la pensée organisatrice). Pour ce faire, les participants doivent adopter à tour de rôle chacun de ces six modes de pensée différents comme autant de rôles de composition distincts du penseur, associés à six « chapeaux à penser » imaginaires qu'ils se posent sur la tête[11].

Chacun des six chapeaux est d'une couleur distincte, liée à sa fonction : blanc, rouge, noir, jaune, vert, bleu. Le chapeau blanc est neutre et objectif, il représente les données et les faits objectifs. Le chapeau rouge correspond au point

---

10. DE BONO, Edward. *La Pensée latérale*, Paris, Entreprise moderne d'édition, 1973, 248 p.

11. DE BONO, Edward. *Six chapeaux pour penser*, Paris, InterÉditions, 1987, 231 p.

de vue émotionnel. Le chapeau noir désigne le rôle où l'on souligne les aspects négatifs, les raisons qui entravent l'action. Le chapeau jaune représente le rôle optimiste, où l'on énonce les espoirs et les pensées positives. Le chapeau vert correspond à la créativité et aux idées neuves. Le chapeau bleu est celui du commandement, où l'on agit comme animateur et organise le processus de la réflexion (ce qui comprend entre autres l'utilisation des différents chapeaux par les participants).

La technique des six chapeaux est plus efficace lorsque tous sont utilisés alternativement, selon un ordre précis préalablement établi que le titulaire du chapeau bleu fait respecter en dirigeant la discussion et le passage d'un chapeau à l'autre, et en faisant une synthèse des propos à la fin de chaque étape. L'ordre suivant est celui qui semble le plus efficace : commencer par l'expression des réactions affectives et émotionnelles (chapeau rouge), pour ensuite rassembler les éléments d'information objectifs (chapeau blanc), puis faire émerger en remue-méninges toutes les idées possibles de solutions, même les plus étranges et farfelues (chapeau vert), pour ensuite ne retenir que les propositions pragmatiques réalisables, puis sélectionner parmi celles-ci les plus adéquates (chapeau jaune), et enfin vérifier le degré d'adhésion des participants aux idées retenues (retour au chapeau rouge). Les caractéristiques de chaque chapeau sont présentées au tableau 6.3.

Tableau 6.3 Les caractéristiques de chacun des chapeaux de Bono

Chapeau	Chapeau contraire	Traits caractéristiques
Blanc	Rouge	Raisonnement logique, basé sur les faits.
Rouge	Blanc	Réflexion guidée par les émotions, les intuitions.
Noir	Jaune	Vision concentrée sur les erreurs de réflexion, pessimisme.
Jaune	Noir	Vision orientée vers l'action, optimisme.
Vert	Bleu	Valorisation des idées nouvelles, grain de folie.
Bleu	Vert	Respect des procédures et des règles, esprit de synthèse.

Source : Selon de Bono, 1987.

Après la séance de recherche d'idées, l'équipe de création développe les deux ou trois idées retenues pour ensuite les présenter. Pour arriver à choisir le meilleur concept, l'équipe peut se servir des critères de la règle des six « S », présentée à la section suivante.

6.5 L'ÉVALUATION D'UNE CRÉATION

Conçue par l'agence de communication Cossette Communication Marketing, la règle des six « S » de la création permet d'évaluer un message de n'importe quel type. Ces six « S » désignent les critères de sélection suivants : stratégique, surprenant, séduisant, simple, signé et soigné.

Dans un premier temps, il faut s'assurer que l'idée choisie correspond à la stratégie. Une idée peut être bonne, mais il faut vérifier si elle colle à l'axe, si elle est conforme au segment, au positionnement et à la mise en situation.

Deuxièmement, une communication doit surprendre. On doit se demander si l'idée se distingue de la masse. Il y a surprise lorsque l'idée se démarque de la façon conventionnelle de véhiculer un message. Les créations communication-nelles doivent se distinguer : une communication qui se fond dans la masse n'est pas remarquée.

En troisième lieu, une annonce doit être séduisante. L'annonce doit susciter une émotion positive chez le consommateur, elle doit l'accrocher.

Quatrièmement, la création doit être simple. Chaque message doit véhiculer une seule idée. Il faut éviter de remplir l'annonce d'éléments superflus, il faut plutôt trouver l'angle exact qui permet de maximiser la force de l'axe et du positionnement. De plus, s'il est nécessaire de prendre plusieurs heures pour expliquer une idée lors du processus de création, on peut s'attendre à ce que le message qui en découlerait ne soit pas compris d'un seul coup d'œil rapide.

Toute annonce doit absolument, en cinquième lieu, être clairement signée. L'identification de l'annonceur doit pouvoir être faite facilement, son nom doit être visible et l'offre, claire et aisément repérable. Une annonce où l'accent n'est pas mis sur le nom de l'annonceur et son offre n'est pas réussie.

Finalement, l'annonce doit être soignée. La production doit être de qualité. Dans une grande agence de communication, les annonces doivent être de qua-lité internationale.

RÉSUMÉ

Avant de créer une annonce, il est primordial de déterminer l'objectif de la campagne de communication. La détermination de l'objectif permet entre autres d'évaluer la campagne, une fois qu'elle est terminée. Un objectif de communication doit être quantifiable, porter sur une période de temps déterminée et s'adresser à un groupe cible spécifique. Le modèle DAGMAR permet de préciser les objectifs et de les hiérarchiser. Ce modèle est le premier à avoir associé des tâches précises et mesurables à chacun des objectifs. Selon ce modèle, les objectifs de communication doivent viser, dans l'ordre : la prise de conscience, la compréhension, la conviction et l'achat. Nous avons aussi présenté le modèle de Lavidge et Steiner, qui distingue trois plans d'intervention sur le consommateur (les plans cognitif, affectif et conatif).

Après avoir trouvé les objectifs de campagne, on doit déterminer l'axe de communication, c'est-à-dire le message que l'annonceur veut transmettre. Déterminer l'axe permet ensuite d'entreprendre la création de l'annonce. La conception de l'annonce se fait habituellement selon le modèle AIDA. Chacune des lettres de ce modèle correspond à un critère : l'annonce doit attirer l'*attention* du consommateur, susciter son *intérêt*, éveiller en lui le *désir* et déclencher l'*action*. Nous avons présenté différentes techniques de création, dont le remue-méninges et la carte mentale, et présenté différents moyens qui permettent de trouver le plus grand nombre d'idées possible.

Finalement, nous avons présenté la technique des six « S » de la création qui a été conçue par Cossette Communication Marketing. Cette technique, qui permet d'évaluer une annonce, consiste à vérifier si l'annonce répond à différents critères : elle doit correspondre à la stratégie, être surprenante et séduisante, être simple, signée et de conception soignée.

QUESTIONS DE DISCUSSION

1. Faites la distinction entre un objectif de communication et un objectif de marketing. Présentez un exemple de chacun de ces types d'objectifs et expliquez-les.

2. Quelles sont les caractéristiques d'un objectif ? Donnez un exemple d'objectif de communication pour la Société d'assurance automobile du Québec (SAAQ).

3. Comment détermine-t-on un objectif de communication ?

4. Qu'est-ce que la notoriété ? Comparez la notoriété de la bière Marca Bavaria et celle de la Labatt bleue ; à partir de cette comparaison, suggérez un objectif de communication pour la bière Marca Bavaria.

5. Procurez-vous quelques messages publicitaires de Virgin Mobile (La Pogne), et déterminez à quelle étape précédant l'achat elles correspondent. Servez-vous, au besoin, du tableau 6.1.

6. Expliquez la technique du remue-méninges. Expliquez-en les caractéristiques.

7. Procurez-vous une publicité de votre choix. Quel est selon vous son objectif de communication ? Quel est son axe de communication ? À quelle étape de la hiérarchie des effets l'associez-vous ? Justifiez vos réponses.

EXERCICES

1. Lors d'une activité en classe d'une durée de 15 minutes, servez-vous des techniques du remue-méninges pour trouver le nom d'une future auto électrique conçue par Hydro-Québec.

2. Formez une équipe de trois ou quatre personnes et créez une publicité avec texte et visuel pour la voiture électrique dont le nom a été trouvé à l'exercice précédent. La voiture s'adresse aux 18-25 ans, elle est abordable, écologique et est destinée à une utilisation pour de courts trajets. Dessinez rapidement cette publicité sur de grandes feuilles de papier ou au tableau, et présentez votre concept à la classe.

Cet exercice peut servir à des fins d'évaluation formative.

3. Les produits d'entretien ménagers Écolonet existent depuis cinq ans et sont distribués partout au Québec dans plusieurs magasins d'alimentation naturelle, mais dans aucune grande chaîne commerciale. La gamme comporte les quatre produits suivants :

- un nettoyant concentré pour les gros travaux comme le nettoyage des planchers, des murs, etc. ;
- un vaporisant tout usage pour la salle de bain et la cuisine ;
- un savon en poudre pour la lessive ;
- un nettoyant liquide à vaporiser pour nettoyer les fenêtres.

Les produits Écolonet sont écologiques puisqu'ils sont biodégradables et ne laissent pas de résidu dans l'environnement. Quoique ces produits soient un peu plus dispendieux que les produits de nettoyage conventionnels, plusieurs personnes préfèrent les utiliser parce qu'ils possèdent le même pouvoir nettoyant que les concurrents des grandes marques sans toutefois être nuisibles pour l'environnement. Concevez pour les produits de la marque Écolonet :

a. un objectif de communication propre à une activité promotionnelle et un objectif de communication propre à une activité de marketing direct ;

b. un axe de communication identique pour les deux moyens de communication ;

c. trois activités promotionnelles et une activité de marketing direct répondant aux objectifs de communication fixés ;

d. un slogan, en utilisant la technique de la carte mentale.

4. Créez une publicité à partir des consignes suivantes.

Produit : Arrogant, eau de toilette pour hommes.

Mise en situation : lancement d'un nouveau produit dans un marché très compétitif (avec des concurrents comme Calvin Klein, Ralph Lauren, etc.) ; prix supérieur à la moyenne ; distribution exclusive ; produit raffiné, haut de gamme ; la forme de la bouteille n'est pas déterminée et vous n'avez pas à la concevoir ni à l'utiliser dans votre publicité.

Cible : hommes de 25 à 35 ans dont le revenu et le niveau de scolarité sont supérieurs à la moyenne ; actifs, compétitifs, enclins à essayer de nouveaux produits, très sollicités par la publicité dont ils se disent blasés ; ils sont réceptifs aux idées originales et ouverts sur le monde, très informés et grands consommateurs de voyages.

Objectif : la notoriété actuelle est de 0 % ; la notoriété désirée est de 80 % après diffusion de la campagne ; celle-ci doit arriver à convaincre la cible d'essayer le produit.

Axe : Arrogant permet de vous démarquer.

Positionnement : raffinement — non conventionnel.

Média : une page de magazine de 20 par 28 centimètres (en couleur ou en noir et blanc).

Vous devez concevoir une maquette qui comprend la position du texte et du visuel ; un texte présentant les détails du style et du visuel ; un texte argumentatif où vous défendez vos choix créatifs par rapport aux critères de correction.

Cet exercice peut servir à des fins d'évaluation formative ; dans le cas d'une évaluation sommative, le professeur peut utiliser la grille présentée au tableau 6.4. Cette grille peut servir à l'évaluation de différents types de propositions créatives (création publicitaire, promotionnelle ou autre). Le critère « soigné » ne figure pas sur ce tableau, en raison des contraintes de production, mais les étudiants peuvent en tenir compte. Pour la mise en pages et la rédaction du message, les étudiants ont besoin de mettre en application des informations présentées dans le chapitre 7.

Tableau 6.4 Une grille d'évaluation des annonces

Noms : _____

_____

Publicité : _____

_____

Code : A = excellent ; B = très bien ; C = bien ; D = moyen ; E = non acceptable

Stratégie	A	B	C	D	E

Commentaire : _____

Surprenant	A	B	C	D	E

Commentaire : _____

Séduisant	A	B	C	D	E

Commentaire : _____

Simple	A	B	C	D	E

Commentaire : _____

Signé	A	B	C	D	E

Commentaire : _____

LES ANNONCES IMPRIMÉES

7

Imaginons que tous les annonceurs délaissent la publicité imprimée...

- *Le journal* La Presse *n'aurait que cinq pages.*
- *La couverture arrière des magazines serait vide.*
- *On découvrirait de nouvelles traces de rouille sur les autobus.*
- *Le centre-ville serait décoré d'immenses panneaux blancs.*
- *Les étudiants ne pourraient plus financer leur bal par la vente de publicités dans leur album de finissants.*
- *Plusieurs milliers d'emplois seraient perdus.*
- *Les murs des stations de métro seraient dénudés[1].*

INTRODUCTION

Les journaux et magazines ont réussi à bien résister à l'avènement de la télévision, et nous pouvons prédire qu'en dépit de l'avènement d'Internet, la publicité imprimée a encore de beaux jours devant elle. Ce chapitre traite des annonces publicitaires destinées à être publiées dans les journaux et les magazines, ou à être affichées. Les notions présentées dans ce chapitre peuvent aussi s'appliquer à tout document visuel, tel que l'affichette, le cahier publicitaire ou le dépliant d'information, et même à la conception graphique d'un site Web.

Figure 7.1
Une impression de plaisir se dégage de cette publicité.

Source : Benetton.

7.1 LES PRINCIPES GÉNÉRAUX [2]

Quelle que soit l'annonce à produire, le message, c'est-à-dire l'information que l'on veut transmettre, doit être communiqué rapidement pour éveiller l'attention et susciter l'intérêt, car les gens ne lisent pas tout ce qui leur est proposé. Le consommateur doit donc saisir en un seul coup d'œil la teneur du message. Par exemple, la publicité reproduite à la figure 7.1 transmet efficacement, et sans le moindre recours à du texte, le message que porter un chandail Benetton est une source de plaisir.

De plus, dans une annonce imprimée, tous les éléments devraient exprimer la même idée ou du moins être complémentaires : le texte et l'illustration doivent

---

1. Adapté de BOISVERT, Jacques M. *Administration de la communication de masse*, Boucherville, Gaëtan Morin éditeur, 1988, p. 240.
2. BRISOUX, Jacques E., René Y. DARMON et Michel LAROCHE. *Gestion de la publicité*, Montréal, Éditions Chenelière/McGraw-Hill, 1987, p. 400-402.

se compléter l'un l'autre, ils doivent être « en accord », en ce sens qu'ils doivent contribuer à communiquer un seul et même message. À la limite, on pourrait dire que, si on masquait le visuel, on ne devrait pas être en mesure de comprendre l'écrit, et vice versa.

C'est le visuel, et non l'écrit, qui doit avoir la part prépondérante de la transmission du message. Nous avons mentionné, au chapitre 1, que pendant longtemps le texte a été prépondérant dans les publicités, mais que de nos jours, pour la majorité des individus, la parole a moins d'importance qu'autrefois. Par exemple, ce que les gens font est plus important, de nos jours, que ce qu'ils disent. Selon une étude Starch, 50 % des gens ne regardent que l'image d'une publicité et ne lisent même pas le titre. L'espace occupé par le visuel doit donc être plus important que l'espace occupé par le texte, et leur proportion respective doit être d'environ les deux tiers de l'espace pour le visuel contre un tiers pour l'écrit. D'ailleurs, si le visuel est fort, il suffit de peu de mots pour transmettre le message. Il faut retenir également que c'est le produit qui est la vedette et qu'un excès de mots risque d'en détourner l'attention et d'empêcher le message de passer.

7.2 L'ÉCRIT

7.2.1 Le titre et le slogan

La distinction entre un titre et un slogan est que le titre coiffe une annonce imprimée, alors que le slogan n'a pas toujours de relation directe avec une annonce particulière. Le slogan se rencontre même sur plusieurs messages, comme « *Just do it* » de Nike ou « *Jusqu'où irez-vous ?* » de Microsoft, qui sont présents sur tous les messages, tant écrits qu'électroniques.

Dans une agence de communication, la responsabilité de concevoir des titres efficaces revient au concepteur rédacteur, qui travaille cependant sous la supervision du directeur de la création. Le titre doit présenter l'idée maîtresse derrière le message. Le titre est le complément du visuel, il comporte un pouvoir d'action sur le motif choisi. On peut retrouver dans la formulation du titre quelques mots évocateurs qui reprennent le visuel. Le titre (ou, selon le cas, le slogan) est en fait la traduction en mots publicitaires de l'axe de communication.

Le titre doit transcender l'objectif de communication, il doit posséder un pouvoir magique d'évocation et de notoriété. Puisque les études Starch indiquent qu'une grande partie des gens qui regardent une annonce ne s'en tiennent qu'au titre, il est essentiel qu'il reprenne l'axe de communication.

Comment doit-on rédiger un titre pour qu'il soit efficace[3] ? ▪ Le titre doit d'abord proposer un avantage unique. Comme nous l'avons déjà mentionné, chaque produit est doté d'une caractéristique unique qui le distingue parmi les autres. Par exemple, les fabricants de cosmétiques ne vendent

---

3. DUPONT, Luc. *1001 Trucs publicitaires*, 2ᵉ édition, Montréal, Les Éditions Transcontinental, 1993, p. 55-70.

Montréal/Québec
2h₅₀ d'abandon

Orléans Express

Source : Orléans Express.

Figure 7.2
Un exemple de titre qui propose un avantage unique.

pas des crèmes mais de la beauté et de la jeunesse, une automobile, du prestige ou de la vitesse, etc. Dans le cas de la publicité de la figure 7.2, le titre suggère que l'autobus est un moyen de transport permettant de relaxer durant le trajet.

Un bon titre peut aussi offrir des conseils pratiques. Un titre affirmant, par exemple, « Comment rester jeune », « Comment devenir riche », « Vous avez mal à la tête ? Aspirin » permet de capter efficacement l'attention.

Un titre efficace souligne souvent un élément de nouveauté, par exemple par l'expression « Nouveau et amélioré », ou encore comprend un verbe conjugué à l'impératif pour attirer l'attention, comme « Inscrivez-vous ! », « Utilisez… » ou « Téléphonez au… ». Un bon titre est personnalisé, il interpelle spécifiquement le segment ciblé, par exemple : « Vous avez 65 ans et plus… » ou « Arrogant : parce que vous êtes différent ».

Les titres qui piquent la curiosité sont accrocheurs ; un titre qui comporte une question qui laisse en suspens est donc efficace.

La longueur du titre peut varier, selon le média. Sur un panneau extérieur, le titre doit être court pour qu'il puisse être lu par les automobilistes qui passent à toute allure, alors qu'il peut être un peu plus long dans une annonce destinée à être publiée dans un journal ou un magazine. Sur un site Web, le titre peut être relativement long, car les gens prennent davantage le temps de lire. En règle générale, un titre efficace doit comporter un maximum de sept mots ; plus le titre est court, plus le nombre de personnes qui le lisent est élevé et plus le nombre de personne qui le mémorisent est grand.

Le groupe Décaries & Complices[4] a mené une analyse de 784 signatures de marques de produits et services. Il en est ressorti que 42 % des slogans se composent d'un verbe conjugué au présent, comme : « Telus, le futur est simple » ou « La vitesse tue ». Le quart des slogans contient un verbe d'action, comme : « Nivea redonne vie à votre peau ». Les verbes conjugués au futur ne sont pas employés très souvent dans les titres analysés. La première version du slogan de Future Shop : « Vous aimerez ce que le futur vous réserve », a même été remplacé par une autre version où le verbe est au présent : « Venez voir ce que le futur vous réserve ». Par contre, Microsoft a conservé un verbe au futur dans son slogan : « Jusqu'où irez-vous ? ». L'étude précise qu'une majorité des titres n'a pas de verbe du tout.

---

4. DESCARIES & COMPLICES, <www.descaries.com/archives>, site visité le 27 avril 2005.

7.2.2 Le texte

Le taux de lecture du texte qui suit le titre est très faible, soit environ 10 %, ce qui ne minimise pas pour autant son importance. Le texte permet de préciser certains avantages du produit ou du service. L'argument doit être placé au début du texte. Comme les gens aiment lire les légendes sous les photographies, il est bon d'y inclure du texte.

Le texte doit-il être court ou long ? ▪ La longueur du texte est d'une grande importance. On recommande de se limiter dans la plupart des cas à un texte de moins de 25 mots. Chaque mot qu'on décide de ne pas retenir pour le texte donne aux autres mots davantage de visibilité et de chance d'être lu. Cela n'empêche pas certains annonceurs d'opter pour une pleine page de journal comprenant 90 % de texte ; souvent ces longues publicités sont très lues, par exemple celles des bureaux de comptables agréés qui analysent les faits saillants au lendemain du dépôt d'un budget gouvernemental. La longueur du texte dépend aussi du média choisi. Ainsi, un panneau d'affichage ne devrait pas inclure de texte (hormis le titre et, au besoin, un slogan), alors que du texte rend une page Web plus invitante. Si le groupe cible est constitué de gens dont nous pouvons supposer qu'ils préfèrent ne pas lire, le texte doit être limité. Si au contraire le message s'adresse à des techniciens qui ont besoin d'informations ou si le produit est dispendieux, il est alors utile d'inclure du texte.

La longueur du texte dépend aussi du produit ou du service annoncé ; par exemple, la publicité pour la bière ne comprend pas de texte, ni celle pour les parfums, et on en trouve rarement dans celle pour les vêtements. Dans ces cas encore, chaque fois qu'on décide de ne pas mettre de texte ou qu'un mot en est retranché, il devient possible d'augmenter la taille du titre ou des éléments du visuel.

Le texte doit être personnalisé[5], il doit s'adresser à quelqu'un en particulier, comme dans l'exemple suivant : « Grâce aux obligations d'épargne du Canada, vous pouvez … ». Il est préférable d'adopter un style direct et d'utiliser la deuxième personne du pluriel (le « vous » est fréquent, le « tu » est plus direct). L'impératif est un mode idéal pour le texte (« acceptez », « achetez », « augmentez », « misez », « offrez », « vivez »). Les phrases doivent être courtes, de même que les paragraphes ; le texte doit être rédigé dans un langage simple, un français élémentaire, comme si le message s'adressait à une personne de 16 ans. Il faut savoir que le vocabulaire courant du Québécois comporte environ 500 mots[6].

Dans la section qui sert de conclusion au texte, il faut reformuler les avantages et inciter le lecteur à passer à l'action, par exemple par des formules comme : « …pour les deux derniers jours », « …jusqu'à épuisement des stocks », « …la quantité est limitée », « …cette offre prend fin le… ».

---

5. DUPONT. *1001 Trucs publicitaires*, *op. cit.*, p. 88.
6. DUPONT. *Op. cit.*, p. 95.

L'utilisation de la typographie en publicité ▪ Les notions de typographie suivantes s'appliquent au texte publicitaire :

• ne pas utiliser plusieurs polices de caractère différentes (et utiliser la police appropriée au message et au groupe cible) ;

• ne pas utiliser de majuscules pour les titres et le texte ;

• espacer les caractères afin de rendre les mots plus facilement lisibles ;

• éviter les caractères blancs sur fond noir, qui sont plus difficiles à lire ;

• utiliser le gras ou le soulignement avec parcimonie.

7.3 LE VISUEL

Nous ne répéterons jamais trop que de nos jours les gens ne consomment pas un produit, mais une image. Dans une agence de communication, c'est le directeur artistique qui prend en charge le visuel. Mais contrairement aux artistes qui conçoivent et réalisent des images selon leurs goûts et sans restriction, le graphiste publicitaire traite l'image en tenant compte des contraintes liées à la technique, au budget, au média, à la cible et à la teneur du message lui-même. Le visuel est l'élément le plus important du message, car ce sont les images qui font les marques. On retrouve des annonces publicitaires partout, dans les journaux, les magazines, les transports en commun, sur les panneaux qui surplombent les routes, dans les airs : la montgolfière Remax, ou les petits avions qui tractent un message publicitaire sur les avions, les napperons d'un restaurant, sur un T-shirt. Pour être vu, il faut se démarquer. On considère que 44 % des gens remarquent une annonce imprimée ; ce pourcentage tombe à 35 % quand il s'agit d'identifier l'annonceur et à 10 % pour ceux qui lisent le titre[7]. C'est que les gens ont remarqué davantage les éléments visuels du message ; le visuel est donc la partie la plus importante du message.

Doit-on choisir une photographie ou un dessin ? ▪ Les gens remarquent davantage une photographie qu'un dessin[8]. La photographie est plus réaliste, plus crédible, et le consommateur s'y identifie davantage. Plusieurs entreprises privées vendent des banques d'images libres de droits. Il est important de noter ici qu'une photographie appartient à celui qui l'a prise. Tout comme un texte, une photographie est protégée par des droits d'auteur et il faut obtenir une autorisation avant de l'utiliser. Par exemple, si on trouve une jolie photographie et qu'on veut l'utiliser sur un site Web, il faut d'abord vérifier si elle est libre de droits ; si elle ne l'est pas, son utilisation est interdite par la loi sur les droits d'auteur. De plus, on doit même obtenir l'autorisation des personnes qui apparaissent sur une photographie avant de la reproduire. La figure 7.3 reproduit un formulaire d'entente pour la reproduction de photographie.

---

7. DUPONT. *1001 Trucs publicitaires, op. cit.*, p. 134.

8. DUPONT. *Op. cit.*, p. 153.

7.3.1 La symbolique des images[9]

Les images n'ont pas toutes le même pouvoir de séduction et la publicité n'échappe pas à cette règle. Montrer un personnage représentatif du groupe cible en train d'utiliser le produit ou de vanter sa caractéristique principale est une pratique courante qui amène le consommateur à s'identifier et à se reconnaître dans le message. Les bébés, les animaux, les décolletés vertigineux et les muscles abdominaux bien découpés sont autant d'images très remarquées. Au Québec, les bébés et les vedettes sont particulièrement susceptibles d'éveiller l'intérêt. Dans tous les cas, l'image doit être simple, sans équivoque, afin d'éviter qu'elle soit mal interprétée. Selon une étude, 40 % des gens qui ont vu la publicité pour le digestif Cointreau où l'un des personnages a une mallette ont cru qu'il s'agissait d'une publicité pour une banque[10]. Cette méprise illustre l'importance, soulignée au chapitre 5, de tester un concept publicitaire avant sa diffusion à grande échelle. Chaque image véhicule sa propre charge symbolique. Chaque entreprise doit donc avoir sa propre image ; pour Esso, c'est le tigre, et pour Fido, c'est le chien. L'image joue un rôle poétique parce qu'elle incite à rêver, mais elle doit aussi correspondre étroitement au contenu du texte. Un homme avec un sarrau blanc est nécessairement interprété comme étant un médecin ou un pharmacien.

Les images suivantes ont une symbolique précise. L'image d'une femme jeune et mince attire l'attention. Si ses cheveux sont longs, il s'en dégage plus d'érotisme[11] dans certains cas, par exemple pour une annonce de shampooing. Les cheveux blonds sont davantage associés à la sensualité : on imagine que la femme blonde a besoin de protection. Avoir les cheveux foncés est un signe d'indépendance et de raffinement pour une femme ; s'ils sont foncés et longs,

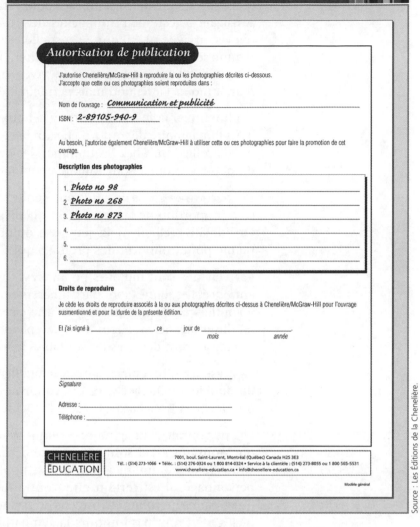

Figure 7.3 Un exemple de formulaire d'entente pour la reproduction de photographie

Source : Les Éditions de la Chenelière.

---

9. DUPONT, Luc. *500 Images clés pour réussir vos publicités*, Montréal, Les Éditions Transcontinental, 1999, 272 p.

10. DUPONT. *Op. cit.*, p. 149.

11. DUPONT. *Op. cit.*, p. 85-86.

la femme apparaît comme étant plus déterminée. Pour attirer l'attention de l'homme, la publicité se sert souvent de la présence d'un personnage féminin, mais, si cette tactique est efficace pour attirer l'attention, elle a aussi des revers. Ainsi, on a testé deux publicités de RCA, l'une représentant un appareil de télévision avec une femme sensuelle et l'autre où la femme l'était moins. La femme sensuelle attirait plus l'attention, mais les hommes étaient incapables de déterminer la marque annoncée. Avec la femme moins sensuelle, la publicité attirait moins l'attention mais permettait de mettre l'accent sur la marque[12].

Un homme à la mâchoire carrée[13] et aux abdominaux bien définis représente dans l'imaginaire de tout un chacun la compétition, la vitesse et l'action plutôt que la réflexion. Chez les hommes, les personnages du marin, de l'alpiniste et du pilote de course sont toujours populaires. L'homme objet existe aussi !

Les personnes âgées ne sont représentées que dans 3 %[14] des publicités, même si la proportion de la population qu'elles forment est beaucoup plus grande. On idolâtre tellement la jeunesse qu'on recourt à des personnages jeunes même pour annoncer des produits qui s'adressent aux grands-parents !

Les vedettes sont toujours populaires, surtout si on les voit utiliser le produit annoncé. Les jeunes sont particulièrement sensibles aux vedettes et s'identifient volontiers à elles. Pour toucher une cible plus vaste, il est tout à fait indiqué d'utiliser des personnages morts en pleine gloire comme Marilyn, Elvis, James Dean, qui sont devenus de véritables icônes collectives.

La présence d'un enfant dans une publicité fait augmenter son taux de lecture du double au Québec[15], ce qui confirme la survivance de cette corde sensible que Jacques Bouchard associe à la racine latine[16].

Les personnages imaginaires comme Monsieur Net, le bonhomme Pilsburry ou Monsieur Glad sont d'une grande efficacité lorsqu'il s'agit de bâtir une stratégie de communication, car les publicitaires gardent le contrôle total du personnage. Il est certain que, contrairement aux vedettes, ces personnages imaginaires ne commettront pas de frasques dans leur vie privée ! Ces personnages n'attirent pas toujours la sympathie du public ; ainsi, curieusement, le clown Ronald McDonald est peu populaire au Québec.

L'exotisme est associé au rêve ; il est souvent représenté par une île, le sable, la mer, le soleil. Chaque pays a également un symbole qui lui est propre : la tour Eiffel pour la France, le Colisée ou la tour de Pise pour l'Italie, les sabots ou les moulins à vent pour la Hollande, les idéogrammes ou la Grande muraille pour la Chine.

Les animaux sont utilisés, en publicité, en raison du symbole spécifique que chacun véhicule[17] : l'éléphant représente la force et la mémoire ; le pingouin,

---

12. DUPONT. *500 images clés pour réussir vos publicités, op. cit.*, p.168.

13. DUPONT. *Op. cit.*, p. 87.

14. DUPONT. *Op. cit.*, p. 179.

15. DUPONT. *Op. cit.*, p. 67.

16. Voir, à ce sujet, le chapitre 2.

17. CHEVALIER, Jean et Alain GHEERBRANT. *Dictionnaire des symboles*, Paris, Éditions Robert Laffont et Éditions Jupiter, 1989, 1060 p.

le froid ; la vache, l'humour ; le lapin, la rapidité et la vision ; le mouton, le conformisme ; le cochon, l'épargne ; le chien, la fidélité ; le chat, la longévité. Par exemple, Fido utilise les chiens dans ses publicités ; dans l'une d'elles apparaît un beagle classique dont les grands yeux tristes semblent dire : « Adoptez-moi s'il vous plaît ». L'annonceur cherche justement à ce que le consommateur adopte Fido…

Les lieux sont aussi chargés d'une symbolique. La campagne[18] représente la stabilité alors que la ville correspond à une vie trépidante et est associée au calme et à la paix, par opposition au désordre de la ville. Le paysan est symbole de stabilité ; le passé véhicule en général une image de sérieux.

Le logo apparaît fréquemment lorsqu'une partie de l'emballage est montrée. On le voit souvent en très gros plan. Si la marque est très connue du public, il arrive que l'annonceur se permette de ne pas le montrer en entier et le coupe un peu.

Les espaces vides représentent la minceur et la légèreté, ils mettent le titre en valeur et permettent aussi de créer des contrastes. Les publicités épurées sont d'une grande efficacité, car l'ingrédient majeur du message peut y prendre toute la place.

Doit-on utiliser des couleurs ou le noir et blanc ? ▪ La couleur attire l'attention, incite à la lecture du texte et apporte du prestige à une publicité[19]. Pour sa part, le noir et blanc fait sérieux, donne un cachet ancien et authentique à la publicité, ce qui convient tout à fait, par exemple, aux projets d'annonces réalisées pour Héritage Montréal qui sont reproduits à la figure 7.4.

Figure 7.4 Des publicités en noir et blanc pour Héritage Montréal

Source : Offert à titre gracieux par Cossette Communication Marketing et Héritage Montréal.

---

18. DUPONT. *500 images clés pour réussir vos publicités, op. cit.*, p. 77.
19. DUPONT. *1001 Trucs publicitaires, op. cit.*, p. 192.

7.3.2 La symbolique des couleurs[20]

Une étude a été réalisée sur la couleur des emballages. On a demandé à des volontaires de déterminer lequel de trois détersifs était le plus efficace ; l'un était dans une boîte jaune, un autre dans une boîte bleue et le troisième dans une boîte bleue avec des points jaunes. Quoique les produits fussent identiques, les appréciations du produit ne le furent pas : le détersif de la boîte jaune fut considéré comme trop puissant et accusé de décolorer les tissus ; celui de la boîte bleue fut déclaré trop faible et inefficace ; quant à celui de la boîte jaune et bleu, il était parfait...

Les symboles et les couleurs agissent sur notre inconscient. La couleur agit plus sur le plan émotif que sur le plan informatif, et lors de la création, on doit s'en servir afin que le message qu'on fait passer soit le bon. Si on doit réaliser une annonce en couleur, on doit tenir compte du fait que chaque couleur a une signification propre dans l'inconscient collectif des Occidentaux. La perception de la couleur suggère, à un certain degré, la légèreté, la douceur, la force, le prestige, la chaleur ou le froid, la pureté, la féminité ou la masculinité.

Tout comme l'illustration, la couleur produit ses effets à un niveau inconscient. Les consommateurs établissent une relation psychologique entre le contenu de la publicité, sa couleur et celle de l'emballage. Il n'est pas exagéré de dire que les gens achètent non seulement le produit lui-même mais aussi ce que suggèrent les couleurs qui y sont associées.

Le rouge est associé au diabolique, donc au feu, et il représente aussi l'amour et la chaleur. D'autre part il peut être une couleur dynamique et évoquer le mouvement. Il symbolise l'énergie de la conquête et de la révolution.

L'orange évoque la chaleur, le soleil ; d'ailleurs, Hydro-Québec a changé son logo du jaune pour l'orangé.

Le jaune est joyeux. C'est la couleur de l'intelligence et de la joie de vivre. Il est lumineux. Le jaune est souvent utilisé pour des publicités de bière pour jeunes, comme la bière Sol.

Le noir est associé à la mort, au deuil. D'autre part, il est souvent utilisé pour représenter les produits luxueux parce qu'il s'en dégage une certaine noblesse, de l'autorité, de la distinction et de l'élégance. En publicité, il est particulièrement utile pour mettre en valeur, par contraste, les couleurs situées à ses côtés.

Le ciel, l'eau et la mer sont bleus, cette couleur symbolise donc le rêve et la jeunesse. C'est une couleur calme, qui inspire la paix, la détente, la sagesse, mais aussi le conservatisme. D'ailleurs, les institutions financières l'utilisent souvent. Le bleu représente la fidélité, la sensibilité et la tendresse. Pepsi utilise le bleu pour l'idée du rafraîchissement, de même que les bières Labatt Bleue et Lowenbrau.

---

20. CHEVALIER et GHEERBRANT. *Op. cit.*, p. 241-246.
   DUPONT. *1001 Trucs publicitaires*, op. cit., p. 203-211.

Le vert est une couleur reposante et calme. Il représente la santé et le naturel. Il est la couleur de l'espérance. C'est pour ces raisons que l'on utilise le vert sur les emballages de produits naturels et les produits santé.

Le blanc évoque le froid, mais symbolise aussi la pureté. Seul, il crée une impression de vide et d'infini qui regorge de possibilités. Le blanc représente la perfection, l'innocence, le calme et la paix.

Le gris est une couleur fade qui représente la vieillesse, la mort et l'ennui. Le gris est utilisé pour représenter la saleté, en contraste avec le blanc de la pureté.

Le brun est la couleur de la terre, tout comme celle du bois. Il peut représenter la chaleur et le confort. Il exprime le désir de la possession, la recherche d'un bien-être matériel. Le brun est masculin.

Le rose est romantique, d'ailleurs la Senza (boutique de lingerie fine) utilise cette couleur. Il connote la douceur, la féminité. Les teintes pastel sont la marque de l'intimité, de la douceur, de l'affection et de la délicatesse.

Il est important non seulement de connaître la symbolique des couleurs, mais aussi celle des couples de couleurs puisque, lorsqu'un individu regarde une publicité, il n'enregistre pas chaque élément isolément, mais plutôt l'ensemble des sensations[21].

La combinaison du rouge et du vert permet d'associer le dynamisme du rouge et le côté naturel du vert. Pour ce qui est du rouge et du bleu, leur combinaison fait penser à la victoire et donner envie de gagner. Combinés, le jaune et le bleu dégagent beaucoup de dynamisme et représentent l'efficacité, la vitesse et l'énergie. La combinaison bleu et rose suggère la douceur et le romantisme. Le rouge et le blanc représentent, lorsqu'ils sont associés, la propreté. La combinaison du bleu et du blanc provoque une sensation de fraîcheur, cette combinaison est heureuse et sa signification est facile à décoder.

La combinaison vert et bleu permet d'ajouter le sentiment de nature du vert au calme du bleu. L'association blanc et noir marie le chic et le bon goût du noir à la pureté du blanc. Les mélanges de plus de deux couleurs évoquent le dynamisme, la joie et l'énergie des jeunes enfants.

Dans des conditions normales, les couleurs chaudes attirent davantage l'œil et se voient de plus loin que les couleurs froides. Dans la pénombre, le rouge est la couleur qui se voit le mieux, suivi du vert, du jaune et du blanc.

Quelles sont les couleurs les plus aimées et celles qui sont les plus détestées ? ▪ Voici par ordre de préférence, les couleurs qui sont en général les plus aimées[22] : le bleu, le rouge, le vert, le violet, l'orangé et le jaune. Habituellement, les couleurs primaires sont plus appréciées que les couleurs intermédiaires. Les préférences varient quelque peu selon le sexe : chez les femmes, le rouge vient immédiatement après le bleu, alors que chez les hommes, c'est le vert qui vient après le bleu[23].

---

21. DUPONT. *1001 Trucs publicitaires, op. cit.*, p. 221-224.

22. DUPONT. *Op. cit.*, p. 230.

23. DUPONT. *Op. cit.*, p. 230.

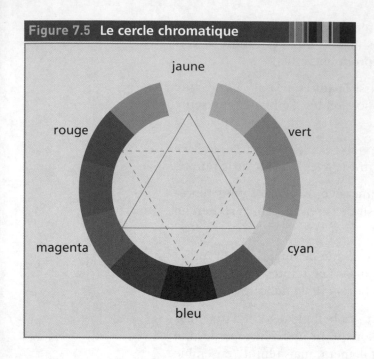

Figure 7.5 Le cercle chromatique

jaune

vert

rouge

cyan

magenta

bleu

Quant au choix pour la couleur du fond et celle du texte, il est préférable qu'elles forment un contraste fort. Les couleurs sans contraste se mélangent, se masquent l'une l'autre et finissent par devenir une masse indéfinie et illisible. La roue des couleurs (ou cercle chromatique, reproduit à la figure 7.5) permet de constater que les couleurs doivent contraster autant par leur teinte que par leur valeur. En communication publicitaire, l'apparence est certainement importante, mais ce sont la visibilité et la lisibilité qui doivent primer.

On doit toujours se baser sur le cercle chromatique lorsqu'on travaille avec des couleurs opposées. Par exemple, le vert et le rouge sont opposés l'un à l'autre sur la roue et sont par conséquent des couleurs complémentaires. On pourrait donc présenter un texte rouge sur fond vert. Cependant, il faudrait prendre garde que, même si ces couleurs offrent un bon contraste de teintes, leurs valeurs sont très similaires et que leur combinaison crée une vibration agaçante. Cette remarque s'applique tout aussi bien à la combinaison orange et vert.

Parce que leurs teintes et leurs valeurs sont similaires, la combinaison du bleu et du vert, et celle de l'orange et du rouge sont particulièrement mauvaises. Quant à l'association jaune et pourpre, le contraste que forment ces couleurs est très efficace (leur teinte et leur valeur sont différentes) et on peut l'utiliser pour créer un effet marqué. Bien entendu, le blanc va bien avec n'importe quelle couleur à valeur foncée alors que le noir s'agence bien avec les couleurs dont la valeur est claire. Les combinaisons de couleurs suivantes sont classées par ordre, selon leur degré de visibilité[24] :

1. noir sur jaune ;
2. noir sur blanc ;
3. jaune sur noir ;
4. blanc sur noir ;
5. bleu foncé sur blanc ;
6. blanc sur bleu foncé ;
7. bleu foncé sur jaune ;
8. jaune sur bleu foncé.

Il est facile de remarquer que, lorsqu'on associe deux couleurs, il est préférable de placer la couleur foncée sur la couleur pâle, car cela est toujours plus visible que l'inverse. Par exemple, le noir sur le jaune est plus visible que le jaune sur le noir.

---

24. *Guide créatif pour la publicité extérieure*, Montréal, Mediacom, p. 7.

Il existe aussi des tendances dans les couleurs. Alors que les années 1980 ont été marquées par le gris perle et le saumon, c'est plutôt le vert forêt qui est devenu à la mode dans les années 1990, tant pour le mobilier, les serviettes de bain que pour les voitures. Ce vert évoque l'écologie ; il est foncé, donc non salissant, et assez chaleureux. Les couleurs de l'avenir sont liées à tout ce qui est actuel. Les coloristes prévoient déjà, pour ce début de millénaire, la domination du blanc et des autres couleurs futuristes et associées à l'informatique, comme les couleurs translucides d'Apple, le bleu électrique, l'argenté, et toutes les teintes directement branchées sur la modernité électronique. Le cycle de vie d'une couleur dominante est généralement de dix ans.

7.4 LA COMPOSITION DE L'IMAGE[25]

Le terme *composition* est défini ainsi dans le dictionnaire *Larousse*[26] : « action ou manière de former un tout en assemblant les parties ». Cette définition s'applique, bien sûr, à la composition des images : un assemblage d'éléments disposés au hasard ne peut donner une bonne image. En musique, il faut aussi que la combinaison des sons soit bonne pour que la mélodie soit harmonieuse. Pour qu'une image soit bonne, elle doit être structurée selon un ordre naturel, un ordre qui répond aux besoins de la nature humaine. L'image bien composée se reconnaît aux qualités suivantes : l'équilibre, l'unité, le rythme ; de plus, la disposition doit être faite en fonction du balayage du regard.

7.4.1 L'équilibre[27]

Dans une image, les divers éléments qui la composent doivent être distribués dans l'espace de manière à répondre à la loi de l'équilibre. Les Anciens utilisaient l'équilibre symétrique[28], c'est-à-dire qu'on répétait les éléments identiques de chaque côté de l'axe vertical, comme les deux plateaux d'une balance. Cette composition est de nos jours considérée comme traditionnelle et statique. La composition asymétrique est plus répandue dans les images contemporaines, car elle permet, entre autres, de représenter le mouvement. La composition asymétrique a l'avantage de permettre plus de variété, mais s'il y en a trop, l'unité risque d'être rompue. Même dans le cas d'une image asymétrique, il doit exister un équilibre implicite. On doit donc tenir compte du poids relatif de chacun des éléments dans la composition. Il faut garder à l'esprit qu'une image de forme irrégulière a plus de poids qu'une image de forme régulière, qu'une image en couleurs a plus de poids qu'une image en noir et blanc, et que la masse d'une grande image est plus grande que celle d'une petite image. On peut se servir de ces propriétés pour équilibrer des parties, par exemple on peut compenser le faible poids d'une image d'une section par une masse plus grande dans une autre section. Aussi, dans une annonce, le titre est contrebalancé par l'illustration.

---

25. COSSETTE, Claude. *Comment construire une image*, Montréal, Les Éditions Transcontinental, 1997, p.40-50 et 54-58.

26. *Petit Larousse illustré 2000*, Paris, Larousse/HER, p. 242.

27. COSSETTE. *Op. cit.*, p. 54-58.

28. Par exemple, les tableaux de Raphaël répondent à une composition symétrique parfaite.

7.4.2 L'unité[29]

Une image a de l'unité lorsque les divers éléments qui la composent forment un tout homogène. L'ensemble des éléments doit s'articuler autour d'un élément central fort, le point focal. Les autres éléments apportent de la diversité, mais ils doivent avant tout servir à mettre en valeur le point focal. Pour obtenir cette unité, on doit choisir des éléments secondaires qui s'accrochent à l'élément principal. Lorsque l'image est composée de manière unitaire, l'œil la considère comme une seule image et non comme un assemblage. À l'inverse, certaines images mal composées font en sorte que l'œil y discerne les deux ou trois images qu'on a tenté d'amalgamer.

C'est l'équilibre entre l'unité et la diversité qui fait qu'une image est intéressante. Trop de diversité rend l'image hétéroclite, par exemple de trop grands contrastes de couleurs, de formes ou d'orientations. Le contraste est l'outil qui permet le mieux d'attirer l'œil. Dans une forêt de feuillus, c'est l'épinette longiligne qui attire l'attention ; c'est l'annonce en noir et blanc de Black Label qui attire l'attention dans un magazine en couleur.

L'unité d'une image dépend des caractéristiques suivantes : sa taille, sa valeur, sa forme et son orientation. La taille est l'espace qu'occupe l'illustration. Elle est très relative. Pour un enfant d'un an, une personne de cinq pieds est grande. Seule sur une page, une illustration semble petite, mais la même illustration dans un petit cadre semblerait grande, comme l'illustre la figure 7.6.

La valeur est le rapport entre la luminosité de l'objet et le fond sur lequel il apparaît, comme le montre la figure 7.7. Par exemple, un cercle noir paraît plus foncé sur un fond blanc que sur un fond gris. Lorsqu'on dessine un cube, il faut varier la valeur de ses différentes faces, sinon celles-ci ne peuvent être distinguées les unes des autres.

Figure 7.6 La taille

---

29. COSSETTE. *Op. cit.*, p. 46-54.

Figure 7.7 La valeur

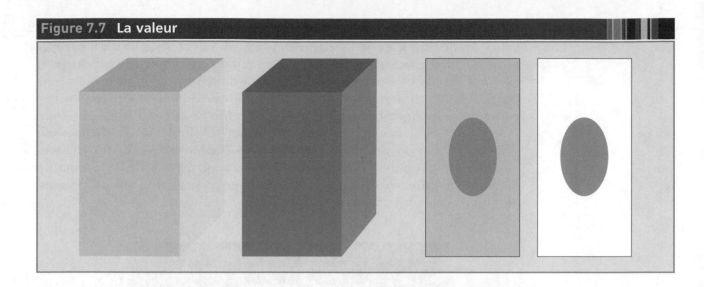

La forme désigne l'espace délimité par un contour, par exemple un carré, un triangle ou un cercle. Le carré est statique et connote l'organisation ; le cercle évoque plutôt la perfection, l'éternité et la protection ; quant au triangle, il est synonyme de tension et d'impulsion ascendante. L'orientation désigne la direction des lignes de force par rapport à la verticale d'attraction. On évoque la tranquillité par l'horizontale : le corps endormi est lui-même horizontal. La verticale rappelle plutôt notre rapport avec la Terre, et l'oblique évoque la lutte, la force dynamique. Par exemple, l'effet d'un des deux « Pif » présentés à la figure 7.8 est plus en mouvement que l'autre[30]. Lequel est-ce ?

7.4.3 Le rythme[31]

Les séries de nombres ont un rythme ; de la même manière, les images peuvent avoir aussi leur rythme. Le rythme est la relation qui existe, dans une image, entre la continuité et la diversité. Le rythme est donné à l'image par la présence d'une séquence d'enchaînements. Par exemple, les bandes décoratives ayant des formes en alternance sont des images simplettes mais qui ont du rythme. Le rythme demande répétition et progression. Par contre, trop de complexité nuit au rythme.

Figure 7.8 La forme

---

30. COSSETTE. *Op. cit.*, p. 29.
31. COSSETTE. *Op. cit.*, p. 42-45.

7.4.4 La disposition des éléments visuels et écrits

Selon un des modèles de la lecture des images, le balayage de l'œil sur une image se ferait en spirale. Ce balayage partirait du coin supérieur gauche pour aller vers le bas et ensuite revenir au point de départ, comme le montre la figure 7.9. D'autres modèles suggèrent plutôt que le balayage se fait en Z, à partir du coin supérieur gauche pour se terminer au coin inférieur droit. D'après tous ces modèles, le point de départ se trouve au coin supérieur gauche[32]. En règle générale, il est donc préférable de placer un élément important à cet endroit, comme le titre ou les yeux du modèle. Une annonce dont la disposition est horizontale, avec l'image en haut et le titre en dessous, produit toujours un grand effet[33].

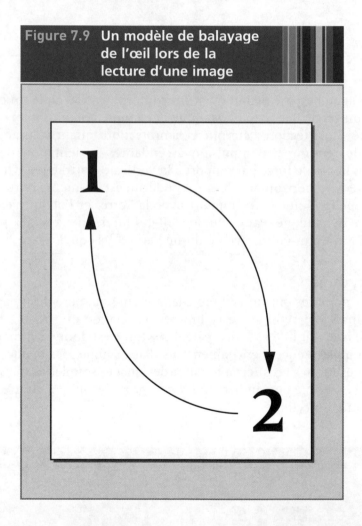

Figure 7.9 Un modèle de balayage de l'œil lors de la lecture d'une image

32. COSSETTE, Claude. *Les images démaquillées ou l'iconique. Comment lire et écrire des images fonctionnelles pour l'enseignement, le journalisme et la publicité*, Québec, Éditions Riguil internationales, 1982, p. 221-226.

33. DUPONT. *1001 Trucs publicitaires, op. cit.*, p. 184.

La publicité présentée à la figure 7.10 illustre bien ce concept. Quoique la disposition soit verticale, le regard du modèle, soit le point focal, est situé en haut vers la gauche, le titre et le texte qui suit sont à sa droite, et la signature de l'annonceur a été placée en bas à droite.

7.5 LA PRODUCTION

L'annonce imprimée est produite en fonction du média choisi. Dans le cas d'un journal ou d'un magazine, les étapes de production sont assez semblables. Mais s'il s'agit d'un affichage extérieur ou d'une impression en grande quantité d'une brochure, la production est plus complexe.

En règle générale, la production pour l'imprimé débute par la réalisation d'une maquette, c'est-à-dire un plan de la disposition graphique de l'annonce imprimée. Cette maquette est réalisée à l'échelle, de façon plus ou moins précise, par un membre de l'équipe de création de l'agence de communication. La maquette doit donner une bonne idée de ce que sera le produit final. Le titre et l'illustration sont disposés dans l'espace physique disponible, en utilisant des couleurs le plus fidèlement possible. La maquette permet de jouer avec l'espace disponible et de déplacer les éléments au besoin. Ensuite, une autre maquette plus précise et plus proche de l'annonce finale est produite et présentée au client pour approbation. Après l'approbation de l'annonceur, on réalise le prêt à photographier.

Le prêt à photographier est réalisé par des agences de production imprimée. Les ateliers de reproduction réalisent une séparation des couleurs. On fait alors un film noir et blanc ou quatre films aux couleurs de base, soit jaune, cyan (bleu clair), magenta (rose) et noir. Ces films servent à l'impression en grande quantité ou sont envoyés directement aux différents médias. Bien entendu, ces films sont de plus en plus souvent remplacés par des fichiers numériques.

Figure 7.10
Un exemple de publicité dont la disposition des éléments est adéquate.

RÉSUMÉ

Pour être efficace, la publicité imprimée doit suivre plusieurs principes. Il faut que l'aspect visuel soit plus important que le texte lui-même et que le titre annonce d'emblée l'avantage unique du produit ; de plus, pour la plupart des types de publicités, il est préférable que le texte comporte moins de 25 mots. La conception d'une annonce imprimée doit également tenir compte de la symbolique des personnages, des animaux et des objets qui apparaissent dans le visuel, et aussi de la symbolique des couleurs.

Sur le plan de la composition de l'image, il faut se préoccuper à la fois de son aspect esthétique, de sa capacité à accrocher le regard et de son effet sur le groupe cible. Pour cette raison, on doit accorder une attention particulière à l'équilibre de l'ensemble, à son unité (c'est-à-dire la taille de l'image, sa valeur, sa forme et son orientation), à son rythme et à la disposition des divers éléments, qui doit tenir compte du point focal et du mouvement de balayage de l'œil.

QUESTIONS DE DISCUSSION

1. Quels sont les principes généraux qui régissent la publicité écrite ? Appliquez-les à une publicité pour un détaillant d'articles de sports.

2. Quelles sont les caractéristiques d'un titre efficace ?

3. Un titre devrait-il être long ou court ? Expliquez.

4. Expliquez la symbolique des couleurs suivantes : rouge, bleu et jaune.

5. Qu'est-ce que la composition ? Expliquez-en les principes.

6. Comment se déplace l'œil de celui qui regarde une annonce ?

EXERCICES

1. En vous basant sur les techniques de création présentées au chapitre 6 et sur les critères qu'un bon titre doit respecter, créez des titres de publicités qui pourraient être affichées dans votre établissement. Créez un titre pour les lieux et les objectifs suivants :
   - à la cafétéria, rapporter les plateaux après utilisation ;
   - à la bibliothèque, ne pas écrire dans les livres ;
   - dans les corridors, ne pas jeter de papiers sur le sol ;
   - à la bibliothèque, garder le silence.

2. En équipe, choisissez une annonce et faites-en une analyse que vous présenterez en classe. Cette analyse doit porter sur les éléments suivants (qui ont tous été abordés dans ce chapitre) :
   - l'écrit (le titre et le texte) ;
   - le visuel (la symbolique des images et des couleurs) ;
   - la composition (l'unité, l'équilibre et le rythme) ;
   - la disposition dans l'espace.

3. La microbrasserie Contact fabrique deux variétés de bière, une bière blonde et une brune. Ces produits portent le nom Contact blonde et Contact brune. Les prix dans les dépanneurs sont concurrentiels par rapport à ceux des produits des autres microbrasseries. La clientèle cible de la Contact est composée majoritairement des 18-25 ans de sexe masculin. Les amateurs de ce type de bière préfèrent son goût plus prononcé que celui des bières produites par les grands brasseurs. La Contact a comme objectif d'augmenter ses ventes de 5 % d'ici un an.

   La brasserie Contact vous demande de concevoir une annonce publicitaire imprimée et d'en faire la présentation sur une maquette. La taille de l'annonce n'est pas encore déterminée. Préparez cette maquette.

4. Contactez un organisme à but non lucratif de votre région et créez pour eux une publicité afin de solliciter des bénévoles pour œuvrer dans différents domaines tels que le marketing, la finance, la promotion, la formation, la coordination d'événements, l'élaboration ou la conception de programmes de collecte de fonds et la mise en œuvre d'activités de collecte de fonds ou une autre activité selon leur choix. L'objectif de communication est de convaincre le plus de gens possible de travailler comme bénévoles pour l'organisme.

   L'axe de communication a été défini comme suit : « être bénévole pour l'organisme donne un sourire aux personnes que vous aidez et vous permet de vous accomplir sur le plan personnel ». La cible visée est constituée d'hommes et de femmes de 25-45 ans, dont le revenu est moyen. Ces personnes ont besoin d'accomplissement et sont déjà impliquées dans leur communauté.

   Préparez pour l'organisme une publicité à paraître dans un journal. L'annonce serait en noir et blanc et sa taille, de trois colonnes par 100 lignes (soit 16 cm de largeur et 19 cm de hauteur). Vous devez réaliser une maquette présentant le texte et le visuel (s'il y a lieu). Votre annonce doit inclure le logo et le numéro de téléphone de l'organisme que vous devrez obtenir. Préparez cette maquette.

LES MÉDIAS IMPRIMÉS

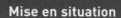

Vive l'écrit

En un demi-siècle, la presse écrite a pris de plein fouet plusieurs vagues successives — radio, télévision, Internet — qui ont, de fond en comble, ébranlé son monopole, en effet, séculaire. De l'expansion formidable de cette galaxie McLuhan, les dératés déduisent qu'elle va éclipser, puis éteindre la galaxie Gutenberg. Ils se trompent. [...]

Le mot et l'image, disait Goethe, sont deux corrélations qui se cherchent éternellement. Alors, usez donc du large compas de l'histoire, et vous concevrez que l'écrit, grâce à l'imprimerie, et depuis Gutenberg, a bénéficié sur l'image d'une avance exorbitante de diffusion. Et que le disque, la radio, la télé ne font que combler sur l'écrit un retard de cinq siècles. Oui, bien sûr, l'envahissement de l'image a bel et bien bousculé l'écrit. Mais, sous le choc, la spécificité de l'un et l'autre monde ne cesse de s'accentuer. Ainsi l'écrit prend-il peu à peu ses aises dans des quartiers mieux dévolus à ses qualités exclusives. [...]

Alors, oui, la révolution médiatique chamboule les espaces du son, de l'image, de l'écrit. Mais elle n'en efface aucun. L'écrit reste l'oxygène de toute civilisation. [...] Il ne disparaîtra pas comme une technique[1].

INTRODUCTION

On appelle « média » tout support qui permet de transmettre un message. Dès qu'une agence de communication commence à travailler à un projet de communication de masse, son équipe médias soumet à l'équipe de création une proposition médias pour la campagne. Cette proposition doit prendre en considération le budget de la campagne, la cible visée et la stratégie communicationnelle. Faire une planification médias consiste à proposer des véhicules publicitaires pour soutenir la campagne de communication et toucher au maximum la clientèle visée, en tenant compte du budget de l'annonceur et des limites de temps fixées.

Ce chapitre est consacré aux différents médias imprimés dont il présente les caractéristiques propres. Il est d'abord question des raisons qui motivent un annonceur à placer une annonce dans les journaux, les magazines et l'affichage. Nous traitons également d'autres médias que nous pouvons rattacher au groupe des imprimés, comme la publicité sur les lieux de vente, la publicité par l'objet ainsi que les Pages Jaunes.

8.1 LES CATÉGORIES DE MÉDIAS

Les médias peuvent être classés en deux grandes catégories, soit les médias imprimés tels que :

• les journaux, qu'ils soient quotidiens ou hebdomadaires ;

---

1. IMBERT, Claude. « Vive l'écrit », *Le Point*, 3 février 2005, p. 3.

- les magazines ;
- l'affichage sur des panneaux extérieurs, sur les flancs des autobus, dans le métro, les abribus, etc. ;
- les annuaires ou les Pages Jaunes (qui seront traités dans une section particulière) ;
- les dépliants publicitaires.

C'est sur l'analyse de cette catégorie de médias que ce chapitre porte particulièrement.

La deuxième grande catégorie de médias réunit les médias électroniques :
- la télévision ;
- la radio ;
- Internet.

Le chapitre 10 comporte une analyse des différents médias électroniques ; nous y présentons, entre autres, leurs avantages et leurs inconvénients, et des prévisions sur leur avenir. Nous y abordons aussi le placement de produits, une technique de promotion particulièrement présente dans ces médias.

Il existe également d'autres techniques de promotion que l'annonceur peut utiliser et dont nous traitons brièvement dans ce chapitre, à la section 8.5 :
- la publicité sur les lieux de vente ;
- la publicité par l'objet comme des casquettes, des stylos, des macarons, des tasses portant le logo d'une entreprise ;
- les Pages Jaunes (qui font partie de la première catégorie des médias, soit les imprimés).

Près de 1,5 milliard de dollars sont dépensés annuellement au Québec dans les différents médias traditionnels (les quotidiens, la télévision, les magazines, l'affichage et la radio). Les mois où l'on trouve le plus de publicités sont novembre et décembre, soit la période des achats intenses en prévision de Noël, puis mars, mois durant lequel les consommateurs achètent des vêtements d'été, des matériaux de construction et des articles de rénovation en prévision de la belle saison. Le mois où la publicité est la plus faible est juillet, qui correspond traditionnellement à la période des vacances au Québec. La figure 8.1 présente une répartition par média des investissements publicitaires au Québec.

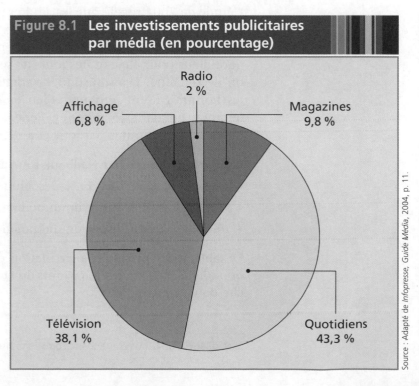

Figure 8.1 Les investissements publicitaires par média (en pourcentage)

Radio 2 %
Affichage 6,8 %
Magazines 9,8 %
Télévision 38,1 %
Quotidiens 43,3 %

Source : Adapté de Infopresse, *Guide Média*, 2004, p. 11.

8.2 LES JOURNAUX

Les journaux ont été longtemps la source principale d'information pour apprendre les nouvelles du jour, mais ils se sont transformés au fil des ans en source d'analyse des différents événements de l'actualité. Les journaux accaparent une partie importante des dépenses publicitaires. C'est souvent un journal que le consommateur prend comme dernière source d'information avant d'acheter. Le journal permet, en effet, au consommateur d'avoir accès à une information supplémentaire avant qu'il prenne sa décision d'achat. Il existe plusieurs types de publications sur papier journal : les quotidiens, les hebdomadaires et les journaux spécialisés. On considère certaines publications spécialisées tel le journal *Les Affaires* plutôt comme des magazines puisqu'ils en possèdent les caractéristiques et les avantages et nous les traitons ainsi dans ces pages. Les sections suivantes présentent les caractéristiques des quotidiens et des hebdomadaires.

8.2.1 Les quotidiens

Comme leur nom l'indique, les quotidiens sont publiés chaque jour. Chaque grande ville du Québec voit son quotidien paraître tous les jours. Certains quotidiens sont qualifiés de nationaux, car leur contenu s'adresse aux lecteurs de l'ensemble du Canada. Le *Globe and Mail* et le *National Post*, tous deux publiés à Toronto, revendiquent ce titre de quotidien national. Les journaux contiennent de la publicité dite générale et des petites annonces dont nous ne traitons pas dans ces pages.

NadBank est un organisme canadien à but non lucratif qui regroupe des quotidiens, des agences de communication et des annonceurs. Le but de l'organisme est de compiler diverses statistiques sur le lectorat des quotidiens. L'étude de 2004 révèle que les adultes passent un temps considérable à lire les quotidiens, surtout au Canada anglais. Dans l'ensemble des marchés sondés par NadBank, les adultes consacrent, en moyenne, 47 minutes à la lecture des quotidiens pour chacun des jours de semaine et 89 minutes pour les jours de fin de semaine. Les statistiques varient selon le sexe : les jours de semaine, les hommes lisent leur quotidien en moyenne pendant 49 minutes et les femmes, pendant 45 minutes. Pendant le week-end, les hommes lisent en moyenne 92 minutes par jour et les femmes, 87 minutes par jour[2].

Les études menées par Nadbank fournissent d'autres données intéressantes[3] :
- les jours de semaine, 53 % des adultes lisent un quotidien ;
- 58 % des adultes lisent un quotidien pendant le week-end ;
- 79 % des adultes lisent un quotidien au moins une fois par semaine.

Le tableau 8.1 présente la circulation (le nombre de lecteurs) des principaux quotidiens francophones payants du Québec et le coût à la ligne pour la publicité dans chacun d'eux.

---

2. NadBank, 2004, <www.nadbank.com>, site visité le 23 avril 2005.

3. *Ibid.*

Tableau 8.1

Tableau 8.1   Les principaux quotidiens francophones du Québec

Quotidien	Marché	Lectorat[4]	Coût à la ligne[5]
Le Journal de Montréal	Montréal	1 262 700	9,31
La Presse	Montréal	855 100	8,38
Le Journal de Québec	Québec	343 600	5,00
Le Soleil	Québec	255 500	3,96
Le Devoir	Montréal	196 100	1,51
Le Droit	Ottawa-Gatineau	168 200	1,62
Le Quotidien	Chicoutimi	90 300	1,37
Le Nouvelliste	Trois-Rivières	79 400	2,30
La Tribune	Sherbrooke	75 000	2,42
La Voix de l'Est	Granby	37 000	1,04

Encadré 8.1   Le CARD

Publié à tous les mois, le *CARD* (Canadian Advertising Rates and Data) est une importante source de données sur les médias. Ce magazine de plus de 500 pages contient des informations telles que les tarifs des publicités, la circulation des imprimés, les spécifications techniques du matériel à expédier pour impression et les spécifications de production requises. Le *CARD* compile ces données sur tous les quotidiens, les hebdomadaires, les magazines, l'affichage extérieur (le long des routes, sur les flancs d'autobus, etc.) et les médias électroniques. C'est la référence obligatoire de tout planificateur médias.

Source : *CARD*, juin 2004, p. 28.

---

4. Source : NadBank, 2004. *Ibid.*

5. Ce tarif est celui d'une publicité sans contrat, publiée le lundi. Source : *CARD*, juin 2004, p. 27-30.

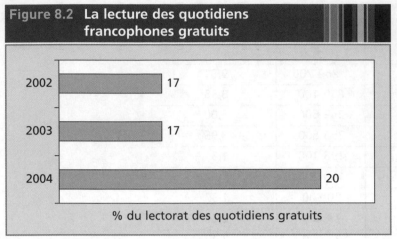

Figure 8.2 La lecture des quotidiens francophones gratuits

% du lectorat des quotidiens gratuits

- 2002 : 17
- 2003 : 17
- 2004 : 20

Source : NadBank, 2004.

Il existe aussi des quotidiens gratuits, tels *24 Heures* du groupe Québécor et *Métro* du groupe Transcontinental, tous deux distribués à Montréal, dont la popularité est grandissante, comme l'indique la figure 8.2.

Il existe deux formats de quotidien, le grand format (*broad sheet*), comme celui du *Soleil* ou du *Nouvelliste*, et le format tabloïd, comme celui du *Journal de Montréal* ou du *Journal de Québec*. Chaque colonne d'un grand format comprend entre 294 et 310 lignes et 10 colonnes par page, alors que le format tabloïd comprend entre 8 et 10 colonnes et de 160 à 200 lignes par page.

Les journaux vendent leur espace publicitaire à la ligne et à la colonne. Les montants indiqués au tableau 8.1 correspondent aux tarifs pour une seule ligne sur une seule colonne. Selon l'espace désiré, l'annonceur peut acheter plusieurs lignes sur plusieurs colonnes. Parfois les journaux indiquent leur tarif pour une ligne agate (il s'agit d'une unité de mesure de longueur d'un texte imprimé, utilisée seulement au Canada et aux États-Unis et qui correspond à 14 lignes au pouce par colonne). Les quotidiens facturent un supplément pour les publicités en couleur ; par exemple, *La Presse* facture 4 250 $ pour une publicité pleine page en 4 couleurs.

8.2.2 Les hebdomadaires

Il existe deux types de journaux hebdomadaires : les hebdomadaires régionaux et les hebdomadaires spécialisés. Comme nous l'avons déjà mentionné, les hebdomadaires spécialisés comme *Les Affaires* sont ici considérés comme des magazines, qui sont traités à la section suivante.

La présence des hebdomadaires est très importante dans leur communauté. Les hebdomadaires de quartier et les hebdomadaires régionaux joignent efficacement les gens d'une région précise, comme une ville ou un quartier d'une ville. La plupart de ces hebdomadaires sont gratuits, mais certains sont payants, comme *Le Canada Français* à Saint-Jean-sur-Richelieu et le *News and Chronicles* dans l'Ouest de l'Île de Montréal. Ces hebdomadaires sont aussi très enracinés dans leur communauté. Comme ils traitent très peu d'actualité nationale ou n'en traitent pas du tout, ils peuvent se consacrer aux nouvelles touchant leur ville ou leur quartier. Ils attirent donc surtout les annonceurs locaux, les annonceurs nationaux préférant les quotidiens afin d'éviter le chevauchement. Souvent de format tabloïd, la tarification des hebdomadaires est avantageuse pour les annonceurs. En effet, les hebdomadaires demandent entre 0,50 $ et 1,00 $[6] pour une ligne sur une colonne pour annoncer dans

---

6. *CARD*, juin 2004, p. 63.

Le Bureau de commercialisation des Hebdos du Québec a dévoilé les résultats d'une étude menée par la firme de recherche Crop, qui montre entre autres que 3 Québécois sur 4 lisent régulièrement un hebdo. Réalisé durant l'automne 2003, le sondage StatHebdo porte sur les 142 journaux hebdomadaires membres, lesquels desservent 90 % du territoire québécois.

Ainsi, 77 % des adultes (79 % des femmes et 76 % des hommes) ont consulté au moins une édition d'un hebdo au cours du mois. Ce pourcentage correspond à près de 4 millions de Québécois (sur une population de 5 088 000 adultes) résidant dans la zone primaire de distribution de l'un ou l'autre des hebdos membres des Hebdos du Québec. La durée moyenne de lecture est de 24 minutes. Le taux de lecture est particulièrement important auprès des propriétaires (81 %), des diplômés universitaires (72 %) ainsi que dans les foyers dont le revenu annuel dépasse 100 000 $ (76 %).

« Avec cette nouvelle étude, nous voulons démontrer hors de tout doute aux annonceurs locaux et nationaux, ainsi qu'aux planificateurs et acheteurs médias, que l'hebdo est un média incontournable qui doit se retrouver dans toutes les stratégies d'achat médias », dit Daniel Richard, directeur général du Bureau de commercialisation des Hebdos du Québec.

La publication de cette nouvelle étude a fait l'objet d'une campagne de publicité sous le thème « Les Hebdos du Québec nous touchent tous ». Conçue par Jean-Jacques Stréliski et Michel Mergaerts, cette campagne reposait sur deux constats : les hebdos offrent des nouvelles qui touchent vraiment les gens et les hebdos rejoignent un nombre imposant de personnes. Elle a été diffusée dans le magazine *Infopresse*[7].

leurs pages, et constituent souvent le seul média accessible pour certaines entreprises locales. On peut déplorer cependant que le contenu publicitaire de certains hebdomadaires locaux soit tellement important qu'on n'y trouve presque plus de contenu rédactionnel, comme dans le cas du *City News / Cité nouvelle* publié dans l'Ouest de l'Île de Montréal et du *Journal L'Action régionale* qui dessert la région du Richelieu. Toutefois, une étude Crop menée en 2004 (dont les conclusions sont présentées dans l'article reproduit à l'encadré 8.2) confirme que les hebdomadaires régionaux méritent de figurer en bonne place dans une stratégie médias.

Les publications quotidiennes et hebdomadaires possèdent, en tant que médias publicitaires, les avantages suivants :

- ils permettent une grande couverture, car beaucoup de gens lisent ces publications chaque jour ;

- leur flexibilité est grande, car il est possible d'y faire paraître une annonce à 24 heures d'avis ;

- ils permettent à l'annonceur de véhiculer beaucoup d'informations sur son produit ; en effet, chacun lit le journal ou l'hebdomadaire selon les intérêts qui lui sont propres (par exemple, un lecteur qui songe à acheter une automobile neuve est attiré par les annonces d'automobiles dans lesquelles il trouve une grande quantité d'informations) ;

- ils sont accessibles aux petits annonceurs, qui n'ont les moyens que de payer le coût d'un espace restreint et qui peuvent donc recourir aux hebdomadaires ;

_____

7. <www.infopresse.com>, site visité le 8 juin 2005.

- leur potentiel de fréquence est élevé, grâce à la répétition (les informations sont publiées dans plusieurs éditions de la même publication).

Les publications quotidiennes et hebdomadaires présentent aussi, comme médias publicitaires, certains désavantages. Les principaux sont les suivants :

- la qualité de reproduction n'est pas constante, notamment dans le cas de la reproduction des couleurs qui, malgré les progrès techniques récents, n'est pas toujours parfaite ;

- il est difficile pour l'annonceur d'obtenir l'emplacement de son choix ; les pages sont souvent remplies de messages de différents annonceurs, ce qui fait qu'il devient difficile de se démarquer ;

- le manque de sélectivité autre que géographique empêche les annonceurs de toucher des cibles bien précises, comme les 16-25 ans ou les femmes au foyer ; certains journaux compensent cette lacune par l'insertion de cahiers spécialisés dans des domaines comme la mode, les voyages ou les sports, ce qui recrée une certaine sélectivité.

8.2.3 L'avenir du journal comme média publicitaire

Lors de l'avènement de la radio, certains ont cru que les journaux ne résisteraient pas ; pourtant, ils ont survécu à la radio, et même à la télévision. Survivront-ils à Internet ? Il est sûr que les éditeurs de journaux doivent s'y adapter. La lecture des journaux en ligne est devenue une réalité incontournable. La figure 8.3 présente le pourcentage d'adultes (individus de 18 ans et plus) qui lisent leur quotidien en ligne dans différentes villes canadiennes.

Certains journaux misent sur l'amélioration de la qualité du produit physique. Pour permettre une meilleure qualité d'impression, le quotidien *The Gazette* de Montréal, dont les presses étaient âgées de 38 ans, en a installé de nouvelles en septembre 2000. Les nouvelles presses permettent une plus grande souplesse dans la mise en pages et la qualité d'impression est augmentée considérablement, particulièrement les couleurs. Le journal *La Presse* de Montréal a procédé à des améliorations semblables en octobre 2003.

Tout comme les publications quotidiennes et hebdomadaires ont survécu à la radio et à la télévision, elles devraient aussi survivre à Internet, surtout qu'elles font un effort particulier pour offrir un contenu solide. De plus, Internet donne même de nouvelles possibilités aux éditeurs. Par exemple, un quotidien peut publier la version intégrale d'un rapport ou d'une entrevue sur son site, et un résumé

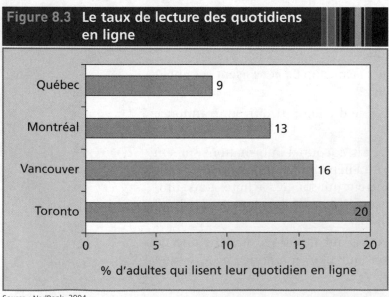

Figure 8.3 Le taux de lecture des quotidiens en ligne

Québec : 9
Montréal : 13
Vancouver : 16
Toronto : 20

% d'adultes qui lisent leur quotidien en ligne

Source : NadBank, 2004.

dans la version imprimée payante. Aux États-Unis, certains quotidiens se sont déjà engagés sur cette voie. Le *New York Times* produit des contenus exclusifs sur sa version Web, comme des mises à jour des nouvelles de la veille. D'une certaine manière, Internet amène les quotidiens, qui autrefois publiaient plusieurs éditions durant la même journée, à revoir leur rôle comme source d'informations. Le site Web d'une publication diffuse surtout des mises à jour des événements, tandis que sa version papier peut se spécialiser dans l'analyse de l'événement. Ce phénomène reste encore marginal au Québec, où, dans la plupart des cas, il faut payer pour pouvoir télécharger un article paru il y a quelque temps. Par exemple, au quotidien *Le Devoir*, seuls les abonnés du journal ont accès gratuitement aux articles sur le site ; les autres doivent payer environ 3,25 $ pour accéder à un article. Les quotidiens pourraient décider de migrer vers les supports électroniques dans un avenir rapproché. Lirons-nous tous bientôt notre quotidien sur un ordinateur de poche ? Cela reste difficile à prévoir pour l'instant.

8.3 LES MAGAZINES

La caractéristique principale des magazines est qu'ils sont imprimés sur du papier glacé. Les magazines ont connu une croissance fulgurante. Il en naît chaque année ou presque, mais il en meurt aussi. Il existe des magazines pour tous les gens et pour tous les goûts. Les photographes ont leur propre magazine, de même que les amateurs de planche à voile, de voyages ou de vin. Il existe même un magazine appelé *The Zamboni News* destiné aux propriétaires de machine à glace Zamboni.

Le magazine peut être soit d'intérêt général, comme *Châtelaine* et *L'Actualité*, soit spécialisé comme *Vélo Mag*. Le tableau 8.2 présente les principaux magazines francophones au Québec et indique leur tirage et le coût facturé pour une pleine page de publicité.

Le tarif des espaces publicitaires dans les magazines dépend de la taille de l'annonce (une page complète, une demi-page,

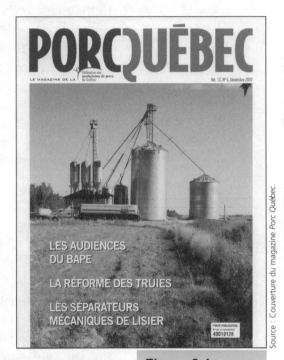

Figure 8.4
Les producteurs de porc au Québec ont leur magazine.

Source : Couverture du magazine Porc Québec.

Tableau 8.2	**Les principaux magazines francophones au Québec**	
Magazine	**Circulation**	**Coût pour une page (en $)**
Sélection du Reader's Digest	231 867	11 410
Coup de Pouce	228 071	11 790
Châtelaine	200 611	14 610
L'Actualité	185 447	14 590
TV Hebdo	153 998	9 575
Le Lundi	40 925	6 550

Source : *CARD*, juin 2004 (les données valent pour une publicité d'une page en 4 couleurs).

un quart de page, etc.). La page la plus dispendieuse est en général la couverture arrière, suivie de l'intérieur de la couverture avant, puis de l'intérieur de la couverture arrière. Un annonceur qui veut avoir l'exclusivité de la publicité sur deux pages a avantage à acheter les deux demi-pages du bas : il est fort probable que le magazine ne placera pas une autre publicité sur la partie supérieure, et l'annonceur peut ainsi contrôler deux pages pour le prix d'une.

Le magazine est souvent acheté pour une première lecture à cause de la couverture ; il est aussi lu plus tard, dans les jours et même les semaines qui suivent l'achat, contrairement au journal, qui est lu le même jour et devient sans intérêt dès le lendemain. Plusieurs lecteurs lisent le même exemplaire d'un magazine (des amis, les membres d'une famille, etc.), et le même exemplaire du magazine finit parfois ses jours dans la salle d'attente d'un dentiste, d'un médecin ou d'un garagiste. Le PMB (Print Measurement Bureau) effectue des sondages sur la lecture des magazines. La dernière recherche indique qu'un même exemplaire d'un magazine est lu en moyenne par 5,5 personnes[8]. Cette même recherche indique que 86 % des Québécois ont lu un magazine durant les trois derniers mois et qu'ils consacrent en moyenne 5,6 heures par mois à la lecture des magazines sondés par PMB[9].

L'analyse du contenu de quatre magazines d'affaires québécois révèle que plus de la moitié de l'espace (soit 65 %) est allouée à la publicité. La majorité des publicités (65 %) occupent une page complète ; 20 % d'entre elles sont disposées sur deux pages consécutives. On retrouve 33 % plus de publicités sur les pages de droite, ce qui confirme que les annonceurs croient que l'efficacité est plus grande sur ces pages.

Comme les journaux, les magazines paraissent en formats variés, par exemple le petit format du *Reader's Digest* ou le grand format d'*Elle Québec*. La fréquence de parution des magazines est elle aussi très variée. On trouve des magazines hebdomadaires (paraissant chaque semaine), des mensuels (chaque mois), des bimensuels (deux fois par mois), des bimestriels (tous les deux mois) et d'autres à publication variable comme 10 fois l'an pour le magazine *Fleurs et Jardins*.

L'univers des médias imprimés a son événement annuel important qui, pour les annonceurs, est l'équivalent du Super Bowl à la télévision : le numéro spécial « Swim Suit » du magazine *Sports Illustrated*. La notoriété de l'édition spéciale, qui paraît chaque année au début de février, est inégalée parmi les magazines. Ce numéro est lu par 16 millions d'individus, son tirage atteint 4,5 millions d'exemplaires (comparativement aux 3,15 millions pour les numéros réguliers) et il contient 109 pages publicitaires. Dans le but de donner un caractère encore plus sensationnel au numéro, les éditeurs dévoilent souvent la première page lors d'une émission de fin de soirée sur l'un des réseaux de télévision américains. Tout comme le Super Bowl, ce magazine attire les annonceurs qui veulent lancer un produit différent, particulier. Quelquefois, les annonceurs reprennent dans leur publicité le thème du numéro spécial. Il en coûte environ 210 000 $ pour une page couleur et 140 000 $ pour une page en noir et blanc.

8. <www.pmb.ca>, site visité le 21 avril 2005.
9. PMB, Vary François, représentant, <www.pmb.ca/index.htm>, site visité le 21 avril 2005.

Les avantages du magazine comme média publicitaire sont les suivants :

- une bonne sélectivité, en raison de la possibilité de choisir un magazine correspondant au groupe cible selon des critères ni démographiques ni géographiques (par exemple, un annonceur voulant rejoindre un certain type de femmes choisit de placer une publicité dans *Clin d'œil, Décoration chez Soi, Châtelaine* ou *Madame*) ;
- une bonne qualité de reproduction de la couleur, ce qui contribue à l'image de marque ;
- la possibilité d'insérer des encarts et des produits (par exemple, un CD ou une section pliante qui libère un parfum quand on l'ouvre) ;
- une durée de vie étendue (par exemple, de nombreuses personnes conservent longtemps la collection des *National Geographic,* qu'ils peuvent relire dix ans plus tard).

Le magazine comporte cependant, comme média publicitaire, les inconvénients suivants :

- le manque de flexibilité, en raison de la date de tombée (l'annonceur doit réserver et faire parvenir son matériel de un à trois mois à l'avance et, dans certains magazines, les couvertures arrière et les autres pages de choix doivent être réservées un an à l'avance et par contrat) ;
- l'impossibilité de répéter un message (plus un message est diffusé, plus il est retenu ; or le magazine paraît peu souvent et ne permet donc pas autant de répétition que le journal) ;
- le manque de précision de la région couverte (elle est parfois trop étendue pour une marque locale ou trop restreinte pour un annonceur national).

8.3.1 L'avenir du magazine comme média publicitaire

La plupart des magazines ont leur propre site Web. Au Québec, ces sites jouent un rôle de complément au magazine plutôt que d'en être les concurrents. Par exemple, le site du magazine *L'Actualité*[10] présente l'introduction des grands articles du numéro en cours et invite le visiteur à se procurer le magazine en kiosque pour lire la suite. Dans le numéro imprimé, le lecteur est pour sa part invité à se rendre sur le site pour participer à des forums de discussion, échanger sur les grands thèmes abordés dans le magazine ou participer à des sondages. Certains annonceurs du magazine diffusent aussi leur message sur son site Web.

D'autres magazines alimentent en contenu certains diffuseurs. Ainsi, le site Service vie[11], spécialisé dans le domaine de la forme, de la santé et de l'alimentation, travaille en étroite collaboration avec les magazines *Coup de Pouce* et *Madame au Foyer*. Les magazines hautement spécialisés sont de plus en plus nombreux. Quant aux diffuseurs Internet, ils ont besoin de contenu et ces magazines spécialisés peuvent le leur fournir. Par exemple, sur le site de *Sports Illustrated*, il est indiqué que, lors d'un tournoi récent, Tiger Woods a utilisé

---

10. <www.lactualite.com>, site visité le 16 septembre 2005.

11. <www.servicevie.com>, site visité le 22 avril 2005.

un bâton de marque Taylor Made d'un modèle particulier pour son approche au 16e trou ; le groupe Sports Experts reprend alors cette information sur son site et offre cette marque de bâtons à prix réduit durant la semaine.

Les magazines ont donc trouvé plusieurs manières de faire face à la montée d'autres médias, et les exemples qui précèdent ne donnent qu'un aperçu de l'ensemble des stratégies développées par les magazines pour s'adapter à l'évolution de la technologie et des télécommunications.

8.4 L'AFFICHAGE

Bien que certains auteurs utilisent l'expression « publicité extérieure », dans ces pages nous utiliserons le terme « affichage » pour désigner toutes les formes d'annonces affichées. L'affichage est considéré comme la forme de communication de masse la plus ancienne et à certains endroits du monde, on trouve encore d'anciennes formes d'affichage qui témoignent des premières traces de la civilisation. Avant l'avènement des médias de masse, les commerçants, les cirques ambulants et même les autorités locales placardaient leurs annonces sur les murs de leur localité ou les dessinaient sur les murs des édifices. D'ailleurs, on trouve encore quelques exemples de dessins sur des murs et des cheminées de vieux bâtiments. L'invention de l'automobile, devenue très vite populaire, a donné un essor à ce média.

De nos jours, l'affichage est omniprésent, que ce soit dans les toilettes publiques, les centres commerciaux, les aéroports et même sur les fusées spatiales. Les annonceurs prisent particulièrement les panneaux des abribus. Depuis peu, certains types de véhicules sont conçus expressément pour l'affichage mobile. On trouve de l'affichage sur les moyens de transports en commun, soit les parties arrière et les flancs des autobus. Dans les stations du métro de Montréal, les murs portent des affiches, surtout près des quais, et il est même possible pour un annonceur d'« acheter une station », c'est-à-dire de réserver tous les espaces publicitaires pour son produit, y compris les tourniquets et les cabines où l'on peut se procurer les billets.

Le tableau 8.3 présente le tarif pour l'affichage dans différentes villes du Québec.

Tableau 8.3 Les tarifs pour l'affichage extérieur dans différentes villes du Québec		
Ville	Nombre de panneaux	Tarif pour 4 semaines ($)
Montréal	36 - 42	103 673
Québec	9 - 12	30 751
Sherbrooke	3 - 7	6 989
Trois-Rivières	2 - 5	6 989
Hull-Gatineau	2 – 3	7 616

Source : *CARD*, juin 2004, p. 490. Ce tarif vaut pour 40 PEB (points d'exposition bruts).

Interdits au Vermont, les immenses panneaux d'affichage extérieur sont souvent accusés d'être une source de pollution visuelle. Mais certains considèrent que l'affichage fait partie du paysage urbain, tout comme les enseignes lumineuses. De plus en plus, les annonceurs tentent de conjuguer l'affichage et l'utilité, comme dans le cas des panneaux des abribus. L'affichage est un média qui plaît aux jeunes de 18 à 25 ans, ce qui explique le succès du réseau d'affichage dans les toilettes de bars.

L'affichage permet de toucher les gens mobiles, qu'il est difficile de joindre par les autres médias, par exemple les étudiants, les voyageurs, ceux qui utilisent leur voiture pour leurs déplacements. On trouve d'ailleurs, dans les rues des grandes villes, des camions qui portent sur leur plate-forme des panneaux lumineux rotatifs.

L'affichage est parfois utilisé pour créer une aguiche, c'est-à-dire une intrigue qui n'est résolue qu'à la dernière annonce d'une série, tactique appelée *teaser* en anglais. L'aguiche désigne chacune des annonces de ce type de série, sauf la dernière; elles sont « diffusées dans un ordre précis » et leur « message n'est dévoilé au public qu'en partie, afin d'exciter sa curiosité et de soutenir son attention jusqu'au dévoilement complet du message[12] ». À cause de sa formulation intrigante (la ou les premières annonces ne sont jamais signées), l'aguiche attire l'attention. Par exemple, l'annonce « Ok » est devenue par la suite « Coke », « Flog » s'est transformé en « Golf », et la série de panneaux affirmant que « 62 % des femmes vivent plusieurs flirts par jour au bureau », que « 67 % des femmes ont plus de tendresse au travail qu'à la maison », que « 68 % des femmes vivent une histoire d'amour au travail » s'est avérée être rattachée à la station de radio Cité Rock Détente. Cette stratégie, si elle permet efficacement d'attirer l'attention, est néanmoins particulièrement onéreuse : durant tout le premier volet de la campagne, l'annonceur doit assumer les coûts de production des affiches et de location des espaces, sans même que son nom y figure.

Les panneaux extérieurs joignent ceux dont l'éducation est moyenne ou élevée, et le revenu, élevé ou faible, selon que l'affiche est placée à l'intérieur des moyens de transport en commun ou sur les autobus mêmes; en effet, les annonces placées sur les autobus visent ceux qui se déplacent en voiture et dont le revenu est généralement plus élevé que ceux qui utilisent le transport en commun.

Certains créatifs utilisent les panneaux avec beaucoup d'originalité : ils créent des sections qui dépassent le cadre du panneau et y ajoutent des effets dynamiques, comme de la fumée qui sort d'un bol de fondue. Lorsque le panneau est orienté dans le sens du retour à la maison, son effet est décuplé. Certaines campagnes de communication misent sur l'affichage plutôt que sur la télévision, en raison du zappage qui fait diminuer l'écoute des annonces.

---

12. Selon la Banque de dépannage linguistique de l'Office de la langue française.

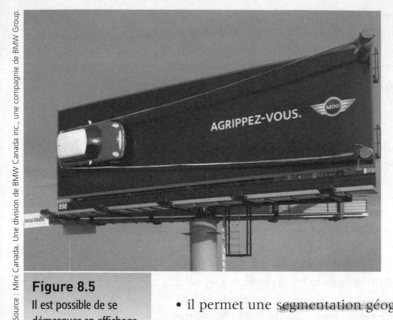

Source : Mini Canada. Une division de BMW Canada inc., une compagnie de BMW Group.

Figure 8.5
Il est possible de se démarquer en affichage en ne se limitant pas aux dimensions physiques du panneau.

La taille des panneaux sur le bord des routes varie, mais le modèle horizontal classique est de 16 pieds par 12 pieds (ou 5,3 mètres par 4 mètres). Ces panneaux sont soit verticaux, soit horizontaux ; les panneaux verticaux permettent habituellement de reproduire une annonce publiée dans les magazines.

L'affichage est qualifié de « sauvage » lorsque, par exemple, on colle des affiches sur les panneaux entourant les chantiers de construction, pratique interdite par les municipalités.

Les avantages de l'affichage comme média publicitaire sont les suivants :

- il permet une segmentation géographique dans une ville ou un quartier ;
- il permet de joindre un grand nombre de personnes ;
- il permet de capter l'attention, particulièrement lorsque des éléments y sont ajoutés (lorsque le panneau est vu, le consommateur retient son contenu) ;
- sa durée de vie est longue ;
- il permet de toucher une cible qu'il est difficile de joindre par d'autres médias, comme les étudiants, les personnes âgées à revenu plus faible et les personnes mobiles.

L'affichage comporte cependant, comme média publicitaire, les inconvénients suivants :

- il n'est pas possible d'y inclure beaucoup d'informations (le texte d'un panneau placé au bord d'une autoroute doit être très court, puisque les automobilistes ne le voient que de 3 à 7 secondes) ;
- il ne permet pas de joindre un groupe cible en particulier ;
- il peut être perçu négativement, car certains l'associent à une forme de pollution visuelle ;
- il est long à produire et à installer.

8.4.1 L'avenir de l'affichage comme média publicitaire

Comme il permet de joindre les personnes mobiles, l'affichage devrait gagner en popularité chez les annonceurs. Utilisé avec créativité, ce média a de grandes possibilités de développement dans l'avenir. Cependant, les nombreuses réglementations dont il est l'objet pourraient freiner sa croissance. Le tableau 8.4 présente les cinq principes généraux édictés par le gouvernement du Québec en matière d'affichage.

Tableau 8.4	Les principes d'intervention et les critères d'évaluation applicables à l'affichage au Québec	
Principes	**Critères**
L'affichage doit contribuer à l'ensemble de la qualité du cadre de vie.	• Il ne doit pas constituer une nuisance à d'autres activités ou fonctions. • Il doit contribuer à la création d'un environnement visuel harmonieux.
L'affichage doit respecter le caractère du lieu.	• Il ne doit pas obstruer des points de vue et des panoramas, naturels ou construits. • Il doit tenir compte des caractéristiques des bâtiments, des rues, des places et des éléments paysagers.
L'espace d'affichage doit être partagé de façon équitable.	• Les enseignes, panneaux-réclames et autres affichages ne doivent pas nuire mutuellement à leur lecture. • L'affichage doit être compatible avec les lieux où il est fait.
Les supports de l'affichage doivent être de bonne qualité, sécuritaires et maintenus en bon état.	• Les normes de bonne fabrication doivent être respectées. • Les emplacements susceptibles d'entraver la circulation piétonne ou automobile doivent être évités. • Toute confusion ou interférence visuelle avec les signaux de sécurité routière doivent être évitées.
L'affichage doit obéir à des principes de bonne communication.	• Son message doit être clair et facilement lisible. • Sa conception et sa forme doivent tenir compte de la vitesse de déplacement du lecteur.

Source : Gouvernement du Québec. *Paysage, rue, architecture… et affichage*, Les publications du Québec, Québec, 1991, p. 18-35.

8.5 LES AUTRES MÉDIAS

8.5.1 La publicité sur les lieux de vente

L'expression « publicité sur les lieux de vente » (aussi appelée PLV ou POS pour *point of sale*) désigne la campagne d'un annonceur qui affiche dans un commerce de détail, comme les supermarchés et les dépanneurs. Ce type de publicité est souvent jumelé à des activités promotionnelles. Les supports publicitaires de ce type de campagne sont variés : affiches, parasols au nom d'une marque de bière ou de boisson non alcoolisée, présentoirs, banderoles, autocollants au sol, etc., sans compter les articles promotionnels. Certains détaillants se servent de téléviseurs pour présenter de courts messages qui débutent au passage des consommateurs grâce à un capteur de mouvements. Le principal atout de la publicité sur les lieux de vente est qu'elle permet de s'adresser au consommateur à un moment crucial, soit juste avant sa prise de décision, et qu'elle peut susciter des achats impulsifs.

8.5.2 La publicité par l'objet

La publicité par l'objet désigne l'utilisation d'un objet comme une tasse, un crayon ou tout autre objet sur lequel on a fait imprimer le nom d'un annonceur. Souvent utilisée pour stimuler le réseau de distribution, la publicité par l'objet a aussi pour rôle d'encourager les acheteurs. Dans bien des cas, la publicité par l'objet sert de cadeau promotionnel aux consommateurs lors de concours divers. Disponibles au point de vente, ces cadeaux sont donnés au consommateur dans le cadre de la promotion d'un produit. On considère que les produits portant le logo d'une équipe sportive (comme les casquettes, les t-shirts et les maillots) sont une forme de publicité par l'objet, même si le consommateur doit débourser pour les obtenir. Dans certains cas, la publicité par l'objet peut être utilisée pour exalter le sentiment d'appartenance à une école, à un organisme ou à une entreprise. Par exemple, une entreprise peut donner à ses employés un sac portant le nom de l'entreprise afin de créer ou de développer un sentiment d'appartenance chez eux.

8.5.3 Les Pages Jaunes

Bien qu'il ne soit pas considéré comme un véritable véhicule publicitaire, l'annuaire des Pages Jaunes est toutefois un média dont il faut considérer l'utilisation, puisqu'il permet de joindre à faible coût le consommateur alors qu'il est sur le point de prendre sa décision d'achat. On peut entre autres tabler sur ce support pour construire la notoriété d'une marque.

Tableau 8.5 Les avantages et les inconvénients des principaux médias imprimés

Médias	Avantages	Inconvénients
Journal	• Grande couverture. • Grande flexibilité. • Bonne source d'information accessible aux petits annonceurs. • Répétition.	• Qualité de production parfois déficiente. • Difficulté à obtenir de l'emplacement. • Manque de sélectivité.
Magazine	• Excellente sélectivité. • Bonne qualité de reproduction. • Longue durée de vie.	• Longs délais de parution. • Faible couverture.
Affichage	• Segmentation géographique. • Longue durée de vie. • Possibilité de joindre une cible qu'il est difficile de toucher par d'autres moyens.	• Impossibilité d'inclure des textes longs. • Difficulté de joindre un groupe cible en particulier. • Production longue.

8.6 LA SÉLECTION DU MÉDIA

Le choix du média est aussi important que la création de l'annonce. Avant de faire ce choix, l'annonceur doit d'abord se demander qui il veut joindre, quel est son message, quel est son budget et combien de temps il désire que sa campagne dure. Le service de planification médias doit faire le choix d'un média (parmi ceux qu'il serait possible de prendre) en se basant sur certains critères tels que :

- le message ou la stratégie ;
- le public cible ;
- la durée de la campagne ;
- le budget.

La comparaison des tarifs de différents médias peut se faire sur la base du critère du coût par mille (CPM). Le CPM représente le coût pour joindre 1 000 personnes. Cette mesure permet de déterminer l'efficacité d'un média par rapport à un autre. Par exemple, une page dans l'édition du samedi du journal *Le Soleil* coûte 5 702 $ et touche 114 000 lecteurs. Dans ce cas, le calcul du CPM est le suivant :

$$\frac{5\,702}{114\,000} = 0,05 \times 1\,000 = 50,00 \text{ (CPM)}$$

RÉSUMÉ

Les principaux médias imprimés sont les journaux, les magazines et les affiches. Les journaux, qu'ils soient quotidiens ou hebdomadaires, offrent aux annonceurs, à coût abordable, une importante visibilité et la possibilité de transmettre beaucoup d'informations. Cependant, la segmentation des journaux est difficile, leur durée de vie est éphémère et leur qualité de production ne fait pas toujours honneur au produit annoncé. À l'opposé, la durée de vie des magazines est longue, leur qualité de reproduction est grande et ils permettent une sélectivité selon le style de vie, les centres d'intérêt ou les catégories socioprofessionnelles. Néanmoins, les délais exigés par les éditeurs des magazines sont très longs, et leur taux de pénétration dans les foyers québécois, relativement faible. Les magazines, tout comme les journaux, doivent s'adapter à l'avènement d'Internet. Quant à l'affichage, sa segmentation géographique est excellente, sa durée de vie est longue et il permet de joindre la presque totalité des personnes. Cependant, il ne permet aucune autre forme de sélectivité, il est relativement coûteux et son format exige que les textes soient très courts.

Il existe également des médias d'appoint, tels que la publicité sur les lieux de vente, la publicité par l'objet et les Pages Jaunes.

QUESTIONS DE DISCUSSION

1. De quelle façon les quotidiens tentent-ils d'augmenter leur sélectivité ?

2. Quels sont les avantages respectifs du journal, du magazine et de l'affichage comme médias publicitaires ?

3. Un annonceur veut lancer un télétransporteur. Il veut placer une publicité dans un média, mais il hésite entre l'affichage et le magazine. Lequel lui proposeriez-vous ? Pourquoi ?

4. Comment l'avenir du journal comme média publicitaire se présente-t-il ?

5. Quels sont les avantages des hebdomadaires régionaux ?

6. Qu'est-ce que la publicité sur les lieux de vente ? Exposez ses avantages et ses inconvénients.

EXERCICES

1. La compagnie Zola est une PME qui fabrique des planches à neige à Québec. Ses produits sont très populaires dans la région de Québec et ont connu des débuts prometteurs. L'entreprise désire maintenant commercialiser ses produits dans d'autres régions du Québec. Ses dirigeants vous approchent et vous demandent de planifier une campagne de communication. Leur groupe cible est constitué des hommes et femmes de 16 à 25 ans. Les dirigeants en sont encore à l'étape de la planification médias et sont intéressés par les médias imprimés. Quels médias leur suggéreriez-vous, compte tenu de leur budget, qui est assez limité, et de leur situation d'affaires ? Quels seraient vos critères de sélection ? Ils vous demandent également d'étudier la possibilité d'avoir recours à la publicité par l'objet. Que leur conseilleriez-vous ?

2. Un annonceur vous charge d'acheter de l'espace publicitaire. Il vous demande de placer une annonce de 3 colonnes par 200 lignes dans un quotidien de votre localité. À partir des informations présentées au tableau 8.1, choisissez deux quotidiens présents dans votre région et répondez aux questions suivantes :

a) Quel est le nombre total de lignes de l'annonce ?

b) Quel est le coût de la parution dans chaque quotidien ?

c) Quel est le CPM pour chaque quotidien ? Lequel des quotidiens recommanderiez-vous alors ?

3. Un magasin d'articles de sport de votre région est intéressé à placer de la publicité dans les hebdomadaires régionaux. Déterminez quelle taille doit avoir l'annonce pour que son effet soit efficace et visitez le site des hebdos régionaux du groupe Quebecor à l'adresse <www.hebdosquebecor.com>. Contactez les représentants des hebdomadaires de votre région et demandez-leur quel est leur tarif à la ligne. Présentez en classe les différentes possibilités de parution et leurs coûts respectifs.

4. Une entreprise spécialisée dans la téléphonie mobile planifie sa campagne de communication pour lancer un nouveau forfait conçu à l'intention des femmes et des hommes de 18 à 24 ans. Quels magazines leur recommanderiez-vous ? Avant de formuler vos recommandations, assurez-vous de rencontrer les représentants de ces magazines. Quelles questions leur poserez-vous ? Pourquoi ?

9

LA PUBLICITÉ DESTINÉE AUX MÉDIAS ÉLECTRONIQUES

Tableau 9.1	Les 20 porte-parole préférés des Québécois en 2002	
Rang	**Porte-parole**	**Entreprise**
1	Élyse Marquis	Tim Horton
2	Diane Lavallée, Rémy Girard et Marcel Leboeuf	Le Choix du Président
3	Guy A. Lepage et Sylvie Léonard	Ford
4	Normand Brathwaite	Réno-Dépôt
5	Roc Lafortune	Kia
6	Sophie Lorain	Danone
7	Geneviève Brouillette	Winners
8	José Théodore	Gatorade
9	Julie Deslauriers	Aero
10	Isabelle Brossard	Lu
11	Martin Matte	Honda
12	Lise Dion	Gadoua
13	Véronique Cloutier	Suzuki
14	Peter MacLeod	Labatt
15	Benoît Brière	Bell
16	Sonia Vachon	Tide
17	Pascale Montpetit	AOL
18	Chantal Fontaine	NeoStrata
19	Claude Meunier	Pepsi
20	Michel Barrette	Ultramar[1]

INTRODUCTION

Lorsque l'on demande à des gens quelle est la publicité qu'ils préfèrent, leur réponse désigne invariablement une publicité télévisée. La télévision est un média de prestige, vivant, qui permet de présenter l'offre et de montrer l'utilisation du produit efficacement. Certaines publicités télévisées sont des petits bijoux de films, récompensés à Cannes au même titre que les œuvres cinématographiques et projetés à l'occasion de la « Nuit des Publivores » qu'on organise régulièrement à travers le monde.

L'équipe qui travaille sur les annonces destinées à être diffusées par les médias électroniques comprend plusieurs types de spécialistes, entre autres des comédiens, des preneurs de son, des réalisateurs, des musiciens et même des menuisiers chargés de fabriquer les décors. D'autres personnes participent encore à l'élaboration des concepts publicitaires, parmi lesquelles des sociologues, des psychologues et des statisticiens.

---

1. COSSETTE, Claude et Nicolas MASSEY. *Comment faire sa publicité soi-même*, 3e édition, Montréal, Les Éditions Transcontinental, 2002, p. 148.

9.1 LES TYPES DE MESSAGES

9.1.1 Le choix entre la publicité locale et la publicité nationale

Près de la moitié des messages diffusés sur les ondes sont créés par l'annonceur lui-même, qu'il fait diffuser localement, dans sa région ou sa ville. La qualité de ces messages est parfois médiocre, particulièrement dans les régions éloignées des grands centres urbains. Comme les grands réseaux (tels la SRC et TVA) ont des stations affiliées dans différentes régions du Québec, il est possible de diffuser un message dans une région bien précise.

D'autre part, un annonceur qui vise tout le Québec francophone peut demander à une agence de créer ses messages publicitaires et les faire diffuser à l'échelle du Québec, voire du Canada. C'est ce qu'on appelle de la publicité nationale. La même chose vaut pour le Canada anglophone. Dans le cas de la publicité nationale, l'annonceur a le choix entre trois façons de procéder différentes : la traduction, l'adaptation et la création.

9.1.2 Le choix entre la traduction, l'adaptation et la création

9.1.2.1 La traduction

Dans ce cas, le message est déjà enregistré et n'a qu'à être traduit par la suite. Pour éviter les problèmes de synchronisation du mouvement des lèvres des comédiens avec la bande sonore du texte traduit, il arrive qu'on choisisse de ne jamais montrer les acteurs en train de parler à l'écran. Le principal avantage de cette stratégie est son faible coût, mais elle a un inconvénient majeur : le message colle rarement à la réalité culturelle de la région. Malgré cela, certains annonceurs préfèrent que leur image soit partout la même dans le monde et choisissent donc cette pratique. C'est ce que McDonald a fait avec la campagne : « C'est ça que j'aime ». Il arrive que des campagnes internationales soient très efficaces dans plusieurs pays à la fois. D'ailleurs, certains produits se prêtent davantage aux campagnes internationales que d'autres, car leurs caractéristiques comportent moins de résonances culturelles.

Mais l'annonceur a tout intérêt à valider la traduction proposée auprès d'une agence partenaire faisant des affaires sur le marché ciblé par cette traduction. Plusieurs annonceurs se sont fait prendre en laissant passer de mauvaises traductions. Par exemple, Frank Perdue, un Américain qui a fait fortune en vendant des poulets, a carrément raté son effet au Mexique avec son message imprimé sur des panneaux publicitaires avec sa photo. Le slogan « It Takes a Tough Man to Make a Tender Chicken » (« Ça prend un homme coriace pour faire du poulet tendre ») est devenu au Mexique « Ça prend un homme bien bandé pour exciter un poulet » ! Même les grandes entreprises multinationales ne sont pas à l'abri de ces gaffes publicitaires ; Pepsi s'est cassé le cou à Taiwan avec son slogan « Come Alive With The Pepsi Generation » dont la traduction littérale a donné : « Pepsi ressuscitera vos ancêtres » ; quant au slogan du Poulet frit Kentucky (PFK) « Finger lickin' good » (« Bon à s'en lécher les doigts »), il est devenu en Chine un ordre de se dévorer les doigts…

Figure 9.1

En utilisant une personnalité connue dans chaque pays, Maytag adapte son message dans les divers pays où l'annonceur est présent.

9.1.2.2 L'adaptation

Dans certains cas, l'annonceur préfère tourner le message en anglais et reprendre par la suite le même concept avec des acteurs québécois, un peu comme une nouvelle version d'un film (par exemple, le film français *Nikita* qui a été refait aux États-Unis et y est devenu *Point of no return*). L'annonceur reprend la même scène et la même idée, faisant quelquefois un léger ajustement sur le plan du langage. Cette stratégie offre l'avantage que le message est plus crédible auprès de la cible. Son inconvénient est que les coûts sont plus élevés que dans le cas de la traduction, puisqu'il faut assumer une nouvelle fois tous les coûts de production.

9.1.2.3 La création

Certains annonceurs font preuve d'audace et choisissent une création originale. Ils doivent d'abord trouver un axe qui colle à la culture locale, puis créer un message différent pour chaque région du monde où ils sont présents. Au Québec, Pepsi a pris ce pari dans les années 80 et les résultats en ont été très bons. Tous les sondages le confirment : les campagnes créées ici intéressent davantage les Québécois. Le principal inconvénient est que les coûts sont plus élevés que dans le cas d'une simple traduction et d'une adaptation.

9.2 LA CRÉATION DU MESSAGE

Comme les ondes sont engorgées par de multiples messages, l'annonceur doit à tout prix se démarquer. En publicité télévisée, le modèle AIDA est tout à fait indiqué et il est très important de le respecter. Le message doit :

- attirer l'attention, dès le commencement du message, par le visuel, le verbal, le silence, la musique et quelquefois même par des éléments sans lien avec le produit ;
- conserver l'intérêt, pour éviter que le téléspectateur change de chaîne très rapidement ;
- éveiller le désir en énonçant une seule offre, pour éviter que le téléspectateur soit confus ;
- provoquer l'action à la fin en présentant clairement la marque.

La publicité vend du bonheur, du rêve, la promesse de la réussite ou de l'ascension sociale. Par exemple, on n'annonce pas un lave-vaisselle, mais plutôt du confort ; pas un savon, mais de la beauté ; pas une automobile, mais du prestige.

Comme nous l'avons indiqué dans la section historique de cet ouvrage, la publicité ne s'attarde plus, de nos jours, à démontrer les avantages du produit. L'annonceur cherche davantage à faire croire au consommateur que s'il possède ce que l'on veut lui vendre, il sera enfin beau, heureux, désiré par tous et à la page. Par exemple, s'il ne possède pas le nouveau modèle VW, sa vie est un échec. La VW donne un sens à sa vie. La publicité cherche donc à amuser et à distraire le consommateur bien plus qu'à l'informer.

9.2.1 Les éléments du message

S'il existe des règles assez précises pour la création d'une publicité imprimée, il en va autrement en ce qui concerne l'annonce télévisée ou radiophonique : la seule règle, c'est qu'il n'y a pas de règle. En publicité télévisée, la création repose sur une heureuse combinaison de visuel et de son qui rend un message percutant. Dans un message radiodiffusé, tout le défi de la création consiste à créer une atmosphère sonore.

9.2.1.1 L'image

Dans une annonce télévisée, l'image est d'une importance primordiale, comme c'est le cas pour une annonce imprimée. On voit quelquefois des annonces sans son, mais jamais sans image. Les personnages, le lieu, l'histoire sont souvent présentés davantage par le visuel que par le son. Même si l'annonceur veut raconter une bonne histoire, il ne doit pas s'égarer durant les 30 secondes du message, particulièrement à la télévision ; il lui faut résister à la tentation de raconter une histoire complexe qui pourrait alimenter un long métrage de fiction ! Le message doit donc être simple et percutant ; à vouloir tout dire, on court le risque que le consommateur ne retienne rien.

9.2.1.2 Les éléments sonores

Qu'il soit imprimé ou enregistré, le texte est un complément des éléments visuels qu'il vient renforcer et expliquer. Il faut éviter le style privilégié par certains annonceurs pour une liquidation de mobilier, où un présentateur énumère rapidement tous les articles soldés. Il faut plutôt privilégier un texte court et percutant. Le temps est un facteur important du texte. Pour vérifier la longueur du texte, particulièrement dans le cas d'un message destiné à être radiodiffusé, il est possible de lire à haute voix le texte et de le chronométrer, pour s'assurer qu'il correspond à la durée de l'annonce, 30 secondes par exemple.

Dans certains cas, l'effet est plus fort si le texte est très court et qu'il est récité par un comédien en voix hors champ. De plus, puisque le texte prend beaucoup d'importance à la radio, il doit être percutant et comporter une chute frappante (un *punch*).

9.2.1.3 Les bruits

Un bruit attire l'attention et il est donc approprié d'en placer dès le début du message. Les bruits contribuent à ce que le message soit bien transmis, particulièrement en publicité radio. Par exemple, dans une publicité pour une boisson gazeuse diète, un annonceur a fait entendre le bruit d'une fermeture éclair et ce son venait renforcer le message qu'il est préférable de rester mince. Pour une portière d'auto, un son sourd exprime la robustesse et un son feutré évoque le luxe et le confort. Mais le son ne vient que renforcer ce qui est présent ; aucun son ne peut attirer l'attention à lui seul.

9.2.1.4 La musique

La musique ou le refrain publicitaire sont choisis en fonction du thème, du groupe cible et du message à passer. La ritournelle (*jingle*) est très importante pour la publicité télévisée et essentielle pour l'annonce à la radio, par exemple la ritournelle de la publicité de la bière Molson Light. Le choix de la musique s'effectue au moment même où le concept est créé. La musique sert à attirer l'attention et permet que le message soit retenu. Pour les chansons de répertoire, l'annonceur doit payer les droits d'auteur. Il arrive que les droits d'auteur soient hors de prix et que l'agence de communication préfère engager un compositeur pour créer une musique originale. Mais une chanson connue a l'avantage de produire, lors des deux ou trois premières secondes, un effet beaucoup plus grand que celui d'une chanson créée spécialement pour l'annonce. La Fédération des producteurs de lait du Québec a fait un bon coup en remettant à la mode d'anciennes chansons par ses publicités qui ont été très remarquées.

Souvent, la musique est confiée à des musiciens spécialisés dans la composition de ritournelles publicitaires, tandis qu'on réserve la rédaction des paroles au rédacteur concepteur de l'agence de communication. Le style de musique retenu ajoute une touche particulière qui permet de caractériser le message. La publicité suit les modes et s'y adapte, que la musique soit du classique, du hip hop, du jazz, de la techno ou de la chanson populaire. Dans plusieurs cas, la ritournelle aide le consommateur à se rappeler le texte : il se souvient des mots et les chante.

9.2.2 Les styles de messages

Pour que le message soit efficace, il faut donc que le visuel, le texte et les effets sonores soient bons et correctement choisis et, de plus, qu'ils concourent à créer un style, une atmosphère, une ambiance. Il existe plusieurs styles de publicité télévisée et radiophonique.

Dans le style appelé « tranche de vie », la caméra filme une scène courante de la vie familiale, par exemple la famille qui boit du jus Oasis au petit déjeuner.

Une annonce de style comparatif met en scène deux produits dont l'un, bien entendu, est présenté comme meilleur que l'autre. Ce style de publicité est interdit dans certains pays. Au Canada, où elle est légale, la publicité comparative doit être utilisée avec précaution, car il est interdit d'attaquer ou de dénigrer la concurrence.

Les annonces où l'on exploite l'émotion dramatique touchent les gens, que ce soit pour les sensibiliser à une cause, leur faire adopter un comportement ou les inciter à contribuer au financement d'organismes tels que Centraide ou la Croix Rouge. Il faut éviter les banalités et les larmes faciles ; montrer du jamais vu dans une tranche de vie dramatique est, par contre, très efficace. Ce style est souvent privilégié dans le domaine de la publicité sociétale.

L'humour qui, comme nous l'avons vu au chapitre 3, figure parmi les 36 cordes sensibles des Québécois, doit être adapté au langage de la clientèle cible : le code doit être partagé par les consommateurs et doit donc convenir au contexte culturel. L'utilisation du burlesque, du sketch bref et de la comédie dans la publicité fonctionne bien au Québec. Lorsqu'un annonceur décide de tabler sur l'humour, il est préférable qu'il introduise le produit dès le début de l'annonce, puis qu'il poursuive par la dramatisation suscitée par le manque du produit, et enfin termine l'annonce par un dénouement heureux (*happy ending*), par la découverte du bonheur grâce au produit.

L'humour est très utilisé au Québec et dans les pays latins, et ce, malgré les mises en garde de plusieurs recherches qui montrent les dangers de cette forme de message. Lorsqu'ils sont efficaces (par exemple une histoire comportant une mise en situation, une montée de tension dramatique puis une chute frappante et caractérisée par l'action), ces messages comptent systématiquement parmi les préférés des Québécois. Par exemple, on trouve amusant de voir un chien qui tousse parce que toute la famille a attrapé la grippe. Par contre, l'utilisation de l'humour n'est pas toujours un gage de succès. Ce style de message est moins utilisé au Canada anglais, bien que l'humour puisse y être efficace pour des produits peu dispendieux. La publicité du golfeur ayant une extinction de voix et essayant de crier « Fore ! » a été efficace parce qu'elle était collée au produit, des pastilles contre le mal de gorge. L'humour augmente la valeur d'attention du message, mais diminue sa valeur de persuasion.

Le style « résolution de problème » fonctionne ainsi : on met en scène un problème auquel on présente une solution, avec démonstration à l'appui. Même s'il est parfois perçu comme ennuyeux, ce style d'annonce est très prisé par certains types d'annonceurs, comme les marques de savon (on se souvient du slogan « Tide lave plus blanc »). C'est que, comme le souligne Claude Cossette[2], « les spots de savons sont ennuyeux, mais… ils vendent ».

On peut choisir de recourir à une vedette pour devenir le porte-parole d'un produit et le vanter. Le porte-parole est parfois choisi en raison de son expertise (dans les sports, par exemple), mais plus souvent pour sa popularité. En effet, le porte-parole confère de la crédibilité au produit ou au service ; plus le porte-parole est populaire, plus la notoriété de la marque grandit auprès du public, qui, inconsciemment, fait l'association entre le porte-parole et le produit et se dit : « J'aime l'artiste, donc j'aime le produit. » Mais les personnalités célèbres demandent un cachet assez élevé pour être porte-parole. Les artistes ne sont pas nécessairement les types de personnalités préférés des gens, comme le prouve la liste des porte-parole préférés des Québécois dans la mise en situation de ce chapitre. Le choix d'une personnalité sportive comme porte-parole entraîne un très grand effet, si l'athlète s'illustre et est le meilleur dans sa discipline. Mais une contre-performance sportive soudaine peut avoir des effets négatifs sur la perception du produit. D'ailleurs, certaines entreprises mettent plutôt l'accent sur les valeurs intrinsèques de l'athlète plutôt que sur ses performances (comme Myriam Bédard pour Réno-Dépôt), ce qui réduit les risques d'effets négatifs d'une contre-performance sportive potentielle.

Il ne faut donc pas que les performances de l'athlète diminuent ni que le porte-parole commette des frasques dans sa vie privée. Au Canada anglais, on utilise moins les vedettes comme porte-parole parce que les vedettes les plus populaires auprès des anglophones sont dans bien des cas des stars américaines, qui exigent un cachet très élevé.

---

2. COSSETTE, Claude. *La publicité, déchet culturel,* Québec, Les éditions de l'IQRC, Les Presses de l'Université Laval, 2001, p. 114.

Un comédien dont l'image est trop associée à un personnage n'est habituellement pas retenu pour jouer dans un message télévisé. Les agences préfèrent un personnage neutre, comme s'ils l'avaient choisi au hasard dans une foule. Dans tous les cas, le choix du comédien doit tenir compte de la cible. Ce choix est important car c'est le comédien qui apporte de la vie au message. Sa physionomie, son histoire, les personnages qu'il a joués auparavant viennent étoffer le message. Il doit exercer suffisamment d'attrait auprès du public pour donner du caractère au message et le rendre efficace.

Le pastiche est actuellement un style très répandu en publicité[3]. Ces publicités sont des parodies d'une comédie musicale, d'un film, d'un western, du journal télévisé, d'une émission populaire ou d'un film comme *Mission impossible* ou *James Bond*. Quelquefois, on parodie même un message publicitaire. La parodie offre l'avantage de susciter chez le consommateur le souvenir de ce qui est copié, ce qui favorise la mémorisation de la publicité.

9.2.3 Les caractéristiques d'un bon message publicitaire

Il existe donc plusieurs styles de messages, mais l'important, entre autres, c'est que le message doit présenter un caractère innovateur et surprenant. Souvent, un dénouement inattendu permet de créer un effet de surprise qui capte l'attention du consommateur, et c'est cet effet qu'il faut rechercher.

Dans *La publicité, déchet culturel*[4], Claude Cossette énonce cinq grands principes d'un message de bonne qualité. Ces principes sont à la base de toute la stratégie publicitaire de Procter & Gamble, qu'il décrit comme étant « l'université post-doctorale du marketing et de la publicité » :

- ne jamais abandonner une stratégie qui fonctionne ; les publicités pour Tide, Crest, Zest et Ivory (tous des produits Procter & Gamble) relèvent de la même stratégie depuis 30 ans ;
- répéter le nom de la marque avant la huitième seconde d'un message publicitaire et au moins trois autres fois avant la fin ;
- énoncer clairement l'avantage promis, oralement d'abord, puis une deuxième fois par un « texte sur image », et encore une dernière fois à la fin ;
- viser le long terme avec le porte-parole ; pour cela, éviter de recourir à une vedette (qui finit par vieillir, risque de faire des frasques, demande trop cher, risque de ne pas renouveler son contrat, etc.) ;
- ne pas abuser de la musique ; seulement 10 % des annonces de Procter & Gamble recourent à la musique ; l'entreprise préfère utiliser tout le temps d'antenne qu'elle a payé pour persuader.

9.2.4 Les tendances actuelles en publicité

En publicité télévisée, on doit chercher à donner à la marque un visage humain. La publicité cache la réalité, ce qui lui permet de parler abondamment d'autre chose. Elle reste silencieuse sur un aspect du produit et met plutôt

---

3. RIOU, Nicolas. *Pub Fiction*, Paris, Éditions d'Organisation, 1999, p. 31.

4. COSSETTE. *La publicité, déchet culturel*, op. cit., p. 112.

l'accent sur un autre. Par exemple, dans un message pour un véhicule utilitaire sport, il n'est pas mentionné qu'il consomme 100 $ d'essence par semaine, mais il est dit qu'il permet de franchir tous les obstacles. Le véhicule est représenté en train de gravir une montagne, voire au milieu de la jungle ! Même si tous les consommateurs savent bien que consommer, c'est détruire, la publicité leur répète que ce véhicule, c'est du solide, de la durabilité ! Les annonceurs veulent toucher le consommateur par l'entremise du rêve, et non du réel. Ainsi, Rossignol n'offre pas des skis, mais de l'aventure, et Coke ne vend pas de l'eau sucrée, mais de la jeunesse.

De nos jours, la publicité est devenue un spectacle, tout comme la politique et le sport. De plus, ce spectacle est d'envergure mondiale. Michel Maffesoli[5] considère que la société n'est plus aussi homogène qu'autrefois et qu'elle devient fragmentée en sous-groupes ou tribus. Les médias, eux aussi de plus en plus divisés, profitent de cette fragmentation de la société. Comme les produits se ressemblent[6], les consommateurs ne font tellement plus la différence entre une marque de dentifrice ou une autre. Pour divertir le public, les annonceurs ont inventé la publicité spectacle, qui est non pas une publicité spectaculaire mais une publicité de divertissement[7], qui s'adresse à différents sous-groupes, selon leur culture.

Les agences cherchent à associer la marque et le consommateur, comme dans les exemples suivants : « L'Oréal, parce que je le vaux bien », « CK Be yourself », « Êtes-vous fait pour Volkswagen ? ». La publicité ne vise plus à convaincre de la supériorité d'un produit, mais à créer une relation entre le consommateur et ce produit. Le tableau 9.2 présente les caractéristiques de la publicité spectacle.

Tableau 9.2 La publicité spectacle

L'accent est mis sur	Au détriment
l'image	du discours
le spectacle	du réel
la musique	du produit
la façon de le dire	des caractéristiques du produit

Dans l'ancienne économie, l'entreprise était active et le consommateur passif, alors que dans la nouvelle économie, c'est plutôt l'entreprise qui est passive et le consommateur, actif. Grâce à Internet, le consommateur a accès à plusieurs médias et il obtient facilement toute l'information dont il a besoin. Il n'attend pas à la maison que les entreprises lui offrent leurs produits : il est proactif et effectue lui-même sa recherche avant d'acheter.

---

5. MAFFESOLI, Michel. *Le temps des tribus. Le déclin de l'individualisme dans les sociétés post-modernes*, 3e édition, Paris, La table ronde, 2000.

6. RIOU. *Op. cit.*, p. 58.

7. RIOU. *Op. cit.*, p. 43.

La nouvelle campagne de McDonald est éloquente à cet égard. La chaîne est passée de sa campagne « Moi j'aime McDonald » à une nouvelle campagne sur fond musical de hip hop. L'annonceur a cherché à créer une impression forte et à évoquer les plaisirs simples de la vie, et le concept retenu présente la marque comme style de vie plutôt que simple lieu de consommation. Aujourd'hui, les jeunes adultes se considèrent comme des citoyens de la planète, ils appartiennent à une tribu et s'identifient à un style de vie, mais ne veulent pas perdre pour autant leur individualité.

9.3 LA PRODUCTION DES ANNONCES TÉLÉVISÉES

Lorsque le concept est choisi, l'équipe de création est alors chargée de toutes les activités de préproduction, jusqu'à la réalisation du scénario maquette. La première étape consiste à rédiger un script. L'encadré 9.1 en montre un exemple.

Dans certains cas, l'agence produit un véritable démo du message et le présente au client pour approbation. Il arrive qu'après la présentation, le client formule des commentaires et que l'agence doive effectuer quelques ajustements au message, ou même tout recommencer à partir du début. Dans certains cas, le client demande à cette étape de tester le concept auprès du public, par des entrevues, afin de déterminer si le message est bien compris de sa part. L'encadré 9.2 présente un exemple de script incluant la description du visuel. (La définition des termes spécialisés utilisés dans cette section, comme les codes de caméra PE, PA, etc., est donnée à l'annexe 9.1, à laquelle vous pouvez vous reporter au besoin.)

Encadré 9.1 Un exemple de script : un extrait de l'épisode « Le Kik de Moman », de la série *La Petite Vie*

« **M**oman. Bon, monsieur est pas capable de prendre les jokes. Voyons donc : voir si je serais partie avec un p'tit jeune de vingt ans… (*Elle se force à rire.*) Sais-tu… peut-être que ça nous ferait du bien, nous autres aussi, une fin de semaine dans le nord ?

Popa. Ben certain. Vas-y en fin de semaine, j'irai l'autre après, moi.

Moman. Bon, monsieur fait du boudin. (*Elle pointe la feuille.*) Qu'est-ce que tu fais là ?

Popa. Lis, tu vas voir.

Moman, *lisant.* Jeune quinquagénaire cocu recherche jeune trentenaire coquette pour partager omelette au fromage et sacs de vidanges. Aventurières, ne pas s'abstenir.

Popa. Correct, ça ?

Moman. Oui oui. Mais aventurières, ça prend pas de s à la fin.

Popa. Qui t'a dit que j'en voulais juste une[8] ?

---

8. MEUNIER, Claude et Pierre FILION. *Le Monde de la Petite Vie*, Montréal, Leméac Éditeur, 1998, p. 21.

VIDÉO	AUDIO
APPARTEMENT DE LOUISE ET GABRIEL INTÉRIEUR JOUR, SÉJOUR C'est une grande pièce de séjour où des ouvriers travaillent à sa rénovation.	
1. PE de la salle de séjour.	Sur toute la scène : bruits de construction et musique en sourdine.
2. PA serré légèrement en contre-plongée d'un plâtrier et de son assistant qui refont une section du plafond, puis PA par PANO de gauche à droite des vitriers qui posent les fenêtres.	
3. PM de Louise, un gallon de peinture d'une main et un rouleau de peinture de l'autre, qui avance dans le corridor et vient se cadrer en PA avant de commencer à sortir du champ vers la gauche.	Sur toute la scène : bruits ambiants des ouvriers qui travaillent et de Louise qui se déplace.
INTÉRIEUR JOUR, CHAMBRE	
4. PM serré de Louise, qui entre dans la chambre. Elle dépose le gallon et le rouleau par terre. Elle prend un escabeau appuyé sur le mur à sa droite et l'ouvre.	Bruits ambiants.
Elle branche ensuite la radio puis prend ses instruments.	Sur toute la scène : bruits ambiants et sons venant de la radio.
Léger PANO de bas en haut, elle monte sur l'escabeau pour venir se cadrer en PA large.	Louise fredonne quelques bribes d'un air connu qui joue précisément à la radio à ce moment-là.
Installée sur la plus haute marche, elle peinture en fredonnant. Peu à peu, elle s'absorbe dans son travail. Elle échappe de la peinture sur le plancher. Léger PANO de haut en bas, elle descend, passe sa main sur son front, puis léger PANO de haut en bas pour venir se cadrer en PA où elle nettoie les taches sur le plancher.	
Léger TRAV-AV pour venir se cadrer en PR taille, Louis sourit.	Sonnerie de la porte qui imite un air familier.
INTÉRIEUR JOUR, PORTE D'ENTRÉE	
La caméra est placée à l'intérieur de l'appartement, à gauche de l'entrée.	
5. PM serré de Louise qui ouvre la porte d'entrée en riant.	Bruits ambiants et bruit de la sonnette qui imite toujours un air familier. On entend Gabriel (d'abord OFF et chantant en s'accompagnant de la sonnette).
	GABRIEL : Devine ce qui m'arrive, devine ce qui m'arrive ! ! !
	GABRIEL (toujours en chantant) :
PM serré de Gabriel qui entre accueilli par Louise dans ses bras. La caméra s'approche en TRAV-AV pour venir cadrer Louise et Gabriel en PR taille. Ils s'embrassent.	Je pars en Italie. Et vive les spaghettis ! Je pars en Italie. Et vive les spaghettis[9] !

9. PELLETIER, Esther. *Écrire pour le cinéma*, 2e édition, Québec, Nuit blanche éditeur, 1995, p. 174-176.

Figure 9.2 Un exemple de scénario maquette pour un message de Normaderm

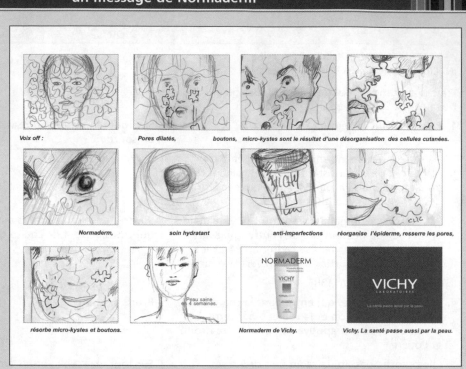

Après le script et, dans certains cas, le démo, le service de création réalise un scénario maquette. La figure 9.2 en présente un exemple pour un message de Normaderm.

Le scénario maquette est présenté au client pour approbation ou est utilisé lors d'une recherche avant de produire le message.

La préproduction débute par une rencontre de planification pendant laquelle l'équipe détermine, entre autres, le choix du réalisateur. Souvent, au Québec, les réalisateurs qui travaillent en publicité réalisent aussi des longs métrages. Par exemple, Jean-François Pouliot, qui est le réalisateur attitré des publicités de Bell avec Benoît Brière, a réalisé le film *La Grande Séduction* ; François Girard, qui s'est fait connaître du grand public par son film *Le Violon rouge*, a réalisé des messages de la campagne « Jeune depuis 1903 » pour Molson.

Lors de la rencontre de préproduction, le service de production de l'agence choisit la maison de production. Cette maison doit effectuer le repérage de l'endroit, les décors, les costumes et tout ce qui est nécessaire pour le tournage. Le terme « production » désigne le tournage lui-même, en studio ou en extérieur. Lors de la postproduction, le travail consiste à :

• choisir les scènes et à les découper lors du montage ;

• produire les trucages visuels ;

• ajouter des effets sonores ;

• mixer la bande image avec la bande sonore.

9.4 LA CRÉATION DES ANNONCES RADIODIFFUSÉES

Le processus de création des annonces destinées à la radio est similaire à celui qui a été décrit pour les publicités télévisées. Dans le cas de la radio, l'effet sonore doit compenser l'absence de visuel. À la radio, les mots ont une grande importance et il faut que les rédacteurs soient très compétents pour que l'écoute des auditeurs soit bonne. Dans les cas où la radio est utilisée en complément de la télévision, il faut tenir compte de cette particularité et en tirer profit. La radio est très efficace quand il s'agit de rejoindre les gens actifs, les adolescents et ceux qui empruntent leur voiture régulièrement. On l'utilise souvent pour annoncer des activités de promotion.

Il est encore plus important qu'à la télévision de créer un impact au début du message pour attirer l'attention. L'utilisation de la musique permet parfois de créer un effet assez fort. La ritournelle choisie doit être facile à mémoriser. Il faut trouver une façon de rendre l'annonce distincte de toutes celles qui encombrent les ondes, comme le fait François Pérusse qui joue sur les voix et les effets sonores dans les publicités pour Petro-Canada et qui crée ainsi un environnement imaginaire. L'encadré 9.3 présente quelques caractéristiques des messages publicitaires radio.

On appelle « publicité en extérieur » (*remote*) une publicité radio en direct qui est diffusée à partir du site d'un commerce de détail. Cette formule permet de publiciser des activités promotionnelles très efficacement.

Figure 9.3 Le briefing, le briefing... et enfin le briefing

[...] Voyons comment le briefing radio peut être différent. Tout d'abord, l'argument de vente. En radio, c'est primordial : un seul argument ! Le principe est fort simple : si je vous lance cinq pommes, il y a de fortes chances que vous les échappiez toutes. Par contre, si j'en lance une seule... vous devriez l'attraper assez facilement. Simpliste ? Peut-être, mais combien efficace.

Le deuxième point qui différencie le briefing radio est sans doute celui qui fait la force véritable de ce média : quelle image souhaitez-vous que le consommateur ait en tête APRÈS avoir entendu votre message ? Vous avez bien lu : quelle image ? Le consommateur/auditeur se fait toujours la plus belle image de ce qu'il entend. Et c'est vous, annonceurs, qui avez le pouvoir de décider ce qu'elle sera. Et c'est par cette image que vous guiderez les gens de création et de radio afin de réaliser un message efficace et qui donne des résultats.

Voici un exemple précis : vous possédez un magasin de meubles. Vous jouissez d'une certaine notoriété. C'est votre saison forte, vous vous apprêtez à réaliser un placement média radio. Tous vos concurrents y seront aussi. Les gens vous connaissent pour vos meubles. Vous avez presque doublé l'espace aux électroménagers. Voilà votre image !

Pas d'accent sur les meubles ! Demandez aux créatifs de trouver une idée qui fera comprendre aux consommateurs que vos meubles, c'est bien, mais avec plus d'électroménagers, c'est mieux !

Enfin, ordonnez aux créatifs d'utiliser tout l'univers radio à leur disposition en leur laissant le soin de décider s'ils doivent recourir à la musique, aux effets sonores, au dialogue, à l'humour ou au drame. Car à la radio, tout ce qu'on utilise autour d'une voix doit jouer un rôle. Autant la musique que les effets sonores[10].

---

10. TANGUAY, Alain. « Le briefing, le briefing... et enfin le briefing », *Infopresse*, mai 2005, p. 44.

9.5 LA COMMUNICATION DE MASSE SUR INTERNET

Une entreprise qui réalise son propre site Web ou qui annonce ses produits sur un moteur de recherche sont des exemples de communication de masse utilisant Internet comme média. Tout comme pour la publicité dans les médias traditionnels, la publicité de masse sur Internet repose sur des principes bien établis, qui sont identiques à ceux des autres médias, à quelques différences près. La publicité sur Internet doit faire partie du plan de communication. Sur Internet, l'annonceur peut proposer des moyens de communication différents ; il est bon que la promotion soit adaptée au site.

9.5.1 Les avantages d'Internet comme média de communication de masse

Il est important de spécifier dès le départ que le commerce inter-entreprises (appelé B2B pour *business to business*) est florissant sur Internet. Une entreprise peut effectuer sa commande en se rendant sur le site de son fournisseur. Pour ce qui est du commerce fait avec les consommateurs, un des avantages important d'Internet est qu'il est possible de mesurer l'efficacité d'une annonce en déterminant le nombre de visiteurs qui ont accédé à la page (ce qu'on désigne en langage publicitaire par « impression »), alors que dans le cas d'un journal, l'annonceur ne peut s'assurer du nombre de personnes qui ont lu son annonce, même s'il connaît le nombre de lecteurs du journal, par exemple un ou deux millions. De plus, le site permet d'offrir un service à la clientèle précis et approprié. En effet, grâce aux commentaires des visiteurs et à leur adresse IP, l'annonceur amasse une foule d'informations tels le nombre de pages vues, le nombre de visiteurs uniques et l'origine géographique de ces visiteurs.

La publicité sur Internet doit elle aussi s'adresser précisément au groupe cible ; par exemple, elle doit tenir compte de l'âge des visiteurs d'un site. Internet permet aussi de cibler selon le domaine d'intérêt. L'internaute qui a l'habitude de fréquenter un site spécialisé est habituellement disposé à consulter la publicité d'un produit en rapport avec son champ d'intérêt.

Les annonceurs sur le Web peuvent choisir entre différentes tailles et différents formats d'annonces (qui sont présentés au chapitre 10), le bandeau étant le plus populaire. De forme prédéfinie, le bandeau peut être placé sur différents sites et offrir de la publicité ou une promotion. Un annonceur peut aussi commanditer une page d'un site. Par exemple, un fabricant de voitures peut commanditer la section automobile du site d'un quotidien. La fenêtre publicitaire (*pop-up*) qui s'ouvre lorsque l'internaute accède à un site est un autre exemple de format d'annonce sur Internet.

9.5.2 Le site Web d'entreprise

Plusieurs sites Web[11] ont comme objectif de communication de contribuer à construire une image de marque. Par exemple, le site de Molson Dry, qui comprend des jeux interactifs, permet de présenter l'image de sa bière comme

---

11. BELCH, George E., *et al. Communication marketing, une perspective intégrée*, Montréal, Chenelière/ McGraw-Hill, 2005, p. 510.

celle d'une bière pour jeunes. Un site permet aussi de diffuser autant d'information que les annonces dans un journal ou un magazine, et beaucoup plus que ce qui est possible à la télévision. C'est d'ailleurs une source d'information importante pour le consommateur, qui se présente dorénavant en magasin avec des questions bien précises. Les employés des magasins doivent avoir une parfaite connaissance de leurs produits, car les consommateurs détiennent déjà une foule d'informations à leur sujet.

Internet permet aussi d'améliorer le service à la clientèle. Un site fournit de l'information sur les produits et permet de recueillir les commentaires des consommateurs. De plus, l'utilisation d'un site Web permet à une petite entreprise de se faire connaître, surtout sur la toile mondiale. Il y a quelques années, la compagnie Bouchons Mac, de Waterloo en Estrie, a ainsi été contactée par une firme italienne qui désirait faire affaire avec elle et qui n'a pris connaissance de l'existence de Bouchons Mac que par son site Web.

Le travail de création d'un site est effectué tant par des spécialistes de l'image que par des spécialistes des langages de programmation Web. Un site souffre rapidement d'essoufflement. S'il n'est pas modifié régulièrement, un site populaire perd rapidement l'intérêt des internautes, qui sont toujours à la recherche de nouveauté. Tout site doit donc être mis à jour régulièrement.

Quant à la composition graphique du site, les règles de mise en pages énoncées au chapitre 7 s'appliquent, notamment en ce qui a trait aux couleurs, aux illustrations et à la disposition dans l'espace. Un spécialiste du marketing doit être impliqué dans la conception des annonces, tout comme pour celles dans les autres médias.

Les sites qui offrent une animation grandiose dès qu'on y accède peuvent intéresser le visiteur à sa première visite, mais celui-ci devient vite lassé dès sa deuxième visite, et le site risque d'être boudé par tous ceux qui n'aiment pas attendre la fin d'un long téléchargement. Le site doit répondre aux besoins des consommateurs. L'annonceur doit construire un site qui répond à un objectif de communication spécifique. De plus, s'il est présent dans d'autres médias, l'annonceur doit offrir la même thématique sur son site, de façon que le visiteur la reconnaisse.

Pour obtenir du succès, un site doit offrir des thématiques qui répondent aux besoins que les internautes cherchent à satisfaire. La présentation des produits sur le site doit se faire de façon plus subtile que celle du catalogue en format papier, dont elle ne doit pas être la simple reproduction en ligne. Le site <www.monmannequinvirtuel.com> et la section « Le décorateur virtuel » du site <www.rona.ca>, qui permet de choisir des couleurs, sont de bons exemples de ce type de présentation. En effet, la façon dont les produits y sont présentés a été déterminée à partir des informations obtenues auprès des visiteurs. L'internaute préfère les sites où il peut interagir et créer un contact. Même s'il n'est pas transactionnel, un site doit être personnalisé et permettre une interaction avec le consommateur, comme celui de Rona dont l'adresse URL a été donnée précédemment. Plusieurs promotions sont offertes sur les sites Web d'entreprises, entre autres des coupons rabais électroniques et des concours.

De plus, certains produits se vendent plus facilement sur le Web que d'autres, comme la musique, les logiciels, les services financiers et les billets d'avion. Le consommateur préfère souvent l'expérience d'achat en magasin pour les autres types de produits et services. Par exemple, les sites des chaînes de magasins d'alimentation cherchent moins à inciter leur clientèle à faire ses emplettes en ligne qu'à la fidéliser en lui offrant des recettes et des nouveautés. Le site d'IGA fait exception à cette règle : il permet de commander différents produits d'épicerie (voir le site <www.magasin.iga.net>).

RÉSUMÉ

Ce chapitre présente les particularités de la création des annonces diffusées sur les ondes. Certains annonceurs présents à l'échelle mondiale préfèrent diffuser un seul message qu'ils font traduire et diffuser partout dans le monde. La traduction est une méthode qui présente l'avantage de coûter moins cher que les autres méthodes. D'autres annonceurs préfèrent, pour des motifs culturels, créer un message différent pour chacune des régions. Cette méthode, appelée création, exige que le message soit conçu de façon que l'image, le son, les bruits, la musique et les paroles forment un tout dans une relation d'harmonie.

Il est possible d'opter pour l'un des différents styles de messages diffusés. Chacun des styles (que ce soit la tranche de vie, l'émotion dramatique, l'humour, l'utilisation d'un porte-parole, d'une vedette ou le pastiche) présente des avantages et des inconvénients particuliers, dont il a été question dans la section « Les styles de messages ».

Les messages radiodiffusés comportent plusieurs particularités. Il est intéressant de noter que, même dans le cas d'un message radio, l'annonceur doit susciter une image dans l'esprit des consommateurs. Le consommateur se fait toujours une image à partir de ce qu'il entend et c'est l'annonceur qui décide quelle image il veut susciter chez le consommateur. La musique, les bruits et les paroles sont d'une très grande importance dans les messages radiodiffusés.

Internet fait partie des médias qu'un annonceur utilise. La conception d'un site doit donc concorder avec les objectifs de communication de l'annonceur et les mêmes thèmes abordés dans les autres médias doivent s'y retrouver. Beaucoup de promotions y sont d'ailleurs offertes et une des forces de ce média est de permettre à l'annonceur d'obtenir des informations précises sur les visiteurs de son site. Tout site doit comporter des zones d'interactivité avec les visiteurs et être régulièrement mis à jour, car l'internaute cherche constamment la nouveauté.

QUESTIONS DE DISCUSSION

1. Commentez l'utilisation de l'humour en publicité.

2. Qu'est-ce qu'un script ? Qu'est-ce qu'on y retrouve ? Qu'est-ce qu'un scénario maquette ? Qu'est-ce qu'on y retrouve ?

3. Comparez l'efficacité de l'utilisation, pour une publicité, d'une musique spécialement composée (ritournelle ou *jingle*) et d'une musique dont on a acheté les droits, en commentant les particularités de chacune.

4. Pour un annonceur, quels sont les avantages de la traduction ? Quels sont ceux de l'adaptation ? Et ceux de la création ?

5. Expliquez la différence entre la publicité locale et la publicité nationale.

6. Commentez l'utilisation d'une personnalité connue comme porte-parole d'une marque.

7. Quels sont les objectifs de la publicité sur Internet ?

EXERCICES

1. Visitez deux sites Web différents, qui offrent chacun des produits aux consommateurs (il n'est pas nécessaire que ces sites offrent la vente en ligne). Analysez leurs caractéristiques en vous basant sur les critères d'évaluation présentés à la figure 9.3. Présentez en classe les sites visités ainsi que les analyses que vous avez effectuées.

2. Enregistrez une publicité télévisée de votre choix de façon à pouvoir la visionner autant de fois que nécessaire. Essayer d'évaluer le nombre de plans. Nommez au moins trois différents types de plans qui y sont utilisés.

Figure 9.3 Un exemple de grille d'analyse de site Web[12]

Indicateur de la qualité de l'expérience

Contenu et objectifs du site

Développer un site qui répond aux besoins de l'organisation.

Développer une stratégie Web pour atteindre les objectifs de l'organisation.

Développer un site qui répond aux besoins de l'audience.

Implantation d'outils permettant l'atteinte des objectifs.

Contenu dépasse les attentes de l'organisation et de l'audience.

QUALITÉ

Dynamisme et interactivité

Animation GIF.

Sites multilingues. Boutons animés.

Formulaires dynamiques. Informations de contact.

Intelligence artificielle. Animations Flash.

Soutien technique interactif. Forums. Liens de messagerie.

Vidéo en direct.

Créer une expérience Web.

WOW

Développer un format innovateur tout en étant ergonomique.

L'usager est la pièce centrale du développement de site.

QUALITÉ

Incorporation de l'usager tout au long du processus de développement.

Planifier le développement du site sur papier.

Souci des recommandations techniques et ergonomiques du W3C.

Développer une interface pour faciliter l'interaction avec l'usager.

Structure du site cohérente et balancée.

Tests utilisateurs pour vérifier l'atteinte des besoins.

Se demander qui visitera le site Internet.

Design et ergonomie

Souci des bases élémentaires en composition graphique.

Penser aux besoins de l'audience du site Web.

Focus sur l'audience

---

12. Les auteurs remercient Dominic Girard pour la réalisation de cette grille : pour plus d'informations voir au <www.dominicgirard.com>.

3. Vous devez rédiger un script pour une publicité de 30 secondes à partir de la mise en situation ci-dessous.

Cet exercice peut servir à des fins d'évaluation formative ; dans le cas d'une évaluation sommative, le professeur pourra utiliser la grille d'évaluation des publicités présentée au tableau 6.1.

L'industrie du tabac[13]

PRODUIT : Le client (fictif) est un organisme non gouvernemental qui fait campagne pour la « santé sans tabac ».

OBJECTIF : convaincre le groupe cible que les entreprises du tabac manipulent les fumeurs.

AXE : dénoncer le comportement trompeur de l'industrie du tabac .

CIBLE : adolescents et jeunes adultes.

POSITIONNEMENT : on s'adresse à un public capable de discernement. À éviter : le langage moralisateur.

MÉDIA : publicité télévisée (30 secondes) ou bannière Web (GIF animé ou Flash : 468 x 60 pixels).

MISE EN SITUATION

Les produits du tabac ont été mis en marché à une époque où le public ignorait les dangers de leur usage sur la santé. Bien que ces dangers soient aujourd'hui mieux connus grâce aux efforts des professionnels de la santé publique, des coalitions anti-tabac et des gouvernements, il est difficile de retirer du marché les produits du tabac, puisqu'une grande partie de la population en est dépendante.

Comment une entreprise peut-elle maintenir le niveau de vente d'un produit de consommation qui tue un client fidèle sur deux[14] ? Grâce à un marketing efficace et à un puissant lobbying, l'industrie du tabac réussit, depuis des années, à convaincre le public et les élus au pouvoir qu'elle agit « normalement » en vendant un produit légal.

Voici quelques faits illustrant la « vraie nature » de cette industrie :

- Parmi les 4 000 produits chimiques qui entrent dans la composition de la cigarette, plus de 50 sont cancérigènes.

- La nicotine crée une dépendance au même titre que la cocaïne et l'héroïne.

- En 1989, des millions de caisses de raisins importés du Chili ont été refusées à la douane américaine parce qu'on avait trouvé une infime quantité de cyanure dans seulement deux grappes. Or, une seule cigarette en contient 33 fois plus !

- La consommation du tabac tend à diminuer dans les pays occidentaux[15], à la suite des mesures anti-tabac plus strictes des gouvernements, et augmente dans les pays en voie de développement.

- En 1998, un accord historique, le *Master Settlement Agreement (MSA)*, intervenu aux États-Unis entre l'industrie du tabac et 46 États, a obligé les fabricants de tabac à donner accès à des millions de documents internes leur appartenant, qui portent notamment sur les stratégies entourant :
  – la manipulation chimique et génétique du tabac, comme l'ajout d'ammoniaque, qui facilite l'absorption de la nicotine dans le sang (principal facteur de dépendance) ;
  – la manipulation des jeunes, parfois dès l'âge de 11 ans, à partir de nombreuses recherches sur leur profil psychologique et au moyen d'un marketing agressif associant cigarette et style de vie (liberté – risque – interdit).

---

13. Cet exercice est basé sur une étude faite par Josée Lapierre, Communications Intelli-gens. De 1999 à 2003, l'auteure a travaillé en collaboration avec la Direction de la santé publique de Montréal-Centre et les cégeps Dawson et du Vieux Montréal sur un projet d'intervention par et pour les jeunes, intitulé « Santé sans tabac ».

14. Des études effectuées par Doll et Peto sur une cohorte ont démontré qu'un fumeur de 20 ans sur deux qui continue de fumer au cours de sa vie finit par mourir des suites de maladies causées par le tabac.

15. Pour des données complètes, voir le « Tobacco Atlas » sur le site de l'OMS, à l'adresse <www.who.int/tobacco/statistics/tobacco_atlas/en/>.

Des documents internes de l'industrie canadienne ont montré qu'elle s'intéresse aux jeunes pour remplacer les fumeurs morts ou qui cessent de fumer. Un fumeur change rarement de marque de cigarette après en avoir essayé une quelque temps. Des études scientifiques confirment que 90 % des fumeurs ont commencé bien avant l'âge de 18 ans[16].

« Pour un débutant, fumer une cigarette est un acte symbolique. Je ne suis plus l'enfant de ma mère ; je suis fort ; je suis un aventurier ; je ne suis pas "bien rangé"… Pendant que le symbolisme psychologique disparaît, l'effet pharmacologique s'installe et maintient la dépendance.[17] »

Chaque année dans le monde, pendant que l'industrie engendre de nouveaux adeptes de la cigarette, plus de 5 millions de personnes meurent des suites de maladies liées au tabagisme, dont 45 000 au Canada et 13 000 au Québec. Gérard Dubois, professeur en santé publique et expert auprès de l'OMS, qualifie le tabagisme de pandémie sans équivalent depuis la Seconde Guerre mondiale. Elle a causé 100 millions de décès au XXe siècle, et devrait en causer 100 milliards au cours du XXIe si on ne fait rien pour l'arrêter[18]. Dans son document « La responsabilité de l'industrie du tabac dans la pandémie tabagique », le professeur Dubois offre une synthèse des stratégies de l'industrie du tabac. On peut lire cet article à l'adresse <www.prevention.ch/dubois.htm>.

Au Canada, un plan d'interventions pour le contrôle du tabac[19] a été mis en place en 1999 sur la base de la « Loi réglementant les produits du tabac » votée en 1988, laquelle interdisait complètement la publicité sur le tabac. Contestée par les fabricants devant les tribunaux, cette loi fut remplacée par la loi C-71, en 1997, qui interdit de faire la promotion des produits du tabac par la publicité dite de « style de vie » et oblige l'industrie du tabac à fournir des rapports détaillés sur les ingrédients qu'elle emploie, ses activités de marketing et ses recherches scientifiques sur ses produits.

La dénormalisation sociale • Une réglementation plus restrictive à l'égard des pratiques des fumeurs ainsi qu'une plus grande diffusion des informations sur les conséquences négatives du tabagisme ont contribué à modifier la perception collective : « fumer, c'est normal » s'est transformé en « ce n'est pas normal ni correct de fumer, même si c'est légal ». Ces mesures, combinées aux programmes d'aide mis en place pour les fumeurs qui veulent cesser, a donné des résultats[20]. Cependant, les stratégies de dénormalisation sociale comportent des effets paradoxaux, car ils tendent à rejeter toute la responsabilité de l'habitude de fumer sur l'individu (*victim blaming*), renforçant ainsi l'idée qu'entretiennent les relationnistes de l'industrie selon laquelle fumer est une question de choix. Le fait qu'un fumeur croit que c'est de sa faute s'il ne réussit pas à arrêter l'amène à être moins enclin à demander de l'aide, alors qu'il est déjà si difficile de cesser de fumer. De plus, la dualité entre les fumeurs et les non-fumeurs vient compliquer le problème.

La dénormalisation de l'industrie du tabac • Plusieurs experts recommandent la « dénormalisation de l'industrie du tabac[21] », une stratégie qui consiste à lancer un message clair aux fumeurs et aux non-fumeurs sur la responsabilité de cette industrie face au problème.

---

16. Les compagnies ont produit des études comme « Youth Target Study '87 », visant le recrutement de nouveaux fumeurs, et « Project 16 », qui étudiait les attitudes et désirs d'enfants de 11 ans. L'extrait de Philip Morris est paru dans un document compilé par la Coalition québécoise pour le contrôle du tabac (CQCT) sur l'industrie du tabac et les jeunes.

17. Philip Morris, vice-président à la Recherche et au développement, *Pourquoi les gens fument, Version préliminaire*, 1969.

18. Selon une étude parue en juin 2003 et effectuée par Richard Peto, spécialiste de l'épidémiologie des maladies liées au tabac, à l'université d'Oxford.

19. Voir la section « Dénormalisation » sur le site du Centre national de documentation sur le tabac et la santé, à l'adresse <www.ncth.ca>.

20. Selon l'Enquête sur la santé des communautés canadiennes (ESCC), la prévalence des fumeurs de 12 ans et plus est passée de 29,5 % en 2000-2001 à 25,9 % en 2003, et chez les jeunes âgés de 15 à 19 ans, elle est passée de 33,6 % à 29,8 % pendant les mêmes années.

21. Pour en savoir plus sur cette approche, voir l'excellent mémoire de G. Mahood, disponible (en anglais) à l'adresse <www.nsra_adnf.ca>.

« En expliquant aux fumeurs que l'industrie du tabac a été impliquée dans leur dépendance dès l'adolescence, la dénormalisation aide à diminuer leur culpabilité et leur colère […], la dirigeant vers l'industrie [du tabac] et tente d'utiliser l'estime de soi accrue du fumeur comme tremplin vers le renoncement. »

Garfield Mahood, directeur de l'Association pour les droits des non-fumeurs (ADNF), *Tobacco Industry Denormalization*, 2002 (traduction).

Aux États-Unis, l'American Legacy Foundation a bénéficié d'un budget sans précédent suite à l'accord de 1998 (MSA) pour développer des programmes de contrôle du tabac. L'État de la Floride a innové en organisant et en diffusant les campagnes publicitaires « The Truth »[22], créées par et pour les jeunes. Elles ont permis de faire échec à l'image de force et de défiance envers l'autorité qu'utilise l'industrie du tabac pour séduire les jeunes, notamment en présentant cette industrie comme un ennemi commun et en dévoilant ses pratiques trompeuses et manipulatrices ayant pour cible les jeunes. L'impact fut tel qu'un fabricant (Lorillard Tobacco Co.) a intenté des poursuites pour faire cesser une de ces campagnes audacieuses. Au Québec, la campagne De Facto[23], commanditée par l'Association régionale du sport étudiant du Québec de Chaudière-Appalaches (ARSEQCA) et Santé Canada, est de loin la plus percutante dans le genre. Elle aussi a fait l'objet de mises en demeure, ce qui indique que l'industrie craint son efficacité.

On trouve de nombreuses références utiles à l'adresse <www.info-tabac.ca>.

22. Pour en savoir plus, consulter l'adresse <www.thetruth.com>. Des vidéos de publicités réalisées par l'État de la Floride (et autres) sont disponibles à la Coalition québécoise pour le contrôle du tabac. Pour les coordonnées, voir à l'adresse <www.cqct.qc.ca>.

23. Voir à l'adresse <www.defacto.ca>.

Annexe 9.1 Définition de certains termes utilisés dans le domaine de l'audio-visuel.

DOCUMENTS[24]

Synopsis : résumé très succinct d'une émission ou d'un film, développé en quelques lignes ou en quelques pages.

Script : texte adapté pour la radio ou la télévision, mais dont on n'a pas fait le découpage (voir encadré 9.1).

Scénario : résumé de l'action, présentant par écrit, en détail, la partie visuelle (succession des images) et la partie sonore (texte, dialogue, musique, bruits, etc.) en précisant les intentions du réalisateur.

Découpage : document détaillant les scènes successives d'un film avec leur dialogue et l'indication de leurs durées et des effets spéciaux éventuels (voir encadré 9.2).

***Story-board*, ou scénarimage, ou scénario maquette :** série de dessins comparable à une bande dessinée, réalisée avant le tournage d'une séquence cinématographique et définissant le cadrage et le contenu des images de chaque plan (voir figure 9.2).

PRODUCTION

Préproduction : phase préparatoire au tournage ou à l'enregistrement d'une annonce publicitaire, qui comprend l'ensemble des opérations concourant à la réalisation avant que l'image soit « tournée » (distribution artistique, repérage des lieux de tournages, choix des décors…).

Postproduction : ensemble des opérations concourant à la réalisation d'une publicité une fois l'image emmagasinée (montage, mixage, synchronisation).

Casting : recherche et choix des acteurs ou des mannequins d'un film ou d'une annonce publicitaire.

PLANS (voir figure 9.4)

Plan d'ensemble (PE) : cadrage qui englobe la totalité du décor ; il permet de situer l'époque et le lieu où se situe l'action.

Plan général (PG) : cadrage qui met en évidence une partie du décor seulement.

24. D'après le Grand dictionnaire terminologique de l'Office de la langue française, <www.granddictionnaire.com>.

Plan moyen (PM) ou plan pied : les personnages sont montrés de la tête aux pieds.

Plan américain (PA) : le personnage est montré de la tête à la mi-cuisse.

Plan rapproché (PR) : le personnage est cadré jusqu'à la poitrine ou jusqu'à la taille.

Gros plan (GP) : tout l'écran est occupé par le visage ; on l'utilise souvent pour souligner les émotions du personnage.

Très gros plan (TGP) : un détail du corps occupe l'écran à lui tout seul, ce qui attire l'attention sur ce point particulier ; ce peut être un ongle rongé par nervosité, une larme au coin de l'œil.

Insert : très gros plan d'un objet ; on y recourt pour faire un raccord entre deux plans différents, ou pour passer un message particulier, comme une horloge qui marque midi alors que lors d'un plan précédent elle marquait 8 heures.

ANGLES

Angle normal : la caméra est au niveau du décor et des personnages ; sa seule fonction est descriptive.

Plongée : la caméra filme en surplombant le décor et les personnages ; cela donne une impression d'écrasement, d'abattement ou un sentiment d'impuissance, selon le contexte.

Contre-plongée : la caméra est en dessous du décor et des personnages filmés ; cela donne une impression de grandeur, de magnificence, de pouvoir ou d'orgueil, selon le contexte.

MOUVEMENTS

Panoramique (PANO) : prise de vue durant laquelle la caméra pivote sur un axe à la manière d'un spectateur qui remuerait la tête de haut en bas et de gauche à droite.

Travelling (TRAV) : mouvement de la caméra qui se rapproche (travelling avant) ou qui s'éloigne (travelling arrière) de l'objet ou du personnage, qui se déplace latéralement (travelling latéral) ou verticalement (travelling vertical) ou encore en suivant une courbe (travelling circulaire).

Zoom : procédé par lequel un objet ou un personnage semble se rapprocher du public (zoom in) ou s'en éloigner (zoom out).

Figure 9.4 Les plans en fonction de l'échelle humaine

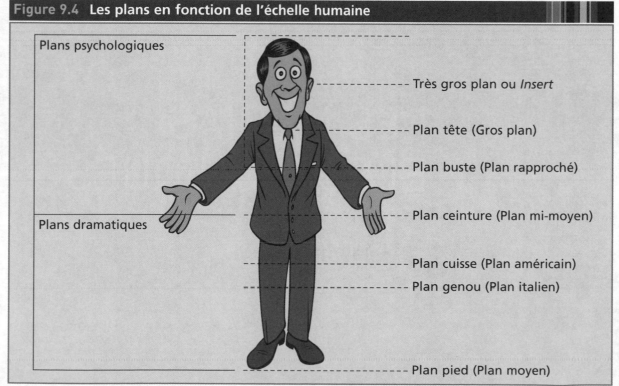

Plans psychologiques

Plans dramatiques

- - - - - - Très gros plan ou *Insert*
- - - - - - Plan tête (Gros plan)
- - - - - - Plan buste (Plan rapproché)
- - - - - - Plan ceinture (Plan mi-moyen)
- - - - - - Plan cuisse (Plan américain)
- - - - - - Plan genou (Plan italien)
- - - - - - Plan pied (Plan moyen)

Source : CHAPLEAU, Pierre R. *Le Cinéma, un monde pour tous,* Société d'édition et de presse Messier & Perron Inc., ISBN 2-89167-00403, page 35.

10

LES MÉDIAS
ÉLECTRONIQUES

Même si elle demeure un moyen puissant pour rejoindre les consommateurs, la télévision semble menacée. Selon les chiffres de Statistique Canada, les adolescents du Québec, notamment, écoutent deux heures de moins de télé par semaine qu'il y a trois ans et trois heures de moins qu'il y a 10 ans.

« C'est significatif, une tendance lourde », indique Lotfi Chahdi, gestionnaire des projets radio/télé chez Statistique Canada.

La compétition

Les jeunes se tournent de plus en plus vers un autre écran : celui de l'ordinateur, qui les mène vers Internet ou des jeux vidéos, avance David Béland, directeur chez Carat Strategem, qui précise que les jeunes passent en moyenne 6 heures et 15 minutes par semaine dans Internet.

Devant cette nouvelle réalité, comment réagissent les annonceurs ? « Il ne faut pas délaisser la télévision comme véhicule mais il faut être stratégique et cibler davantage », recommande Jean Quintin, vice-président conseil et développement chez Publicis.

« La télé demeure essentielle pour un annonceur qui veut instaurer une nouvelle marque », ajoute Francine Marcotte, vice-présidente chez Cossette Média. Elle conteste, par ailleurs, les chiffres de Statistique Canada, qui sont ceux de la maison de sondage BBM, et cite des chiffres du concurrent Nielsen selon lesquels l'écoute de 2001 est stable par rapport à celle de 1997 et même en progression par rapport à 2000.

La télé en vrac

Un élément important — et sur lequel tous les sondeurs s'entendent — est que les jeunes écoutent davantage la télévision spécialisée que la moyenne de la population. Selon Marc Hamelin, directeur des comptes média chez Carat Strategem, 28,5 % de leur écoute télé est consacrée aux chaînes spécialisées.

C'est beaucoup. Et c'est pourquoi, de plus en plus, les annonceurs se tournent vers ces chaînes pour atteindre les adolescents. M. Hamelin note le cas de la marque de yogourt Petit Danone de Danone qui commandite une tournée de soccer organisée par la chaîne Télétoon.

Un autre exemple de campagne qui s'annonce percutante ? La participation des biscuits Whippet de Culinar à MixMania, une émission de la chaîne Vrak-TV qui a connu un succès phénoménal. Cette émission, en fait un « reality-show », consistait à choisir un groupe de filles et un groupe de garçons et à leur apprendre à chanter et à donner des spectacles. Les deux groupes (appelés « Défense urbaine » pour les gars et « Aucun regret » pour les filles) ont enregistré un CD et entreprennent une tournée panquébécoise qui les mènera notamment au Centre Bell à Montréal. De son côté, Whippet voulait rajeunir sa cible de consommateurs. L'association a donc été conclue entre les deux protagonistes et la campagne débutera en février, précise Martin Merlinot, directeur général de Publicis. Whippet sera le présentateur de la tournée, en échange de quoi elle organise un concours pour octroyer 250 billets d'un spectacle à guichets fermés et un grand concours qui permet aux gagnants de passer une journée VIP avec les vedettes de MixMania. Les concours seront annoncés sur les boîtes de biscuits, sur le site de Whippet et sur celui de Vrak-TV.

INTRODUCTION

La télévision accapare 38 % des dépenses des annonceurs, et la radio, 2 % ; ces deux médias représentent donc presque la moitié des dépenses publicitaires des annonceurs. Les médias électroniques sont des médias de prestige. Lorsque l'on demande de citer une publicité qu'ils ont vue ou aimée, la grande majorité des répondants citent une publicité vue à la télévision. L'avènement d'Internet a quelque peu modifié la donne, comme le mentionne l'article qui ouvre ce chapitre, mais la multiplication des chaînes spécialisées a amené les annonceurs qui veulent joindre une cible spécifique à privilégier la télévision pour véhiculer leur message. Quant à la radio, elle demeure le média complémentaire incontournable pour consolider une campagne de communication. Enfin, le placement produit, c'est-à-dire la présentation d'un produit durant une émission de télévision ou un film, est un choix de média de plus en plus populaire.

Nous avons déjà vu que le choix des médias s'effectue selon plusieurs critères, parmi lesquels le budget, le segment visé et la nature du message lui-même. Dans le domaine des médias électroniques, d'autres critères doivent être pris en considération : le temps requis pour la production du message, la disponibilité et l'encombrement.

Nous présentons dans ce chapitre chacun des médias électroniques : la télévision, la radio et Internet. Pour chacun d'eux, nous proposons un bref rappel historique, suivi par un exposé de leurs avantages et inconvénients respectifs pour un annonceur, et enfin par des perspectives d'avenir.

10.1 LA TÉLÉVISION

10.1.1 Un bref historique de la télévision

La BBC a expérimenté ses premières émissions de télévision en Angleterre en 1929. Deux ans plus tard en 1931, 1 000 foyers anglais possédaient un poste de télévision. La télévision a débuté en 1936 aux États-Unis ; son expansion a ralenti durant la Seconde Guerre mondiale, les Américains craignant que les

---

1. DANSEREAU, Suzanne. « La télévision perd des plumes auprès des adolescents », <www.LesAffaires.com>, site visité le 30 septembre 2005.

antennes servent de repère aux Allemands. En 1951, 1 500 000 foyers américains étaient équipés d'un poste de télévision. Le 6 septembre 1952 avait lieu la première soirée de diffusion de Radio-Canada par CBFT à Montréal, et le 8 septembre par CBLT à Toronto.

À la fin des années 1960, une grande nouveauté est apparue, la télévision par câble. Le câble a permis un plus grand choix et son utilisation a fait augmenter la durée des heures d'écoute. L'arrivée du magnétoscope a permis ensuite aux téléspectateurs d'enregistrer des émissions et de couper la publicité lors de leur visionnement. C'est pour éviter que des copies pirates des émissions soient faites que les diffuseurs font apparaître leur logo en bas à droite de l'écran.

Le dernier sondage de Sondages BBM[2] rapporte qu'à Chicoutimi (ville que nous citons pour son caractère représentatif), le câble est présent dans 69 % des foyers, le magnétoscope dans 77 %, les antennes paraboliques dans 24 % et le lecteur DVD dans 36 %.

Les réseaux privés CTV et TVA sont entrés en ondes en 1961. En 1966, on a diffusé pour la première fois une émission en couleurs à Radio-Canada. En 1975, aux États-Unis, le câble et le satellite se sont alliés pour donner naissance à la première chaîne de télévision thématique et à péage, HBO. La même année, Radio-Québec, devenue Télé-Québec depuis, est entrée en ondes. En 1980, Ted Turner a lancé CNN, la première chaîne d'information continue. Ni le câble, ni Internet, ni les fours à micro-ondes n'ont égalé la fulgurante progression de la télévision. En 1998, 99 % des Canadiens possédaient au moins un appareil de télévision, et la plupart en avaient deux. L'arrivée du câble a permis un plus grand choix de chaînes et a introduit l'usage de la télécommande.

Les premières télécommandes comportaient un fil reliant la télécommande et le poste de télévision. Par la suite, c'est en pointant un signal lumineux vers un des coins du poste qu'on changeait de chaîne ou augmentait le volume, système qui n'était pas très au point et peu pratique, car lorsque quelqu'un allumait une lampe ou un plafonnier dans la pièce, la télévision changeait de chaîne automatiquement ! Par la suite, on a expérimenté les télécommandes à ultrasons, mais ceux-ci ont le désavantage de ne pas pouvoir passer à travers les objets. De nos jours, les télécommandes utilisent une lumière infrarouge dont le rayon d'action est long et qui peut traverser les obstacles physiques.

Actuellement, la télévision traditionnelle est fortement déstabilisée. Année après année, les auditoires sont à la baisse et la durée de vie des nouvelles émissions raccourcit.

10.1.2 Le Conseil de la radiodiffusion et des télécommunications canadiennes (CRTC)

Le CRTC (Conseil de la radiodiffusion et des télécommunications canadiennes) a été créé en 1968. Il accorde aux diffuseurs une licence d'exploitation pour les stations de télévision et de radio, et ce, pour une durée de sept ans. Après ce temps, la station doit faire renouveler sa licence. Le CRTC réglemente également :

---

2. À l'adresse <www.bbm.ca>, site visité le 20 mai 2005.

- la publicité destinée aux moins de 13 ans ;
- le contenu canadien ;
- le temps alloué à la publicité, qui est limité à 12 minutes par heure à la télévision.

Le CRTC est particulièrement vigilant en ce qui concerne le contenu canadien de l'ensemble des émissions de télévision d'une station, qui doit être de 60 % de 18 heures à minuit pour une société publique comme Radio-Canada et Télé-Québec, et de 50 % pour une société privée comme le réseau TQS. Les stations francophones ne souffrent pas de cette restriction, car les Québécois préfèrent les émissions produites ici, tandis que les stations canadiennes-anglaises sont en concurrence directe avec les chaînes américaines et vivent difficilement cette situation. Cette réglementation a donc ses détracteurs, dont les arguments se basent sur une comparaison entre la télévision et les autres médias. Un individu qui achète trois magazines dans un kiosque ne se fait pas réprimander s'il a choisi trop de contenu étranger ; de même, une personne qui loue le dernier thriller américain, un film français et un film québécois ne se fait pas dire, à son club vidéo, que le nombre de films étrangers est trop élevé ! C'est pourtant l'encadrement qu'on impose à la télévision.

Le CRTC oblige les câblodistributeurs à offrir à ses abonnés des options de canaux dans lesquelles le nombre de canaux canadiens doit être égal ou supérieur au nombre de canaux étrangers. Les consommateurs sont donc obligés de payer pour accéder à des canaux canadiens même s'ils risquent de ne jamais regarder certains d'entre eux. On peut se demander pourquoi le CRTC contrôle la télévision de cette manière, mais pas les livres ni le cinéma. C'est parce que les ondes sont publiques, répondent les défenseurs de cet organisme, et parce que sa mission consiste aussi à protéger l'identité culturelle canadienne, menacée par le raz-de-marée américain.

D'autre part, des crédits d'impôt sont accordés afin de soutenir la production d'émissions. De plus, les sociétés publiques comme la SRC et Télé-Québec sont subventionnées en partie par les fonds publics, ce qui permet la création d'émissions de qualité au Québec.

10.1.3 L'écoute

En 2003, les Québécois ont regardé la télévision en moyenne 24 heures par semaine. Ce chiffre baisse à 22,7 heures chez les hommes de 18 ans et plus mais augmente à 42,8 heures pour les femmes de 60 ans et plus[3]. Cette moyenne hebdomadaire équivaut donc à plus de 6 heures d'écoute par jour.

10.1.4 Le temps publicitaire

Tel que nous l'avons mentionné précédemment, le temps publicitaire est limité par le CRTC à 12 minutes par heure, ce qui représente 24 insertions publicitaires de 30 secondes, de loin le format le plus répandu au Canada. Ce maximum de 12 minutes ne s'applique pas aux autopromotions des chaînes et ne restreint pas le droit accordé par le CRTC de diffuser durant 30 secondes un

---

3. Source : Statistique Canada, à l'adresse <www.statcan.ca>, site visité le 20 mai 2005.

message d'intérêt public non rémunéré. Le terme autopromotion désigne la pratique courante des chaînes de télévision d'annoncer leurs prochaines émissions. Aux États-Unis, où il n'existe pas de réglementation similaire, la moyenne de la durée des messages publicitaires était de 16 minutes et 43 secondes par heure en 2000, une augmentation de 59 secondes par rapport à l'année précédente.

Le format publicitaire le plus répandu est le message de 30 secondes. Mais depuis quelques années, on voit de plus en plus de messages de 15 secondes sur nos écrans. La plupart des campagnes basées sur des messages publicitaires de 15 secondes prévoient une double diffusion, ce qui équivaut à 30 secondes et s'insère donc bien dans la pause publicitaire, qui compte habituellement quatre messages de 30 secondes et des autopromotions. Par contre, un diffuseur exige un supplément si l'annonceur veut que les deux messages de 15 secondes soient placés au début et à la fin de la pause. L'avantage de cette stratégie est que, lorsque la pause débute, le téléspectateur cherche la télécommande et a le temps de voir une partie du premier message ; après avoir fait la tournée des stations, il revient à l'émission qu'il suivait et il est alors possible qu'il visionne l'autre message de 15 secondes en fin de pause.

De plus, la production d'un message de 15 secondes est moins dispendieuse que celle d'un message de 30 secondes. Les coûts sont en constante augmentation et, bien sûr, plus l'annonce est longue, plus il en coûte cher pour produire le message. Cependant, le format de 15 secondes est trop court pour faire passer un message consistant.

Au Québec, les formats inusités de messages télévisés ne datent pas d'hier. Dans les années 1980, Provigo a fait insérer quatre messages à l'intérieur d'une même pause publicitaire, deux messages de 8 secondes et deux messages de 7 secondes, ce qui donne un total de 30 secondes. Certains annonceurs ont déjà opté, à l'occasion, pour des messages de 20 secondes, entre autres le journal *La Presse*, qui a toujours acheté ces annonces en trio. En 1994, Métro et son agence BCP (appelée Publicis-BCP aujourd'hui) ont lancé 12 messages de 10 secondes. La répartition de ces messages était assez compliquée : un premier ouvrait la pause publicitaire, un deuxième était situé au milieu et un troisième fermait la pause. En 1998, l'agence de placement médias de la bière Miller, soit l'agence Cossette, avait parsemé les pauses publicitaires de messages de 5 secondes, format très populaire en Europe.

10.1.5 Les coûts

Durant les nouvelles Le TVA diffusées à Montréal, un message de 30 secondes coûte 3 000 $; durant Infoman, le coût d'un message de 30 secondes est de 2 410 $ si l'annonceur désire que le message soit diffusé à Montréal seulement et passe à 4 845 $ si le message est présenté sur tout le réseau de la SRC. Le même message diffusé pendant le *Super Bowl* aurait été facturé 1,6 million $, et 600 000 $ pendant *Survivor*. C'est le dernier épisode de la série *Seinfeld* qui a battu le record : 2 millions $ pour la diffusion d'un message de 30 secondes. En ce qui concerne les coûts de production, le record est détenu par une publicité de Pepsi, dans laquelle figurait Cuba Gooding, qui a coûté 100 millions $.

Au Québec, la diffusion d'un message de 30 secondes peut atteindre jusqu'à 35 000 $ lors d'une émission de très grande écoute.

10.1.6 Les heures de diffusion

Chaque période de la journée touche une cible particulière :

- de 12 à 16 heures, les émissions qui touchent les gens âgés ont remplacé les émissions féminines ;
- de 16 à 17 heures, les émissions jeunesse ont cédé la place aux locomotives, c'est-à-dire aux émissions populaires qui ont un effet d'entraînement sur la programmation de la soirée ;
- de 17 à 19 heures, on présente les informations et la locomotive qui devrait entraîner les téléspectateurs à l'écoute du réseau toute la soirée ;
- de 19 à 23 heures, soit la période de pointe ou de grande écoute (*prime time*), la publicité est donc plus dispendieuse.

10.1.7 Les avantages de la télévision comme média publicitaire

Les avantages de la télévision comme média publicitaire sont les suivants :

- elle permet une grande couverture : la télévision pénètre dans 99 % des foyers et 45 % du temps d'écoute se situe en période de pointe ;
- elle est efficace et permet de faire une démonstration, d'expliquer le fonctionnement d'un produit, de montrer son emballage, de voir et d'entendre, et, ce qui n'est pas négligeable, les créatifs adorent travailler pour ce média ;
- elle permet la répétition, et la répétition d'un message favorise sa rétention ;
- elle permet une certaine sélectivité (choix du réseau, des chaînes spécialisées ou d'une émission en particulier) ;
- elle donne de la crédibilité à l'annonceur (lorsqu'on reprend une publicité dans d'autres médias, on spécifie parfois : « tel que présenté à la télévision ») ;
- l'effet qu'elle produit peut être très fort, comme dans l'exemple de Bell, qui présente le même message à 21 h 59 min 30 s sur toutes les chaînes francophones.

10.1.8 Les inconvénients de la télévision comme média publicitaire

Les inconvénients de la télévision comme média publicitaire sont les suivants :

- ses frais sont élevés, tant pour l'achat du temps que pour la production, dont les coûts s'élèvent en moyenne à environ 100 000 $ pour un message de 30 secondes ;
- ce média manque de flexibilité, tant pour les délais de production (préparation, tournage, montage) que pour la réservation du temps d'antenne, qui doit se faire de 6 mois à un an à l'avance ;
- les nombreuses réglementations constituent des entraves, par exemple celle sur la publicité destinée aux enfants de 13 ans et moins, et l'obligation de soumettre les textes à certains diffuseurs pour leur approbation, comme à Radio-Canada, qui a son propre code du bon goût ;
- la télécommande et l'enregistrement de l'émission permettent de sauter la publicité lors du visionnement.

10.1.9 Le point d'exposition brut pour la télévision

La mesure de référence dans médias électroniques est le point d'exposition brut (PEB). Le point d'exposition brut (en anglais *gross rating point* ou *GRP*) se calcule ainsi : on multiplie la portée du calendrier publicitaire par la fréquence. La portée désigne le nombre de personnes faisant partie du marché cible qui voient une parution dans le cadre d'un calendrier de promotion visant une ou plusieurs publications[4]. La fréquence désigne le nombre de fois où la cible a été exposée.

$$PEB = Portée \times Fréquence$$

Par exemple, si 50 % du groupe cible écoute une émission en particulier, le point d'exposition brut de la diffusion d'un message durant cette émission est le suivant :

$$Portée = 50$$
$$Fréquence = 1$$
$$50 \times 1 = 50 \ PEB.$$

La diffusion de deux messages durant cette émission donne donc 100 PEB, et le calcul se fait de même pour trois messages (150 PEB) ou quatre messages (200 PEB), etc.

En comparaison, la diffusion de cinq messages dans une émission qui ne touche que 20 % de la population donne aussi un PEB de 100.

Figure 10.1
La chaîne spécialisée dans les dessins animés Télétoon.

Source : Télétoon.

10.1.10 L'avenir de la télévision comme média publicitaire

Actuellement, beaucoup de téléspectateurs québécois regardent les chaînes spécialisées et ce nombre augmente tous les ans. La télévision spécialisée est-elle la télévision de l'avenir ? Les stations se démarquent tellement les unes des autres qu'un téléspectateur doit syntoniser Canal Vie s'il veut écouter une émission médicale, Canal D pour un documentaire et Historia pour une émission historique. La télévision se spécialise tout comme les magazines, et les chaînes vont continuer à se multiplier ; il existe même une chaîne spécialisée dans les dessins animés, comme le montre la figure 10.1. De nos jours, le téléspectateur choisit en fonction d'une émission plutôt que d'un réseau. Les diffuseurs généraux ne sont toutefois pas condamnés à disparaître, car les Québécois aiment voir leurs vedettes dans une programmation où ils se reconnaissent. Les chaînes généralistes tentent d'accumuler le plus possible d'émissions canons comme *Les Bougon*, *La fureur* et *Star Académie*. L'encadré 10.1 présente une analyse précise de cette tendance.

---

4. Source : <www.pmb.ca>, site visité le 20 mai 2005.

Radio-Canada renaît et les chaînes spécialisées deviennent incontournables

Pour l'expert en médias Alain Desormiers, les cotes d'écoute d'émissions comme *Tout le monde en parle* (2,1 millions de téléspectateurs) et *Les Bougon* (1,7 million) témoignent des efforts de la société d'État afin de mieux vendre sa programmation. Les chiffres tendent à lui donner raison, car la SRC a vu sa part passer de 12,5 % à 15 % de l'automne 2003 à la fin de cette année, ce qui la place à égalité avec TQS, mais toujours derrière TVA, qui diffuse 8 des 10 émissions les plus regardées chaque semaine.

À l'opposé, certaines mesures de la SRC déplaisent. C'est notamment le cas de la réduction de l'espace accordé aux génériques de fins d'émissions pour laisser place aux annonceurs, une initiative que notre groupe d'experts juge abusive et dérangeante. Certains saluent toutefois l'idée d'un décompte de 30 secondes accompagnant la dernière publicité présentée tout juste avant le *Téléjournal* de 22 heures.

De leur côté, les chaînes spécialisées poursuivent leur croissance en auditoire, en revenus et, surtout, en appréciation auprès des décideurs en marketing. La télé spécialisée accapare maintenant 26,8 % de l'écoute totale au Québec et 32 % si l'on considère seulement les chaînes francophones. Pas étonnant que des entreprises comme Pepsi consacrent désormais les trois quarts de leur budget publicitaire télé à des réseaux spécialisés, afin de rejoindre les 12-24 ans.

« Je me souviens d'une époque pas si lointaine où l'on achetait tout son espace publicitaire à une même station, rappelle René Carier. Puis, vint l'ère où l'on répartissait les achats médias entre les grandes chaînes généralistes. Les spécialisées se sont ensuite imposées comme des incontournables. »

« On ne peut effectivement plus les éviter, car leurs auditoires très pointus conviennent à un bon nombre d'annonceurs qui privilégient désormais le ciblage, plutôt que d'atteindre simplement un grand nombre d'auditeurs », indique Nicole Dubé.

Pour Hugues Choquette, les spécialisées ont habilement transposé un concept existant. « Elles sont littéralement devenues des magazines sur écran, avec des contenus très précis. Cela génère des auditoires qualitativement très intéressants pour de nombreuses catégories d'annonceurs. » Alain Desormiers juge même que c'est maintenant une mauvaise idée de ne pas inclure des chaînes spécialisées dans le plan médias d'une marque qui s'annonce à la télé[5].

Il existe maintenant des téléviseurs équipés d'un dispositif qui permet d'arrêter la diffusion de l'émission en appuyant sur une touche « Arrêt », puis de reprendre plus tard le fil de l'émission là où elle a été interrompue ; ce système permet à une personne, par exemple, de prendre un appel pendant une émission, mais aussi, bien entendu, de faire passer les pauses publicitaires en accéléré lors de l'écoute. Tout comme il est possible de choisir ses articles préférés dans un magazine qu'on lit, on peut écouter la télévision en choisissant

---

5. « Les meilleurs coups marketing 2004 », *La Presse Affaires*, le vendredi 24 décembre 2004, p. 7., Biblio Branchée <www.biblio.eureka.cc>, site visité le 30 septembre 2005.

ses émissions préenregistrées. Il est donc dorénavant plus difficile pour les annonceurs de diffuser leurs messages. Le placement de produit est-il la solution ? L'article reproduit à l'encadré 10.2 porte sur cette transformation des médias, et son auteur se demande même si le CRTC survivra.

Encadré 10.2   Du « Push » au « Pull »

Nous sommes à la veille de personnaliser virtuellement tout ce qu'un individu souhaite. Naguère, les médias s'inspiraient du modèle « Push » par lequel journalistes et rédacteurs produisaient ce qu'ils voulaient et l'imposaient aux consommateurs. Les têtes dirigeantes dans les médias décidaient de ce que les gens devaient voir et de ce qui constituait « l'opinion reçue », laquelle aurait droit à des colonnes dans les journaux ou à du temps d'antenne. Mais cette approche se fonde sur le vieux modèle industriel de production de masse, résumé sommairement par Henry Ford. Celui-ci disait aux consommateurs qu'ils pouvaient avoir l'auto de la couleur de leur choix, pourvu que ce soit noir.

Aujourd'hui, cependant, l'économie est basée sur le modèle « Pull ». Bientôt, virtuellement, chaque voiture sera produite sur commande. Dell n'a pas de magasins, mais il permet aux gens de commander l'ordinateur personnalisé de leur choix et il en fait la livraison en quelques jours. La production est inspirée des consommateurs plutôt qu'imposée par les producteurs.

Les marchés de masse se meurent. Nous sommes à la veille de personnaliser virtuellement tout ce qu'un individu souhaite, y compris la sorte de contenu de média qu'il veut voir.

Dans les médias électroniques, par exemple, le spectre électromagnétique qui sert à la transmission des signaux radio et télé semblait hautement limité, ce qui nécessitait l'intervention des autorités publiques pour distribuer et superviser son utilisation. Bonjour CRTC.

Bientôt, toutefois, le CRTC s'ajoutera aux autres espèces disparues. Non seulement les signaux occupent-ils une partie de plus en plus étroite du spectre, mais les diffuseurs peuvent maintenant occuper la même fréquence simultanément, des récepteurs très performants étant en mesure de distinguer un signal d'un autre. Le spectre est par conséquent plus ou moins illimité.

En outre, déplacez le signal sur Internet, ou sur un satellite ou un signal de câble qui requiert un décodeur, et il quitte le domaine public et entre dans un monde privé où les gens ne choisissent que ce qu'ils veulent entendre, lire ou regarder. La diffusion large est mourante. Longue vie à la diffusion étroite !

Diffuseurs vieux jeu
La technologie détruit également le modèle d'affaires des diffuseurs vieux jeu. Dans le bon vieux temps, les diffuseurs avaient très peu de rétroaction de la part des consommateurs si ce n'est tout crûment les cotes d'écoute Nielsen, et les consommateurs n'avaient pas d'autre choix que de regarder ce que la poignée de réseaux voulaient bien diffuser. Les factures étaient réglées par les annonceurs et non pas par les consommateurs.

Mais Tivo, la câblodistribution et la télé payante changent cela aussi. Lorsque vous pouvez choisir les émissions au moment qui vous convient, et *zapper* les pubs qui assurent le financement des canaux « gratuits », il s'ensuit que vous devrez bientôt payer vous-mêmes ce que vous choisissez de regarder ; et personne ne va payer pour des pubs que personne ne regarde.

Même les médias imprimés seront touchés. Bientôt, nous aurons exactement ce que nous souhaitons lire livré à notre téléphone cellulaire ou à notre courriel. La couverture des nouvelles étrangères par *Le Monde*, les sports par *USA Today* et les éditoriaux de *The Times*, de Londres. Vous ferez le journal de votre choix, et non pas celui que les grands bonzes des médias de quelque allégeance que ce soit veulent que vous ayez[6].

10.2 LA RADIO

La très grande majorité des Québécois sont incapables d'identifier un seul annonceur à la radio, alors que la plupart se souviennent des publicités vues à la télévision. La publicité à la radio n'est pas toujours très remarquée. Mais certains messages frappent l'imagination. Par exemple, les messages de Petro-Canada avec François Pérusse ont récolté de bons résultats : après une première écoute, beaucoup des gens veulent réentendre le message afin de trouver ce qu'ils pourraient avoir manqué lors de la première écoute. Il est donc malgré tout possible, pour un annonceur, de se faire remarquer à la radio.

10.2.1 Un bref historique de la radio

Fondée par *La Presse* le 28 septembre 1922, CKAC a été la première station radiophonique de langue française au monde. Elle a d'abord émis depuis le toit du 7, rue Saint-Jacques Ouest à Montréal, et elle est déménagée en 1929 au coin de Metcalfe et de Sainte-Catherine. En 1936, un million de récepteurs étaient en service au Canada. La radio a connu une croissance fulgurante pendant plusieurs années, mais en 1952, avec l'arrivée de la télévision, la popularité de la radio s'est stabilisée. L'ajout de la bande FM (modulation de fréquence) a donné un regain de vie à la radio en permettant une certaine spécialisation : le FM s'est concentré sur la musique et les stations de radio AM (modulation d'amplitude) se sont spécialisées dans les radioromans et le bavardage.

10.2.1.1 Les grandes tendances actuelles de la radio.

En radiodiffusion, les grandes tendances actuelles sont les suivantes :

• le FM supplante le AM ; CBF AM a déménagé au 95,1 FM pour devenir la « première chaîne » de Radio-Canada ; CKVL a disparu ; CKAC a absorbé CJMS et en 2005, la station a changé radicalement de vocation et s'est spécialisée dans les sports et la santé, après avoir été achetée par Chorus Entertainement ;

---

6. CROWLEY, Brian Lee. « D'un Canada à l'autre », *La Presse*, Forum, le dimanche 27 mars 2005, p. A12. (L'auteur est président de Atlantic Institute for Market Studies (<aims.ca>) un groupe de réflexion sur la politique publique basé à Halifax.)

- presque tous les Québécois possèdent un appareil radio et l'écoute est de plus en plus mobile (avec un baladeur ou en voiture) ;
- 97 % des gens écoutent la radio au moins une fois par semaine ;
- la plupart des stations font partie d'un regroupement (100 des stations de radio du Québec font partie d'un groupe) ou d'un réseau comme Radio-Énergie, CKAC Radiomédia et Astral.

Comme le montre le tableau 10.1, les Québécois écoutent la radio en moyenne 20,1 heures par semaine ou 2,9 heures par jour.

Tableau 10.1 Les moyennes d'heures d'écoute de la radio au Québec selon les tranches d'âge			
	Anglais	**Français**	**Total**
Population totale	20,1	20,1	20,0
Hommes :			
18 +	19,6	21,3	21,0
18 - 24	12,7	14,9	14,6
25 - 34	18,0	22,7	21,9
35 - 49	20,9	22,9	22,5
50 - 64	20,8	21,9	21,5
65 +	22,3	20,4	20,8
Femmes :			
18 +	22,4	21,3	21,3
18 - 24	15,4	14,7	14,7
25 - 34	17,7	18,8	18,5
35 - 49	23,1	22,8	22,6
50 - 64	23,6	22,9	22,8
65 +	27,0	22,7	23,3
Adolescents :			
12-17	9,6	7,6	7,8

Source : Statistique Canada, à l'adresse <www.statcan.ca>, site visité le 20 mai 2005.

L'écoute varie selon la période de la journée :
- de 6 à 9 heures, l'écoute est la plus forte, soit 60 % des gens (période de pointe) ;
- de 10 à 15 heures, la plupart des gens qui écoutent la radio sont soit au bureau ou dans les commerces de détail ;
- de 16 à 18 heures, c'est la deuxième période de grande écoute lors du retour à la maison ;
- en soirée, l'auditoire est faible ;
- le week-end, l'écoute est forte.

L'écoute varie aussi selon l'âge des auditeurs, comme le montrent les figures 10.2 et 10.3.

La diffusion de messages de 15 secondes est rare, mais le flash publicitaire, aussi appelé « flash pub » ou annonce-éclair (terme recommandé par l'Office de la langue française), est de plus en plus populaire. Il s'agit d'une très courte annonce de 30 à 150 mots, dans laquelle on cite le nom de l'annonceur et son offre. D'autre part, le reportage en direct (*remote*), forme de reportage publicitaire diffusé en direct d'un magasin, demeure populaire les samedis matin. Cette forme de publicité permet de promouvoir un événement important et de réaliser des ventes à court terme.

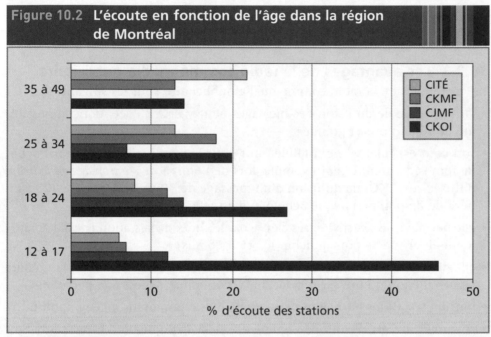

Figure 10.2 L'écoute en fonction de l'âge dans la région de Montréal

Source : Sondages BBM dans *Infopresse*, mars 2001, p. 64.

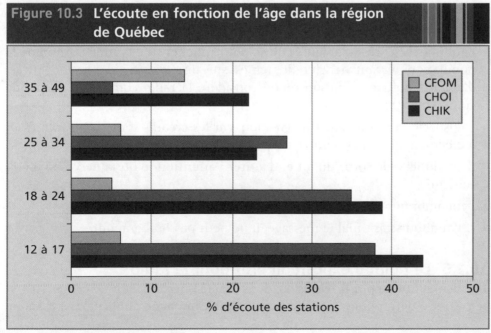

Figure 10.3 L'écoute en fonction de l'âge dans la région de Québec

Source : Sondages BBM dans *Infopresse*, mars 2001, p. 64.

10.2.2 La réglementation de la radiodiffusion par le CRTC

Le CRTC impose les règlements suivants aux stations de radio :

• les stations doivent s'en tenir au style musical pour laquelle une licence leur a été accordée et auquel elles ne peuvent déroger (par exemple, une station rock ne peut diffuser de la musique classique) ;

• les stations, tant anglophones que francophones, doivent présenter une moyenne hebdomadaire d'au moins 35 % de pièces canadiennes ;

• les stations francophones doivent diffuser une moyenne hebdomadaire d'au moins 65 % de musique francophone, et d'au moins 55 % entre 6 heures et 18 heures du lundi au vendredi.

10.2.3 Les avantages de la radio comme média publicitaire

Les avantages de la radio comme média publicitaire sont les suivants :

• la fréquence de diffusion des messages peut y être élevée, donc la possibilité de répétition est grande ;

• son coût est relativement faible, tant pour la production que pour l'achat de temps d'antenne (par exemple, lors de l'émission *Y'é trop de bonne heure* diffusée sur CKOI, la diffusion d'un message de 30 secondes coûte 425 $ en période de pointe, lorsque acheté individuellement ;

• elle permet une sélectivité très élevée par le choix de la station (c'est d'ailleurs le meilleur média pour toucher les 15 à 18 ans) ;

• elle offre une grande flexibilité (pour la création, l'achat de temps, la rapidité de production du message, la facilité à le modifier s'il est mal perçu, etc.) ;

• plusieurs stations en région permettent une segmentation géographique ;

• la couverture qu'elle offre est bonne (97 % de la population écoute la radio).

10.2.4 Les inconvénients de la radio comme média publicitaire

Les inconvénients de la radio comme média publicitaire sont les suivants :

• l'auditoire est très fragmenté ; ainsi, pour toucher une grande portion de la population, il faut acheter du temps sur une dizaine de stations (c'est d'ailleurs pour cette raison qu'on considère la radio comme un média de complément) ;

• elle suscite des problèmes de création, car les créatifs sont moins intéressés à créer des messages pour ce média ;

• il est difficile de sortir du lot et d'attirer l'attention, d'où la nécessité d'être répétitif ;

• l'encombrement publicitaire est très grand ;

• si l'auditeur saisit mal le message, il ne peut pas le réentendre.

10.2.5 Le point d'exposition brut pour la radio

Le calcul du PEB pour la télévision, dont il a été question dans la section 10.1.9, sert aussi à déterminer le coût d'achat d'une campagne publicitaire à la radio.

10.2.6 L'avenir de la radio comme média publicitaire

Après le regain occasionné par l'avènement de la bande FM, la radio a longtemps stagné. Actuellement, elle est en pleine mutation : les stations AM ferment les unes après les autres et de multiples possibilités s'offrent maintenant avec l'arrivée de la radio numérique, récemment autorisée par le CRTC. Il sera bientôt possible de capter plusieurs chaînes en installant une mini-antenne parabolique sur le pare-soleil de la voiture. La radio numérique permet de recevoir de la musique d'une qualité et d'une netteté équivalentes à celles de la radio conventionnelle. De plus, la radio numérique permet la syntonisation d'une chaîne par catégorie (jazz, classique, pop) ; par exemple, lorsqu'un individu se déplace et quitte une région, l'appareil recherche automatiquement une autre station du même réseau que celle qu'il écoutait. Ce type de radio permet aussi certains services interactifs, comme l'itinéraire détaillé pour se rendre à une destination, la météo sur écran, les horaires de cinéma, etc.

10.3 INTERNET

10.3.1 Un bref historique d'Internet

Dans les années 1960, le US Defense Departement Advanced Research Projects Agency (ARPA) a mandaté, par crainte d'une attaque nucléaire, des universitaires pour créer un système de communication qui permette de transférer des informations et soit capable de se reconfigurer lui-même si un des maillons venait à défaillir. La gestion du réseau ne devait donc pas être centralisée ; chacun des nœuds du système devait plutôt être autonome. Le système qu'on inventa fut nommé « arpanet », c'est-à-dire le réseau de l'ARPA. Le réseau initial ne comportait qu'un service de courrier électronique. Dans les années 1970, l'ARPA a continué ses recherches et a élargi le réseau, qui a alors pris le nom d'Internet, pour *Interconnected Networks*. Dans les années 1980, le réseau Internet a poursuivi son expansion, mais cette fois non plus au sein de l'armée uniquement, mais aussi dans les universités, les laboratoires de recherche et les grandes entreprises.

Durant les années 1990, le réseau a crû de 10 % à 20 % par mois. En décembre 1969, seulement quatre ordinateurs étaient branchés au réseau ; en octobre 1984, il y en avait déjà 1 024, et en octobre 1992, 1 136 000 ! Les firmes d'analyse spécialisées dans le domaine prédisent que le nombre d'internautes à l'échelle mondiale, qui est actuellement d'environ 560 à 700 millions, va continuer à augmenter. Les anglophones (les Américains surtout) sont en train de perdre leur hégémonie. Actuellement, un tiers des internautes navigue dans des sites de langue anglaise, mais sans avoir l'anglais comme langue maternelle.

Quant aux ventes sur le Web, elles sont en progression depuis plusieurs années et ont atteint 5,5 milliards de dollars en 2003 selon Statistique Canada (ventes effectuées avec ou sans paiement en ligne).

Certains affirment qu'Internet ne pourra vraiment percer dans l'avenir et que sa progression pourrait être bloquée par des problèmes technologiques. Pourtant, par comparaison, seulement 37 % des Américains savent utiliser toutes les fonctions de leur lecteur VHS et de sa commande (selon une recherche non scientifique), et cela ne les empêche pas pour autant de s'en servir fréquemment ! Les jeunes de la génération écho ne considèrent d'ailleurs pas l'ordinateur comme un appareil technologique rebutant : cette génération est même née avec une souris dans la main !

10.3.2 Les journaux en ligne

Il existe maintenant plusieurs journaux qui mettent en ligne une version de leur publication. Le site Internet de l'hebdomadaire *Voir* en est un bon exemple. Cet hebdomadaire est consacré à l'actualité culturelle et urbaine de Montréal et de Québec, que ses journalistes et ses utilisateurs commentent. Les utilisateurs viennent y consulter des sections contenant une foule d'entrevues avec des artistes, un calendrier de spectacles et d'événements culturels, des chroniques éditoriales et multimédias permettant l'interactivité des lecteurs, des nouvelles au quotidien, des promotions en ligne, des forums d'opinion, un espace pour du clavardage (*chat*) plein d'esprit et beaucoup plus.

La fréquentation mensuelle du site Internet du journal *Voir* est de près de 350 000 visiteurs[7]. Chaque visite du site correspond en moyenne à huit pages vues. Ce qui équivaut donc à 2 800 000 impressions par mois.

10.3.3 Les utilisateurs d'Internet comme cible des publicitaires

Au Québec, les internautes sont constitués en majorité de jeunes (de 14 à 34 ans) qui sont plus scolarisés que la moyenne québécoise et disposent, pour la plupart, d'un revenu familial lui aussi plus élevé que la moyenne. Ils forment donc un groupe actif, branché sur la culture actuelle et consultent Internet pour s'informer et se divertir. Ils sont d'avides consommateurs de produits culturels, de loisirs, de voyages et de nouvelles technologies.

Grâce à ces utilisateurs, Internet permet une visibilité efficace pour la publicité, car celle-ci est visionnée plus longtemps lorsqu'elle est placée sur un site que dans les autres médias. Les internautes prennent le temps d'en lire le contenu et aussi de réagir, car la conception des sites encourage l'interactivité.

10.3.4 Les standards pour la publicité interactive

Le Bureau de la publicité interactive du Canada s'est donné comme mandat de définir les standards des formats publicitaires interactifs canadiens, dans le but de réduire les coûts et d'augmenter l'efficacité de la planification, de l'achat et de la création de publicité interactive. L'organisme poursuit les objectifs[8] suivants :

- simplifier la production et l'insertion de la publicité sur les sites Web canadiens en créant des dimensions uniformes pour chaque catégorie (horizontal, vertical et carré) ;

---

7. Source : Isabèle Richer, représentante pour le journal *Voir* (<www.voir.ca>).

8. Voir le Bureau de la publicité interactive du Canada, à l'adresse <www.iabcanada.com>, site visité le 20 mai 2005.

- établir des standards de taille et de poids pour les animations ;
- s'assurer que les besoins de la plupart des annonceurs sont satisfaits par ces trois principaux formats en publiant un inventaire des publicités publiées selon ces formats sur les sites Web canadiens ;
- éliminer les freins à la création publicitaire interactive.

Le tableau 10.2 présente les standards des formats publicitaires au Canada, comme la taille (en pixels) et le poids des animations GIF ou Flash.

Tableau 10.2	Les formats recommandés par le Bureau de la publicité interactive du Canada		
Nom	Format en pixels	Poids de l'animation GIF	Poids de l'animation Flash
Super-bannière	728 X 90	20 k	30 k
Îlot	300 X 250	20 k	30 k
Gratte-ciel	160 X 600	20 k	30 k

Source : Bureau de la publicité interactive du Canada, < www.iabcanada.com>, site visité le 20 mai 2005.

La majorité des publicités sur Internet sont créées sous forme de super-bannière, qui est donc le format le plus populaire. Une impression est comptée chaque fois que le bandeau est téléchargé sur une page visitée par un internaute.

D'autres acteurs du milieu travaillent aussi à améliorer la qualité des communications interactives sur Internet, dont les publicités. Ainsi, depuis dix ans, des représentants de l'industrie décernent au Québec les prix Boomerang, des prix d'excellence qui visent à récompenser les meilleures réalisations en communications interactives et en multimédia produites par des entreprises québécoises.

10.3.5 Le calcul du coût d'achat de publicité sur Internet

Le coût d'achat de publicité sur un site est calculé selon la méthode du coût par mille (CPM[9]). L'agence de communication achète pour son client un nombre d'impressions de la page. Par exemple, si un site vend une super-bannière au prix de 15 $ au CPM et que 1 000 personnes cliquent sur la bannière, le gestionnaire du site facture 15 $ à l'annonceur. Aussi, lorsque l'annonceur a payé, par exemple, pour 50 000 impressions, le gestionnaire du site retire la publicité à l'atteinte de ce nombre. Mais la publicité sur Internet est en constante évolution, comme le montre l'encadré 10.3.

Le site du quotidien *La Presse* (voir la figure 10.4) est l'un de ceux qui vendent de la publicité sur leurs pages au CPM.

Figure 10.4
Le site de *La Presse*.

9. Voir à ce sujet le chapitre 8, portant sur les médias imprimés.

Les quotidiens imprimés offrent aux annonceurs d'acheter des milliers d'impressions de manière indifférenciée, mais avec Internet, il est possible de toucher directement le même nombre de personnes intéressées au moyen d'un nombre beaucoup moins élevé d'impressions bien ciblées. Un site de journal offre souvent des sections thématiques, comme la section automobile du site de *La Presse*, qui permettent aux annonceurs de cibler précisément leurs clients potentiels selon leurs centres d'intérêt.

Encadré 10.3 La publicité sur le Web à la croisée des chemins

Le Web ne cessera jamais de nous étonner. Alors que plusieurs croyaient que son impact sur le commerce serait au mieux négligeable, voici qu'il remplit plusieurs des promesses faites voilà déjà trois ans.

Ainsi, tant le nombre d'usagers que l'utilisation moyenne par usager ne cesse de croître. L'utilisation commerciale du Web ne cesse de croître, elle aussi, dépassant certaines prévisions jugées trop optimistes il y a à peine deux ans de cela.

De là à croire que tout est beau au royaume du commerce électronique, il n'y a qu'un pas qu'il faut bien se garder de franchir. En effet, une fausse note vient assombrir le potentiel du commerce électronique, celle de la publicité sur le Web. En cela la publicité sur le Web demeure un paradoxe pour bien des gestionnaires.

Si on considère le nombre de publicités qui apparaissent sur les écrans des internautes nord-américains, on serait porté à croire que l'industrie de la publicité sur le Web se porte bien.

De 180 milliards d'occurrences en 2000, l'industrie est passée à plus de 850 milliards en 2003, soit une hausse de 350 %. Cette hausse s'explique en bonne partie par la croissance de la fréquentation du Web au cours de la même période. En effet entre 2000 et 2003, le nombre d'internautes nord-américains est passé de 137 millions à 188 millions, soit une hausse de 22 %. De même, le nombre moyen par semaine de sites visités par ces internautes est passé de plus de 41 à plus de 150 au cours de la même période, soit une hausse de 240 %.

Bien que l'augmentation importante de l'activité publicitaire laisse penser que l'industrie est en croissance, les revenus publicitaires sur le Web, eux, sont passés de 8 milliards de dollars en 2000 à moins de 6 milliards en 2002, soit une baisse de 25 %.

Deux raisons expliquent ce paradoxe apparent. La première a trait à la croissance du nombre de sites qui, au cours de cette période, étaient à la recherche d'annonceurs. L'augmentation du nombre de sites, combinée à une baisse généralisée des budgets totaux dévolus par les entreprises à la publicité, a eu pour effet de réduire le prix demandé par un site pour y afficher une publicité.

Ce prix (ou coût), que l'on désigne par l'acronyme CPM, soit le montant facturé par un site chaque fois que 1 000 consommateurs naviguent sur une page contenant la publicité en question, est passé d'un taux moyen de 25 $ en 2000 à moins de 2,20 $ à la fin de 2002. C'est le jeu classique de l'offre et de la demande.

La seconde raison pour expliquer la chute est plus profonde. Elle a trait à la baisse constante depuis 1997 du CTR (*click through rate*), soit le pourcentage des consommateurs qui, après avoir lu une publicité, cliquent sur l'occurrence afin de se rendre sur le site de l'annonceur.

»

Alors que le CTR moyen était de 0,02 (2 %) en 1997, il n'était plus que de 0,0026 (0,26 %) en 2003. Par conséquent, en 2003, pour « rabattre » sur le site de l'annonceur le même nombre de consommateurs qu'en 1997, il fallait afficher environ 10 fois plus de publicité qu'avant, phénomène qui a entraîné une réduction par 10 (et même plus) du CPM.

Somme toute, le coût pour attirer un consommateur jusque sur le site de l'annonceur demeure le même. L'activité publicitaire a beau être en croissance, les revenus publicitaires du Web, eux, n'augmentent pas[10].

Cet ajustement presque parfait du coût d'une publicité par 1 000 consommateurs (CPM) en fonction du pourcentage de visiteurs attirés sur le site de l'annonceur (CTR) est révélateur. Par l'importance qu'ils accordent au CTR, les annonceurs signalent le fait qu'ils considèrent le Web d'abord et avant tout comme un média apte à accroître la propension des consommateurs à agir (chercher de l'information, s'inscrire, acheter, etc.) et non pas comme un moyen dont le but est d'accroître la notoriété ou de parfaire l'image d'un produit.

En définitive, ce qui compte pour eux, ce n'est pas que les consommateurs potentiels aient vu l'annonce mais bien qu'ils se rendent jusqu'au site.

Cette réaction de la part des annonceurs est saine puisqu'elle signifie qu'ils ont compris le rôle proactif que jouent les consommateurs sur le Web. Contrairement aux autres médias, les consommateurs peuvent, sur Internet, contrôler le contenu auquel ils s'exposent.

Ce renversement de situation force dorénavant l'industrie à se remettre en question, l'amenant à considérer deux avenues fort différentes en ce qui a trait à l'utilisation du Web à des fins publicitaires[11].

10.4 LE PLACEMENT DE PRODUIT

Le grand dictionnaire terminologique de l'Office de la langue française[12] définit le placement de produit comme une « publicité qui consiste à promouvoir la vente d'un produit auprès du grand public en le présentant dans un film cinématographique ou à la télévision ». C'est une stratégie de communication dont l'importance est grandissante depuis quelques années. Au Québec, on a pu voir pendant plusieurs saisons les animateurs d'une émission matinale consommer ostensiblement du café dont le logo de la marque apparaissait sur les tasses. En 2005, les critiques de télévision ont longuement commenté le fait que l'humoriste Martin Matte ait mentionné la marque Honda, dont il est le porte-parole, dans son numéro durant le gala des Olivier. Certaines entreprises, particulièrement les constructeurs automobiles, n'hésitent pas à verser des montants astronomiques aux producteurs d'Hollywood pour

---

10. En 1997 : 1 000 consommateurs × 2 % (CTR) = 20 consommateurs rejoints à un coût de 25 $ (25 $/20 = 1,25 $). En 2003 : 1 000 consommateurs × 0,26 % (CTR) = 2,6 consommateurs rejoints à un coût de 2,20 $ (2,20 $/2,6 = 0,846 $).

11. NANTEL, Jacques. « La publicité sur le Web à la croisée des chemins », *La Presse Affaires*, le lundi 19 janvier 2004, p. 5.

12. À l'adresse <www.granddictionnaire.com>, site visité le 29 août 2005.

Figure 10.5

Un exemple de placement de produit (une BMW) dans un film.

placer leur produit dans des films qui font le tour de la planète. La figure 10.5 montre une scène du film *The World Is Not Enough* (*Le monde ne suffit pas*) mettant en valeur un modèle luxueux de BMW.

Le coût du placement de produit varie selon les ententes conclues avec les producteurs du film ou de l'émission de télévision. Ainsi, pour le film *Les Dangereux*, dont les acteurs principaux sont Véronique Cloutier et Stéphane Rousseau, les producteurs ont obtenu gratuitement de la Maison Beauté Star Bédard Inc. tout l'équipement de l'institut de beauté du film, en échange de la mention à plusieurs reprises dans le film du nom « Star Bédard »[13].

RÉSUMÉ

Ce chapitre a présenté les différents médias électroniques, entre autres leurs avantages et inconvénients comme véhicules pour la publicité. Pour ce qui est de la télévision, c'est un média de prestige mais la production et la diffusion des messages y sont très dispendieuses. Le CRTC impose aux diffuseurs certaines règles, comme le temps consacré aux publicités par heure et l'obligation de présenter du contenu canadien. Le temps d'écoute de la télévision enregistre une baisse et les canaux spécialisés font la vie dure aux généralistes. Plusieurs annonceurs commencent à délaisser ce média.

Souvent, les messages radiodiffusés n'obtiennent pas la cote des auditeurs. Il est très difficile de se démarquer par un message radiophonique. Comme ses coûts de production et de diffusion sont peu élevés, la radio est souvent utilisée par des annonceurs présentant une promotion. De plus, parce que la radio atteint plusieurs sous-groupes de la population (caractérisés par des variables sociodémographiques et géographiques) de façon bien précise, elle peut jouer un rôle important comme média d'une campagne de communication.

Plusieurs annonceurs considèrent qu'Internet est un média comme les autres et qu'on ne doit l'utiliser que comme un élément de l'ensemble des médias. Le placement de publicité sur Internet obéit à des règles bien précises. Nous avons aussi présenté, dans ce chapitre, les formats réglementés de la publicité sur Internet. Ce média permet de toucher des cibles bien définies et fait donc partie de toute campagne de communication d'envergure.

Compte tenu du coût exorbitant des messages télédiffusés, plusieurs annonceurs adoptent le placement de produit. Tout annonceur qui désire que son produit soit mis en évidence dans un film ou une émission de télévision paie un montant en échange de cette visibilité.

---

13. BELCH *et al. Communication marketing, une perspective intégrée, op. cit.*, p. 391.

QUESTIONS DE DISCUSSION

1. Qu'est-ce que la période de pointe (*prime time*) ? Quelles sont les périodes de pointe à la radio et à la télévision ?

2. Décrivez brièvement l'historique de la radio comme média publicitaire.

3. Quel est, de la radio ou de la télévision, le média le plus flexible ? Expliquez.

4. Que signifie le sigle CRTC ? Quel est le rôle de cet organisme ? Quelle est votre position dans le débat sur son utilité ? Par quels arguments défendez-vous votre position ?

5. Rappelez brièvement l'historique de la télévision comme média publicitaire.

6. Quel est, de la radio ou de la télévision, le média qui permet de toucher une cible le plus efficacement ? Expliquez.

7. Dressez un tableau de l'avenir de la télévision comme média publicitaire.

EXERCICES

1. Durant la semaine, cherchez à repérer une annonce-éclair (« flash pub ») entendue à la radio. Qui en était l'annonceur ? Quelles informations y ont été données ? Présentez vos réponses oralement en classe.

2. Repérez au moins un placement de produit à la télévision et expliquez pour quelles raisons vous considérez qu'il s'agit d'un placement de produit.

3. Une émission diffusée à la SRC obtient un PEB de 40 et une autre diffusée au réseau TVA obtient un PEB de 60. Un annonceur vous demande de diffuser le même nombre de messages dans chaque émission et désire atteindre un PEB de 900. Combien de messages devrez-vous diffuser dans chaque émission ?

11

LE BUDGET ET LE CONTRÔLE DE L'EFFICACITÉ D'UNE CAMPAGNE

Gagner des prix !

Pour toute agence de communication, gagner des prix de créativité comme un Coq d'or lors du Gala du Publicité Club représente une consécration importante du travail de création. C'est ce qui est arrivé, lors de la remise de 2005, à l'agence Bos, qui a été récompensée pour ses affiches pour la chaîne de télévision Historia présentant des personnages tels Pablo avant de devenir Picasso ou Albert avant de devenir Einstein. D'autre part, Familiprix avec son fameux « Ah ! Ha ! » (voir la figure 11.1) a aussi raflé des prix pour la publicité télévisée d'un détaillant, et ce, devant Jean Coutu. Notons aussi que Labatt Bleue s'est méritée un prix pour sa campagne « Votons pour le fun ». Bell et son agence Cossette Communication Marketing ont encore été l'agence et l'annonceur les plus récompensés lors de cette remise de prix. Pour une agence, obtenir un Coq d'or signifie que sa création est percutante et que ses pairs reconnaissent l'excellence de leur travail.

Pour un annonceur, gagner un prix lors d'un festival de création publicitaire est sûrement gratifiant, mais est-ce la finalité de la campagne de communication ? Est-ce la récompense ultime ou recherchée ? Cela permet assurément à l'annonceur d'affirmer que sa campagne de publicité est créative, mais qu'en est-il des vrais objectifs de l'annonceur ? L'annonceur vise-t-il vraiment à gagner des prix lors d'un concours de création et à accumuler des trophées démontrant la créativité de ses annonces ? Cela est vrai en partie, non pour les annonceurs, mais pour les agences de communication, qui ne dédaignent sûrement pas d'avoir des trophées dans leur hall d'entrée, témoignages de leur talent et de leur potentiel de création.

Pour leur part, les CASSIES (Canadian Advertising Success Stories) récompensent les créations publicitaires qui font sonner le tiroir-caisse. Initié en 1993, ce concours encourage la création publicitaire canadienne qui est de qualité mondiale et qui permet de faire augmenter le chiffre d'affaires. Les CASSIES récompensent donc les campagnes qui permettent d'augmenter les ventes des entreprises commerciales ou d'augmenter le montant des dons recueillis pour les organismes à but non lucratif.

Des exemples ? Selon les résultats d'un sondage mené après la diffusion de sa campagne intitulée « La vie en bleu », Gaz Métropolitain, un des gagnants de 2004, s'est hissée en première position dans les entreprises du secteur de l'énergie, et ce, devant Hydro-Québec. Figurant elle aussi dans la liste des gagnants de 2004, la campagne pour la Fédération des producteurs de lait a fait passer la consommation de lait d'une baisse de 2 % en une augmentation de 3 % lors de l'année de l'inscription au concours avec sa campagne « Deux c'est mieux ». Toujours au tableau d'honneur, Réno Dépôt a vu durant l'année ses transactions en magasin augmenter de 20 %, et ses ventes, de 3 %[1].

INTRODUCTION

Déterminer le montant alloué à une campagne de communication est une étape essentielle à sa réalisation. En effet, un budget trop faible n'accorde aucune visibilité à l'annonceur, alors qu'une trop grande dépense représente

---

1. Adapté de BELCH, George E. *et al. Communication marketing, une perspective intégrée*, Montréal, Chenelière/McGraw-Hill, 2005, p. 532.

un gaspillage. Nous présentons, dans ce chapitre, différentes techniques qui permettent de déterminer le budget à allouer aux communications commerciales. Lorsqu'il est déterminé, le budget de communication est réparti entre différents postes, entre autres les médias. Nous présentons donc comment répartir le budget sur l'ensemble d'une année mais aussi dans les différents médias.

Nous expliquons aussi la tâche très complexe de déterminer l'efficacité d'une campagne de communication.

Figure 11.1
Une annonce de Familiprix.

11.1 LES ANNONCEURS

En 2003, les investissements publicitaires au Québec ont été de plus de 1,4 milliard de dollars, tous médias confondus[2], mais sans inclure les investissements des annonceurs dans Internet. De ce montant, environ la moitié est consacrée à la télévision mais, comme nous l'avons expliqué dans le chapitre précédent, la popularité de ce média est en baisse depuis quelques années. Pour leur part, les quotidiens accaparent 30 % des investissements. Le tableau 11.1 présente les dix annonceurs les plus importants du Québec, ainsi que leurs dépenses respectives dans les médias.

Tableau 11.1 Les dix annonceurs les plus importants au Québec	
Annonceur	**Investissement publicitaire en millions $**
Gouvernement du Québec	40,9
Gouvernement du Canada	38,9
Quebecor	36,0
BCE (Bell)	27,9
Brault & Martineau (Ameublements Tanguay)	25,5
Proctor & Gamble	24,8
Toyota	21,7
Association des concessionnaires Chrysler Dodge Jeep	21,6
General Motors	20,7
Compagnie de la Baie d'Hudson	18,1

Source : Guide *Média Infopresse*, 2004, p. 12.

Cette liste ne regroupe que les entreprises qui ont bien voulu dévoiler leurs investissements publicitaires. Il est à noter qu'une entreprise comme Brault & Martineau (Ameublements Tanguay), le plus gros annonceur chez les détaillants, arrive au cinquième rang, et ce, devant de très importants annonceurs au Québec, comme la multinationale américaine Proctor & Gamble, qui est pourtant un des plus importants annonceurs dans le monde.

2. Guide *Média Infopresse*, 2004, p. 12.

Source : Tourisme Québec.

Figure 11.2
Le gouvernement du Québec est un annonceur important.

C'est Proctor & Gamble qui dépense le plus important montant en investissements publicitaires à la télévision, suivi de General Motors et du gouvernement du Québec.

11.2 LA DÉTERMINATION DU BUDGET DE COMMUNICATION COMMERCIALE

Il est expliqué, à la section 11.4, qu'il est très difficile de prédire l'effet d'une publicité sur les ventes et de la vérifier par la suite. Ainsi, il est possible que, malgré un investissement publicitaire important, un détaillant de piscines ne constate aucune augmentation des ventes si l'été est froid et pluvieux ; heureusement, l'inverse peut aussi se produire ! Les annonceurs éprouvent beaucoup de difficultés à déterminer le budget qu'il est approprié d'investir dans le poste Communication commerciale. Les principales méthodes servent de base à cette tâche difficile : le calcul du montant qu'il est approprié d'allouer au budget de communication.

11.2.1 La méthode du pourcentage des ventes

Un annonceur peut choisir d'accorder à la communication commerciale un pourcentage de ses ventes passées. Par exemple, calculer un budget de 10 % sur un million de dollars de ventes équivaut à un budget de 100 000 $ pour la communication. Curieusement, cette méthode a ses adeptes, parmi lesquels l'expert en communication Pascal Chauvin[3], qui recommande aux petites entreprises de consacrer 2 à 3 % de leur chiffre d'affaires à leur budget de communication commerciale, et même 5 % dans le cas des entreprises de distribution. Cette méthode est assez populaire, en raison de sa grande simplicité. Par exemple, dans le cas des contrats de franchise, une grande partie du pourcentage des ventes versé au franchiseur est destiné à la communication commerciale.

L'inconvénient majeur de cette méthode est que l'on ne considère pas l'objectif de communication. De plus, les ventes passées ne sont pas toujours garantes des ventes futures. Enfin, paradoxalement, lors d'une baisse des ventes, l'annonceur en vient à réduire son budget de communication, alors qu'il devrait plutôt l'augmenter, et cette erreur entraîne l'entreprise dans un cercle vicieux de baisse des ventes.

---

3. CHAUVIN, Pascal. *Communiquer avec un petit budget*, 2e édition, Paris, Dunod, 2005, 136 pages.

11.2.2 La méthode des disponibilités

Une autre méthode consiste à allouer à la communication commerciale tout ce que les ressources financières permettent. Encore là, beaucoup d'annonceurs se fient à cette méthode assez facile et investissent toujours le même montant. Certains vont même le diminuer si le niveau des ventes est satisfaisant, considérant que le bouche à oreille fera le reste. Cette méthode ne permet pas de s'ajuster à une situation qui est en constante évolution (entre autres, le marché qui ne cesse de fluctuer), comme c'est toujours le cas en communication commerciale.

11.2.3 La méthode de l'alignement sur la concurrence

Une autre méthode consiste à investir le même montant que la concurrence. Le tableau 11.2 présente le pourcentage des ventes accordé aux investissements en communication commerciale par les grands annonceurs américains. Ces données donnent une idée assez juste de l'importance de ces investissements.

Tableau 11.2 Les pourcentages du chiffre d'affaires investis en communication commerciale par les grands annonceurs américains

Entreprise (rang de l'annonceur aux États-Unis)	Ventes aux États-Unis en millions de $ US	Investissements publicitaires aux États-Unis en millions de $ US	Montant des investissements publicitaires exprimé en % des ventes
American Express (60)	19 286	542	2,8 %
AOL Time Warner (2)	32 632	2 923	9,0 %
Burger King (48)	8 600	650	7,6 %
Daimler Chrysler (6)	72 002	2 032	2,8 %
Ford (5)	108 392	2 252	2,1 %
Gap (71)	12 500	434	3,4 %
General Motors (1)	138 692	3 652	2,6 %
Hewlett Packard (39)	23 302	736	3,2 %
Intel Corp. (87)	7 698	345	4,5 %
Kellogg's (72)	5 525	429	5,6 %
Estée Lauder Cos. (36)	27 878	805	2,9 %
L'Oréal (20)	4 114	1 118	27 %
Microsoft (29)	20 900	909	4,3 %
Nike (50)	5 259	624	11,9 %
Pepsi Co. (21)	16 588	1 114	6,7 %
Proctor & Gamble (3)	21 198	2 673	12,6 %
Sony (11)	19 748	1 621	8,2 %
Wal-Mart Stores (51)	203 730	618	0,3 %

Source : Entreprises choisies par les auteurs sur le site <www.adage.com> ; voir la section « Ad Age Special report. 100 leading national advertisers » ; site visité le 7 août 2005.

Ce tableau montre que la part du budget de communication commerciale peut, dans l'industrie des cosmétiques, aller jusqu'à 27 % des ventes. Une moyenne entre 2 et 5 % des ventes est plus acceptable ; pour un consommateur, cela signifie par exemple que, du dollar qu'il dépose dans une machine distributrice pour s'acheter une boisson gazeuse, 5 cents vont à la communication commerciale de l'entreprise. Pour ce qui est des domaines des produits d'entretien, d'hygiène et de l'alimentation[4], les entreprises consacrent en moyenne 5 % de leur chiffre d'affaires à la communication commerciale ; dans ces secteurs d'activité, la communication commerciale représente le deuxième poste budgétaire le plus important, après celui de la production.

La méthode de l'alignement sur la concurrence, qui repose sur un principe de « sagesse collective », a au moins le mérite de conduire les annonceurs à étudier les investissements des concurrents. Cette méthode oblige donc les annonceurs à comparer le budget de communication commerciale de leurs concurrents et à chercher à en savoir plus sur eux. Mais il est peut être plus efficace de suivre sa propre voie au lieu de s'aligner sur les autres. Dans une publicité de Chrysler, Yves Landry, un Québécois qui avait accédé à la présidence de l'entreprise mais qui est malheureusement décédé depuis, déclarait : « La meilleure façon de ne pas avoir à suivre les autres, c'est encore de prendre les devants, et chez Chrysler, on n'a surtout pas l'intention de s'arrêter là ! » Dans cette publicité, l'annonceur affirmait clairement que de suivre les autres n'est pas une solution qui permet de réussir en affaires. L'annonceur doit déterminer ses propres objectifs et chercher à les atteindre, et non être à la remorque des autres. Il faut prendre sa place, même si les leaders contre lesquels il faut se battre disposent de moyens incommensurables.

11.2.4 La méthode des objectifs et des tâches

La communication commerciale mise souvent sur un changement d'attitudes des consommateurs, et c'est sur la base des possibilités de changements que l'annonceur doit déterminer son budget. Comme il a été expliqué au chapitre 2, le processus de gestion implique une planification qui débute par une analyse rigoureuse de la situation et des objectifs à atteindre. Dans un contexte de marketing, la méthode la plus efficace pour s'acquitter de cette tâche consiste à revoir les éléments du plan marketing (voir le chapitre 2 à ce sujet). Rappelons que les éléments principaux du plan sont les suivants :

- l'analyse de la situation, incluant la concurrence, le marché ;
- les objectifs de l'entreprise ;
- l'étude du groupe cible (habitudes d'achat, mobiles d'achat) ;
- les décisions sur les variables contrôlables.

Après avoir revu les éléments du plan, l'annonceur détermine le montant de son investissement en communication à partir d'un modèle des relations entre les deux variables (ventes et investissement). Il est très difficile de prouver l'effet précis d'un effort de communication sur le niveau des ventes, mais un annonceur aguerri arrive à établir cette relation. Certains spécialistes affirment

---

4. LENDREVIE, Jacques, Julien LEVY et Denis LINDON. *Mercator*, Paris, Dalloz, 2003, 1168 p.

que, même si cette relation n'est pas directement proportionnelle, un effort publicitaire entraîne nécessairement une augmentation tangible du niveau des ventes. La figure 11.3 présente un des modèles de cette relation entre les ventes et l'effort de communication, modèle selon lequel cette relation forme une courbe en S. D'autres chercheurs affirment que les résultats suivent plutôt une ligne concave. Il nous est possible d'affirmer, sans prendre une position précise dans ce débat,

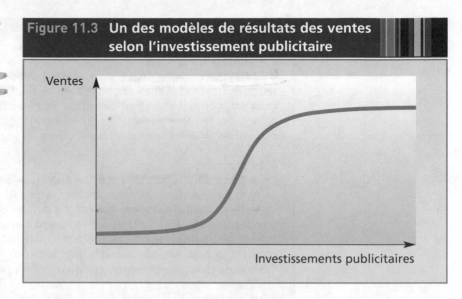

Figure 11.3 **Un des modèles de résultats des ventes selon l'investissement publicitaire**

qu'à la suite d'un investissement publicitaire, les ventes augmentent jusqu'à un certain point et se stabilisent par la suite. Pour un rendement optimal de ses sommes investies en communication commerciale, l'annonceur doit donc déterminer ce montant à investir qui lui permet d'atteindre ce niveau d'augmentation des ventes après lequel elles finissent par se stabiliser. Même si ces modèles établissent une relation de causalité entre l'effort de communication commerciale et les ventes, une campagne de communication efficace n'est pas toujours gage de succès, car de nombreuses variables de l'environnement externe peuvent affecter les ventes d'une entreprise.

Lorsqu'on détermine un budget de communication, on doit tenir compte de plusieurs facteurs de nature différente. L'encadré 11.1 en présente quelques-uns. Selon l'article de cet encadré, le budget de communication est en relation directe avec les autres variables du marketing. Était-il nécessaire de le souligner ?

Encadré 11.1   Combien dois-je réinvestir en publicité ?

L'argent investi en publicité est-il de l'argent gaspillé ou bien investi ? John Wannamaker, propriétaire d'une chaîne de grands magasins qui portait son nom, disait : « La moitié de l'argent que je dépense en publicité est gaspillé inutilement. L'ennui, c'est que je ne sais pas quelle moitié. » Remarquez que Wannamaker n'a pas sabré ses budgets publicitaires pour autant…

Il n'existe pas une réponse simple à la question posée en titre. Par exemple, on sait que dans l'automobile, la publicité équivaut à un ou deux pour cent des revenus. Cela fait beaucoup d'argent : à elle seule, General Motors a dépensé près de 500 millions de dollars US lors du seul premier trimestre de 1997 ! Quant à McDonald's, le plus gros annonceur pour une seule marque, il injecte près de 500 millions de dollars US par année, soit près de 3,5 % de ses ventes.

On peut s'appuyer sur l'analyse des cinq facteurs suivants pour déterminer la quantité d'argent à investir en publicité.

1. La nature du produit

Il existe des produits qui exigent plus de publicité que d'autres. C'est le cas des produits qui s'achètent sous impulsion et des produits à achats répétitifs. Ces deux catégories demandent une présence publicitaire forte et répétitive. Même chose pour un nouveau produit qui a besoin d'un grand effort publicitaire pour pouvoir se faire remarquer, puis s'imposer.

2. Le prix relatif

Un produit dont le prix de vente est plus élevé que la moyenne des concurrents exigera plus de publicité pour justifier cette différence ! En effet, il s'agit alors de bâtir une image de marque prestigieuse pour laquelle les consommateurs seront prêts à payer plus cher, même lorsqu'il existe des produits équivalents sur la marché : pensez aux montres Cartier, aux plumes Mont-Blanc, ou aux complets Hugo Boss. On comprendra que le prix, qui est toujours en relation avec l'image de marque, est largement dû à l'effort publicitaire.

3. L'accessibilité

Un produit qui bénéficie d'une grande distribution exigera moins de publicité que celui distribué dans un réseau restreint. Il faut faire en sorte que la force d'attraction du produit soit suffisante pour stimuler la demande et compenser la faiblesse de la distribution.

Par ailleurs, plus la vente se fera dans un contexte de personne à personne, moins on aura besoin de publicité dirigée vers l'ensemble des consommateurs. D'une certaine manière, la consommation interpersonnelle est beaucoup plus efficace que la communication de masse. C'est pourquoi Avon a moins besoin de publicité que Calvin Klein.

4. Le bruit communicationnel

Plus le bruit communicationnel fait par les concurrents est élevé, plus on sera obligé d'investir pour faire entendre sa voix. Pour décider d'un budget de publicité, il faut être au courant de l'effort planifié par les concurrents.

5. L'état du marché

Enfin, un produit qui s'adresse à un vaste marché de consommateurs, autant géographiquement que démographiquement, exigera des investissements importants.

Pas de chiffre magique

On l'aura compris, il n'y a pas de normes ou de chiffre magique du genre « il faut investir en publicité 3 % des revenus ». Ce chiffre, souvent entendu, fait état d'une moyenne nationale tous secteurs d'activité confondus. Mais alors qu'en automobile on ne budgétise que 1 % du chiffre d'affaires pour ce poste, le prix de vente des cosmétiques inclut près de 50 % des frais de publicité. Le budget de publicité est donc une question de stratégie.

De fait, il a été démontré que les entreprises qui investissent davantage à ce chapitre que la moyenne de leur secteur d'activité sont aussi celles qui affichent les résultats les plus élevés de leur secteur d'activité.

Une chose est sûre : il n'y a pas de succès en marketing moderne sans publicité[5].

---

5. COSSETTE, Claude. « Combien dois-je réinvestir en publicité ? », *PME*, novembre 1997.

Comme nous l'avons déjà mentionné, les ventes ne sont pas toujours au rendez-vous malgré un effort publicitaire intense. Déterminer le budget n'est certainement pas une tâche facile, mais tout gestionnaire en communication marketing doit s'y atteler. De plus, cet exercice demande que le gestionnaire de la communication commerciale ait des aptitudes pour la comptabilité et la finance.

11.3 LA RÉPARTITION DU BUDGET DE COMMUNICATION

Selon le tableau 11.1, BCE a dépensé 27,9 millions de dollars en communication commerciale au cours de l'année 2004. Mais ce montant ne représente que le montant investi pour l'achat d'insertions dans les différents médias. Une fois le budget de communication de l'entreprise déterminé, le responsable de la communication doit procéder à sa répartition. Premièrement, la plupart des annonceurs consacrent, du montant total de l'investissement en communication, environ 20 % à la production des annonces, c'est-à-dire le tournage (comédiens, réalisateurs, musique et autres) en ce qui concerne la communication diffusée électroniquement, et le travail des graphistes et des rédacteurs en ce qui concerne les annonces imprimées. Bien entendu, la charge d'une production de matériel électronique peut être plus importante que celle de la production de matériel imprimé, comme des dépliants.

Le reste du budget initial, soit environ 80 %, sert à acheter les insertions dans les différents médias au cours de l'année. Si nous reprenons l'exemple du budget de BCE, soit 27,9 millions de dollars, on peut présumer que cette somme est répartie équitablement sur les 52 semaines d'une année, soit environ 536 538 $ par semaine. Par contre, d'autres entreprises ne répartissent pas leur budget en portions égales au cours de l'année. La section suivante présente différentes manières de répartir le budget de communication dans le temps.

11.3.1 La répartition du budget dans le temps[6]

Dans un calendrier continu, l'annonceur répartit son budget de façon constante et régulière au cours de l'année. Dans ce calendrier, le même montant est investi chaque semaine ou chaque mois, comme dans l'exemple de BCE. On peut toutefois présumer que BCE investit une somme plus importante pendant certaines périodes clés, par exemple durant les fêtes de fin d'année, période marquée par l'achat des cadeaux de Noël.

Dans le calendrier avec impulsions régulières, l'annonceur augmente avec régularité son investissement publicitaire tout en conservant une certaine présence continuelle au cours de l'année. On peut supposer que ce cas est celui de la SAQ, dont les publicités sont présentes de façon constante durant trois semaines par mois et qui annonce un solde de ses produits lors de la quatrième semaine, ce cycle se répétant chaque mois de l'année.

---

6. BRISOUX, Jacques E., René Y. DARMON et Michel LAROCHE. *Gestion de la publicité*, Montréal, Éditions Chenelière/McGraw-Hill, 1987, p. 468-469.

Dans le cas d'un calendrier avec impulsions irrégulières, l'annonceur répartit son investissement de manière non régulière, en fonction d'événements spéciaux, par exemple.

Dans le cas du **calendrier d'impulsions de lancement**, l'annonceur fait un **blitz** publicitaire pour accompagner la phase de lancement du produit et diminue ensuite progressivement l'investissement publicitaire. Ce type de calendrier permet d'avoir, dès le départ, un effet important dans la perception du produit par les consommateurs. Cette impulsion importante étant créée, l'annonceur peut, par la suite, réduire son investissement publicitaire, car l'effet du début a permis de construire une image forte auprès des consommateurs. Lors des périodes suivantes, l'annonceur continue à être remarqué même si son budget est réduit, grâce à l'effet initial. L'inverse ne serait pas possible : augmenter graduellement l'investissement publicitaire d'abord faible ferait en sorte que, lors des premières phases, l'effet n'aurait pas été suffisant pour créer une force de frappe et les investissements ne serviraient donc à rien.

Dans le cas du **calendrier d'impulsions promotionnelles**, l'annonceur conserve une **présence minimale** tout au cours de l'année et **augmente** considérablement son **investissement** lors d'activités de promotion. Les fabricants ou détaillants de piscines sont des exemples représentatifs de ce type de calendrier de répartition budgétaire.

La figure 11.4 présente l'ensemble de ces modèles de calendrier publicitaire.

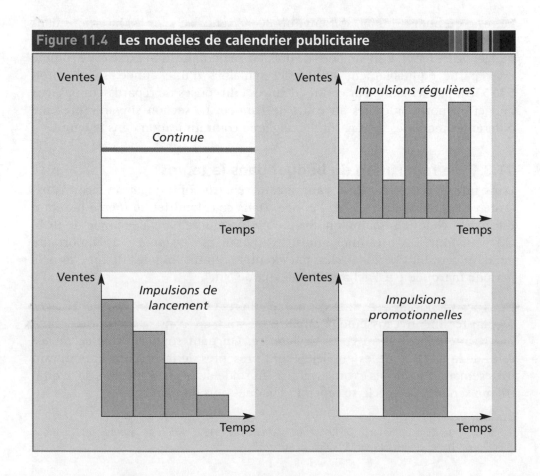

Figure 11.4   Les modèles de calendrier publicitaire

11.3.2 La répartition dans les médias

La répartition se fait par la suite dans les différents médias. Le choix des médias dans lesquels investir est guidé entre autres par l'objectif, la cible recherchée, le budget dont on dispose et les disponibilités des médias. Les caractéristiques des médias entrent aussi parmi les critères de ce choix : pour chaque dollar investi, il faut chercher à obtenir le plus de visibilité possible auprès du groupe à toucher.

Le tableau 11.3 propose différentes variables à considérer pour le choix des différents médias ainsi que des avantages et inconvénients pour chacune de ces variables. Il est plus facile de comprendre ce tableau en ayant à l'esprit les caractéristiques, les avantages et les inconvénients de chaque média présentés au chapitre 8 pour les médias imprimés et au chapitre 10 pour les médias électroniques.

Tableau 11.3 Les critères à considérer pour le choix des médias

Critère	Avantages	Inconvénients
Habitudes de l'auditoire cible	Certaines cibles sont faciles à joindre par des médias, par exemple les jeunes, qui écoutent beaucoup la radio.	Certaines cibles sont très difficiles à joindre, par exemple les personnes mobiles et les personnes dont le revenu est élevé.
Le produit	L'esprit d'une fête pour une annonce de bière est mieux rendu à la télévision.	Des produits se prêtent mal à la diffusion dans certains médias, comme la lingerie.
Le message	Les promotions s'annoncent bien dans les journaux ou à la radio.	Un message comportant des données techniques s'annonce difficilement à la télévision.
Coûts	Le journal est peu dispendieux, par exemple une annonce dans le journal à faible coût permet de toucher mille personnes.	La production et la diffusion d'une annonce à la télévision sont très coûteux.

Source : KOTLER, Philip *et al. Le marketing, de la théorie à la pratique*, Montréal, Gaëtan Morin Éditeur, 1991, p. 329.

Dans la première section d'un plan médias se trouvent les objectifs médias. Par la suite, dans une deuxième section, on présente la stratégie médias, c'est-à-dire qu'on indique les médias retenus et les raisons qui motivent ces choix. Enfin, la troisième partie du plan médias est constituée d'un tableau qui indique chacune des insertions prévues pour chacun des médias. Cette troisième partie comprend aussi les justifications de ces choix, par exemple les raisons pour lesquelles telles émissions de télévision sont retenues, la taille des panneaux d'affichage extérieur et les raisons de ce choix de taille. Toutes les spécifications techniques concernant ces médias doivent y figurer pour permettre à l'équipe de création et de production de l'agence de communication de faire adéquatement son travail.

Le tableau se termine par un récapitulatif des coûts de la campagne. L'achat des insertions dans les médias représente une partie importante des investissements publicitaires. C'est donc une tâche complexe, qui doit être exécutée avec la plus grande rigueur.

11.4 LE CONTRÔLE ET L'ÉVALUATION

Plusieurs méthodes permettent de déterminer l'effet d'une campagne. On peut vérifier si les ventes augmentent ou si elles sont stables. On peut chercher à savoir, par une recherche *ad hoc*, si la notoriété de la marque est en hausse ou non. Comme nous l'avons maintes fois souligné dans ces pages, les ventes ne disent pas tout. La publicité a souvent comme objectif d'augmenter la notoriété du produit ou d'un de ses attributs. Dans certains cas, un des éléments du « marketing mix » peut s'avérer problématique et nuire aux ventes. Par exemple, une distribution inadéquate peut causer une baisse des ventes malgré un effort publicitaire important et un prix abordable. L'annonceur doit contrôler l'efficacité de la communication et son effet sur les ventes.

C'est par la recherche, dont il a été question au chapitre 5 (*L'obtention d'informations sur le consommateur*), qu'on peut contrôler si l'objectif de communication a été atteint ou non.

Lorsqu'on vérifie si les dollars ont été dépensés efficacement en publicité, il faut se rappeler que les objectifs doivent être chiffrables, mais qu'ils sont quelquefois difficiles à vérifier sans mener une recherche appropriée par téléphone, par courriel ou par un autre moyen de sondage. De plus, lors de la campagne de communication, chaque élément du mix de communication (comme les relations publiques ou la promotion des ventes) engendre son propre effet. Il est donc difficile de mesurer l'effet direct de toute la campagne de communication sans analyser d'abord les résultats de chaque élément du mix.

D'autre part, on doit se servir, pour mesurer l'efficacité des médias imprimés et valider les choix, du calcul du coût par mille (CPM) dont il a été question auparavant. Dans le cas de messages électroniques (radio, télévision, Internet), on se sert plutôt du calcul des points d'exposition bruts (PEB) pour déterminer si l'annonceur a obtenu l'effet désiré pour chaque dollar investi.

11.5 LE PLAN DE COMMUNICATION

Le plan de communication commerciale présente d'abord les éléments principaux du plan de marketing. Lors de l'élaboration de ce dernier, l'entreprise a pris des décisions à propos de chacune des variables contrôlables. Le plan de communication peut, dans bien des cas, faire partie du plan de marketing. Le plan de communication reprend les décisions prises à propos de la stratégie de communication, comme les objectifs, les moyens de communication (publicité, promotion, relations publiques, commandite ou autre), la création pour chaque moyen et finalement le plan média. Le plan de communication se termine par la présentation du budget et des moyens de contrôle. Les éléments d'un plan de communication sont les suivants :

Plan de communication
1. Résumé du plan de marketing
    1.1 Analyse de la situation
    1.2 Objectifs de l'entreprise
    1.3 Caractéristiques du groupe cible

2. Stratégies
   2.1 Produit
   2.2 Prix
   2.3 Distribution
   2.4 Communication
3. Communication
   3.1 Objectif et axe de communication
   3.2 Stratégie de communication
      3.2.1 Moyens de communication
      3.2.2 Créatif pour chaque moyen
   3.3 Plan médias
      3.3.1 Auditoire
      3.3.2 Calendrier d'insertion et coûts *(pas à faire pour le travail)*
4. Budget
   4.1 Montant de l'investissement
   4.2 Répartition du budget
5. Évaluation et contrôle

RÉSUMÉ

Il existe plusieurs méthodes pour déterminer le budget de communication commerciale. Nous en avons présenté quelques-unes, entre autres la méthode qui consiste à allouer un même montant chaque année et celle qui suggère d'accorder un pourcentage fixe des ventes à l'investissement publicitaire. Quoique considérées comme peu efficaces par certains spécialistes, ces méthodes sont tout de même assez populaires. Allouer un montant en relation avec l'objectif est une méthode plus rigoureuse. L'annonceur peut déterminer la relation entre les ventes et l'effort de communication par une analyse qui est difficile à faire mais qui permet de déterminer le montant à partir duquel toute augmentation de l'investissement publicitaire n'entraîne plus d'augmentation du niveau des ventes. C'est ce montant que doit investir l'entreprise.

Après avoir présenté comment déterminer le budget, nous avons expliqué comment le répartir. Dans un premier temps, l'annonceur doit accorder un montant pour la production. En règle générale, 20 % du budget est alloué à ce poste. Par la suite, l'annonceur doit répartir son budget sur l'année. Plusieurs calendriers de répartition sont possibles, dont le calendrier de lancement et le calendrier de promotion. Par la suite, l'annonceur doit utiliser son budget pour les insertions médias. Les médias doivent être sélectionnés selon des critères bien spécifiques parmi lesquels le budget, le groupe cible et les caractéristiques des médias eux-mêmes.

Préparer un plan de communication permet de regrouper tous les éléments de la stratégie en vue de l'atteinte d'un ou des objectifs. L'élaboration de ce plan permet de proposer une approche intégrée des différents moyens de communication.

QUESTIONS DE DISCUSSION

1. Parmi les modes de répartition d'un budget, lequel est le plus efficace pour un fabricant de piscines ? Lequel est préférable pour le lancement d'un nouveau shampoing ? Expliquez vos réponses.

2. Un annonceur vous dit : « Mon seul souci est de savoir si la publicité a un effet direct sur les ventes. » Que lui répondez-vous ?

3. Énumérez trois façons de déterminer un budget publicitaire. Laquelle est plus efficace ?

4. Un annonceur vous dit : « Je vais investir en communication commerciale la même somme que mon compétiteur ». Qu'est-ce que vous lui répondez ?

5. Quels sont les éléments d'un plan de communication ?

6. Le contrôle d'une campagne de communication fait partie intégrante d'un plan de communication. Pourquoi est-il si difficile de contrôler l'efficacité d'une campagne de communication commerciale ?

EXERCICES

1. Reprenez le cas « Les boissons énergétiques » présenté à la fin du chapitre 2 et le plan marketing que vous avez élaboré à ce propos. À partir de ce plan marketing, préparez un plan de communication en supposant que vous disposez d'un budget de 100 000 $ pour votre campagne.

2. Établissez le plan médias d'une campagne télévisée pour le lancement de la nouvelle chaîne de restauration Pizza Marco, comparable aux grandes chaînes de restauration offrant de la pizza qui existent déjà. Le restaurant est ouvert de 11 h 30 à 24 h 00 tous les jours de la semaine et offre un service de livraison. Rappelez-vous que la diffusion d'une publicité n'entraîne pas automatiquement le désir de se procurer le produit immédiatement, mais qu'elle fait habituellement augmenter la notoriété du produit.

- Faites votre choix d'émissions parmi la liste présentée à la page suivante, selon la cible et le calendrier. Choisissez un minimum de trois émissions différentes par réseau et un maximum de cinq émissions par réseau. Vous devez varier les jours de diffusion du message. Par exemple, si l'émission que vous avez choisie est diffusée tous les jours de la semaine, faites en sorte que les jours de présence varient afin que les consommateurs qui ne l'écoutent qu'une seule fois par semaine puissent voir votre message.

- Votre choix des émissions doit permettre de maximiser le PEB mais aussi tenir compte du groupe cible et du produit. Rappelez-vous qu'une émission dont le rapport PEB/coût est bon n'est pas nécessairement la plus appropriée pour un produit et une cible spécifiques. Les deux derniers tableaux du chapitre présentent les informations dont vous aurez besoin sur les coûts des insertions et les PEB pour plusieurs émissions.

- La durée de la campagne doit être de 4 semaines, soit un total de 28 jours. Tentez de déterminer quels jours et quelles soirées sont préférables pour ce type de produit et choisissez les émissions en conséquence.

- Votre budget total est de 500 000 $. Vous devez le dépenser totalement sans le dépasser. Vous devez en prévoir une partie pour défrayer les coûts de production (voir les informations à ce sujet présentées dans ce chapitre).

- Présentez un plan médias en vous inspirant du tableau en haut de la page suivante et indiquez dans la première colonne les émissions choisies. Par la suite, indiquez d'un X chaque insertion de message dans cette émission pour chaque journée. Faites le total des PEB dans la colonne indiquée (par exemple, pour 8 insertions dans une émission ayant un PEB de 21, on obtient un total de 168 PEB). Dans la colonne $, indiquez le montant total pour chaque émission (par exemple, pour une émission dont le coût est de 2 000 $ par insertion, 5 insertions donnent un total de 10 000 $). Dans le bas des dernières colonnes, faites le total des PEB et des sommes investies.

Émission	1 lun.	2 mar.	3 merc.	4 jeu.	5 ven.	6 sam.	...	...	...	28	PEB	$
Émission 1 Réseau		7			7				7			
Émission 2 Réseau	7			7				7				
Émission 3 Réseau			7 7			7 7						
Total											PEB	$

Télévision SRC

Émission	Jour(s) et heure de diffusion	PEB	Coût ($)
Bougon (Les)	Lundi 21:00 – 22:00	30	21 670
Découverte	Dimanche 18:30 – 19:30	7	4 930
Enjeux	Mardi 21:00 – 22:00	8	5 450
Épicerie (L')	Mercredi 19:30 – 20:00	8	5 540
Fureur (La)	Samedi 18 :30 – 19 :30	10	6 500
Grands films (Les)	Samedi 19:30 – 22:00	4	4 160
Infoman	Vendredi 19:30 – 20:00	8	4 845
Téléjournal (début de soirée)	Lundi au vendredi 17:00 – 18:00	3	1 500
Tout le monde en parle	Dimanche 20:00 – 22:00	22	19 570
Virginie	Lundi au vendredi 19:00 – 19:30	13	7 500

Télévision TVA

Émission	Jour(s) et heure de diffusion	PEB	Coût ($)
Caméra Café	Mardi 21:00 – 21:30	18	14 500
Gala Star Académie	Dimanche 19:30 – 21:00	40	30 000
Km/H	Jeudi 20:30 – 21:00	19	16 100
Nos étés	Lundi 20:00 – 21:00	21	16 700
Poupées Russes (Les)	Mercredi 20:00 – 21:00	12	11 800
Salut Bonjour	Lundi au vendredi 5:30 – 9:00	4	1 850
Star Académie	Lundi au jeudi 19:00 – 19:30	26	24 500
TVA en direct	Lundi au vendredi 12:30 – 13:30	3	1 400

12

CHAPITRE 12

LA COMMUNICATION COMMERCIALE DE MASSE : BIENFAIT OU FLÉAU SOCIAL ?

« *Les historiens et les archéologues découvriront un jour que les annonces de notre époque constituent le reflet quotidien le plus riche et le plus fidèle qu'une société ait jamais donné de toute la gamme de ses activités. Les hiéroglyphes égyptiens viennent loin derrière à cet égard[1].* »

INTRODUCTION

La communication commerciale en général, et la publicité en particulier, fait l'objet de nombreuses accusations. La publicité a même été qualifiée de « charogne » par Oliviero Toscani[2], photographe des publicités de Benetton, et de « déchet culturel » par Claude Cossette[3], fondateur de ce qui est devenu au Canada la plus importante agence de communication de propriété canadienne. Ces accusations prennent toute leur force lorsqu'on sait que tous deux ont acquis leur notoriété en tant qu'acteurs majeurs du monde de la publicité. Depuis qu'elle existe, la publicité a toujours suscité bien des controverses.

Bienfait ou fléau social, la publicité n'en demeure pas moins le reflet fidèle de ce qu'est notre civilisation, comme l'a souligné McLuhan. Ce chapitre se propose de faire le point sur l'influence, positive ou négative, de la communication commerciale sur la société, et de présenter la réglementation dont elle fait l'objet.

12.1 LA COMMUNICATION COMMERCIALE EST-ELLE UN BIENFAIT POUR LA SOCIÉTÉ ?

12.1.1 La publicité sociétale

On définit la publicité sociétale comme une communication qui vise à sensibiliser l'opinion, à éduquer ou à changer des attitudes. Alors qu'une publicité commerciale est efficace pour vendre des voitures, la publicité sociétale nous dit plutôt de ne pas aller trop vite en voiture. La publicité sociétale est souvent prise entre deux feux. D'un côté, elle doit parler fort pour se faire entendre, utiliser des images ou un langage qui vont émouvoir, parfois même choquer afin d'éveiller le spectateur. De l'autre, une publicité ne doit pas trop choquer, car montrer à répétition des images trop dures peut finir par avoir l'effet contraire sur la cause pour laquelle elle a été créée. Au fil des ans, les consommateurs ont été habitués à voir des images très dures où l'on présente des femmes ou des enfants, battus ou malades, pour nous sensibiliser à un problème. D'autres campagnes optent plutôt pour la convivialité. Dans un marché très encombré (il se fait près de 500 collectes de fonds annuelles à Montréal), l'annonceur doit se faire remarquer.

---

1. MCLUHAN, Marshall. *Pour comprendre les médias. Les prolongements technologiques de l'homme*, Montréal, Hurtubise HMH, 1970, p. 256.

2. TOSCANI, Oliviero. *La Pub est une charogne qui nous sourit*, Paris, Éditions Hoëbeke, 1995, 198 p.

3. COSSETTE, Claude. *La publicité, déchet culturel*, op. cit. 235 p.

Il existe plusieurs dizaines de causes, dont certaines sont plus connues. Les causes suivantes donnent occasionnellement lieu à des campagnes de publicité sociétale :

- les femmes et les enfants maltraités ;
- la conduite automobile et la sécurité routière ;
- le féminisme et le sexisme ;
- l'alcoolisme et les drogues ;
- la pollution et la conservation de l'énergie ;
- la sécurité à la maison et la prévention des incendies ;
- les habitudes d'exercice physique et les habitudes alimentaires ;
- l'éducation médicale à propos de différentes maladies ;
- les problèmes reliés au troisième âge.

12.1.1.1 Les annonceurs

Comme nous l'avons expliqué au chapitre 11, le gouvernement canadien et les gouvernements provinciaux figurent parmi les plus importants annonceurs au pays, devançant plusieurs grandes entreprises d'envergure nationale et internationale. Les publicités sociétales peuvent relever de l'un ou l'autre des types suivants :

- elles peuvent être béhavioristes, lorsqu'elles cherchent à agir sur le comportement, comme dans le domaine de la lutte anti-tabac, de la consommation d'alcool, de la vitesse au volant ou de la violence conjugale ;
- elles peuvent être administratives, lorsqu'elles annoncent des nouveautés ou donnent des informations sur des sujets tels que l'assurance-emploi, un recensement ou les déclarations fiscales.

Les grandes entreprises veulent se présenter comme de bons citoyens. Elles utilisent l'une ou l'autre des deux formes de publicité sociétale :

- altruiste, dans le cas des publicités qui s'intéressent aux autres, dont la portée est humanitaire, comme Labatt qui dit au spectateur que c'est à lui de tracer sa ligne de conduite ;
- égocentrique, dans le cas des publicités dont le seul intérêt est l'entreprise elle-même, comme Alcan qui annonce qu'elle ne pollue plus et que l'aluminium, c'est l'avenir.

Divers types d'organismes font de la publicité sociétale, comme :

- les partis politiques lors des campagnes électorales ;
- les organismes religieux, comme le diocèse de Montréal ;
- les organismes dévoués à une cause sociale, comme Centraide ou la Croix Rouge.

La publicité sociétale utilise les mêmes techniques que la publicité commerciale. Elle applique la procédure dont il a été question au chapitre 5, cible un segment précis et adopte un positionnement spécifique.

12.1.1.2 L'utilisation de la peur

Des chercheurs ont posé la même question à trois groupes d'individus différents : « Si vous arrêtez de vous brosser les dents, quelles en seront les conséquences ? » Ils ont aussi fourni des éléments de réponse à chacun des groupes. Au premier groupe, les chercheurs ont affirmé qu'ils auraient des problèmes d'hygiène, cherchant à leur transmettre une peur minimale. Au deuxième groupe, ils leur ont dit qu'ils auraient des problèmes de digestion causant à leur tour d'autres problèmes, ce qui a provoqué une peur moyenne. Au troisième, ils ont expliqué qu'ils auraient des problèmes de digestion qui pourraient occasionner, à leur tour, d'autres problèmes plus graves, pouvant même causer la mort. Alors que les deux premiers groupes ont été réceptifs aux propos, le troisième n'y a pas adhéré, car personne ne croyait le scénario catastrophique.

Des photos de poumons et de gencives dégoulinants de goudron peuvent-elles convaincre les gens de cesser de fumer ? Et qu'en est-il des photos de gens ayant un trou dans la gorge ? Les publicitaires croient que oui, mais apportent certaines nuances. D'abord, il ne faut pas s'attendre à ce que la publicité règle tous les problèmes. Certaines personnes sont réceptives et il suffit de leur dire que la cigarette cause le cancer pour qu'elles cessent de fumer. D'autres sont sceptiques et on ne peut les convaincre que par des arguments rigoureux. Dans ce cas aussi, la publicité joue toujours un rôle d'information. La publicité peut aussi faire du renforcement positif. Elle est idéale pour conforter les ex-fumeurs dans leur choix. Tout comme dans le cas de la publicité commerciale, l'annonceur doit varier le message, car, à la longue, les fumeurs s'habituent aux messages qui figurent sur leurs paquets et y deviennent insensibles. Le message doit aller le plus loin possible, mais sans être excessif. Il arrive qu'une publicité choquante braque les consommateurs contre le message qu'elle tente de faire passer, et le changement de comportement voulu devient alors impossible.

La publicité commerciale et la publicité sociétale ne s'opposent pas catégoriquement, elles s'aident mutuellement, entre autres parce que les agences travaillent souvent bénévolement pour une publicité sociétale. Le CRTC oblige les diffuseurs (radio et télévision) à réserver une partie de leur temps d'antenne publicitaire aux causes sociétales.

12.1.2 La commandite sociétale

Dans le chapitre 2, où nous avons présenté la commandite, nous avons expliqué qu'une entreprise qui participe financièrement à un événement culturel ou sportif bénéficie en retour d'une certaine visibilité. Dans cette section, nous abordons plutôt le cas de certaines commandites plus « discrètes », dont les bénéficiaires ne sont pas des acheteurs potentiels de la marque qui commandite, mais qui contribuent à forger une image de « bon citoyen corporatif » de la compagnie ou à la renforcer. Des entreprises comme Desjardins, IBM, Xerox et GM ont compris ce principe et se sont mises à investir dans le domaine communautaire. Le milieu scolaire reçoit une bonne part des bénéfices issus de cette nouvelle tendance. Par exemple, Microsoft a mis sur pied un programme de dons d'ordinateurs à l'intention d'écoles recevant des élèves provenant de milieux défavorisés, et Saturn a financé les installations récréatives de l'école John F. Kennedy à Beaconsfield, école située dans la banlieue ouest de Montréal, et spécialisée dans l'accueil d'enfants handicapés intellectuels, comme l'explique l'article de l'encadré 12.1.

Encadré 12.1   La publicité sociale pour financer les écoles

[...] À l'école John F. Kennedy de Beaconsfield, qui accueille 145 jeunes handicapés intellectuels et des autistes, Marie-Nicole Vallée, la directrice, ne s'est pas posé longtemps la question. « Nous n'avions pas assez de jeux pour les enfants dans la cour de l'école. » Son projet accepté, elle a contacté une compagnie d'équipements récréatifs. On lui a livré des glissoires, un arc avec des ballons rotatifs, une balançoire en pneu, des sièges, etc. Le concessionnaire Saturn de la région s'est mué en bonne fée à la place du ministère de l'Éducation. Le tout pour la modique somme de 10 000 $. Et une plaque commémorative pour célébrer un nouveau partenariat. « Il n'y a pas assez d'argent au ministère, encore moins pour les écoles pour enfants handicapés. Toute notre enveloppe est passée dans le programme informatique, dans les outils de communication, le matériel de physio et les lits électriques. Il ne nous restait jamais d'argent pour le reste », a souligné la directrice[4].

12.2 LA PUBLICITÉ EST-ELLE UN FLÉAU SOCIAL ?

On accuse la publicité de plusieurs maux de société. Mais la publicité est-elle vraiment responsable de tous ces maux ? Voici quelques-unes des accusations souvent entendues à propos de la publicité.

12.2.1 La publicité nous manipule à notre insu

Cette accusation porte généralement sur la publicité subliminale. Le mot « subliminal » vient de l'expression latine *sub limen*, qui signifie « sous la limite ». Ainsi, la perception subliminale est caractérisée par une perception en deçà du seuil de la conscience. Les images d'un film défilent à $1/24^e$ de seconde au cinéma, et à $1/25^e$ à la télévision. Il est facile de lancer des messages subliminaux : il suffit d'intercaler une seule image dans un film pour que l'œil la signale au cerveau sans que le sujet en soit conscient, puisque le stimulus est trop faible pour passer le seuil de la perception. Selon certains psychologues, l'influence que peuvent exercer les stimulations subliminales sur le comportement est importante. On considère donc parfois la publicité subliminale comme une forme de persuasion clandestine des consommateurs.

En publicité imprimée, l'exemple le plus connu date des années 1960 : une publicité montrant un verre de gin contenait le mot « sex » gravé dans la glace.

Au cinéma, l'expérience la plus connue est celle menée en 1957 par James Vicary. Ce spécialiste des recherches en motivation conduisit un test de six

---

4. LÉGER, Marie-France. « La publicité sociale pour financer les écoles. La compagnie Saturn se lance à l'assaut des parcs-écoles », *La Presse,* le samedi 1er septembre 2001, p. A6.

semaines au théâtre de Fort Lee, New Jersey, qui provoqua une augmentation notoire dans les ventes. De très courts messages indiquant « Mangez du maïs soufflé » et « Buvez du Coca Cola » ont été insérés à six reprises durant la projection du film *Picnic*; et les messages apparaissaient si furtivement qu'ils n'étaient pas perçus consciemment par les spectateurs. Selon Vicary, ce procédé subliminal fit augmenter les ventes de cola de 18 % et les ventes de maïs soufflé de 58 %. Cette expérience secoua les États-Unis, qui y virent un danger aussi redoutable que le péril rouge, à tel point que dès novembre 1957, la National Association of Radio and Television Broadcasters demanda aux stations et aux chaînes qui en étaient membres de renoncer aux méthodes de publicité subliminale. Depuis les années soixante, cette pratique a été légalement interdite dans tous les pays occidentaux. Malgré cette interdiction, les producteurs du film *Battlefiled earth*, mettant en vedette John Travolta, ont été accusés en 2000 d'y avoir inséré des images subliminales en faveur de l'Église de scientologie. Georges W. Bush a dû admettre avoir utilisé des images subliminales dans une publicité télévisée faisant partie de sa campagne à l'élection présidentielle de 2000. Ce message qui a été diffusé 4 000 fois dans 37 villes critiquait le candidat démocrate Al Gore et se terminait par le slogan « The Gore Prescription plan : Bureaucrats Decide ». Les quatre dernières lettres du mot « bureaucrats » se détachaient sur fond noir pendant un trentième de seconde pour former « rats ». On a obligé l'équipe de Bush à retirer ce message.

Mais jusqu'à quel point la publicité subliminale peut-elle nous imposer des comportements d'achat ? D'après Ignacio Ramonet[5], qui se base sur les recherches du chercheur canadien Philip Merikle de l'Université de Waterloo, son influence se limiterait à stimuler des besoins de base comme manger et boire, mais ce type de publicité serait inapte à imposer une marque de produit. Ramonet cite aussi les travaux de Juan Segui, directeur du Laboratoire de psychologie expérimentale de l'Université Paris V, travaux selon lesquels l'effet provoqué par un stimulus subliminal disparaît après 200 millisecondes, ce qui ne laisse pas beaucoup de temps pour se procurer le produit convoité !

Méthode moins controversée et moins spectaculaire, le placement de produit, dont il a été question au chapitre 10, s'avère d'une efficacité remarquable. Il s'agit d'une activité de communication commerciale tout à fait légale qui, parce qu'elle n'a pas à première vue les caractéristiques de la publicité conventionnelle, peut avoir une influence considérable sur certains consommateurs qui baissent les défenses parce qu'ils ne considèrent pas avoir affaire à de la publicité. Ramonet explique que le populaire auteur de romans d'espionnage Gérard de Villiers, qui a vendu plusieurs millions d'exemplaires de ses romans, a reçu environ 50 000 dollars par année de chacun de ses commanditaires pour que les cigarettes que fume son héros SAS, espion de la CIA, soient des Gauloises blondes, pour que le briquet avec lequel il les allume soit un Zippo, pour que ce qu'il boit soit du whisky Defender[6]. Cette stratégie est d'une efficacité redoutable, puisque le consommateur qui s'identifie au héros d'une œuvre de fiction ou qui admire une personnalité riche et célèbre, risque

5. RAMONET, Ignacio. *Propagandes silencieuses*, Paris, Éditions Galilée, 2000, p. 45-47.
6. RAMONET, Ignacio. *Op. cit.*, p. 47.

d'être tenté de consommer les mêmes produits que ce modèle, surtout s'il s'agit de produits dont le prix n'est pas un obstacle. Le placement de produit est appelé à prendre de plus en plus d'importance dans le mix de communication commerciale, étant donné que les études montrent que l'effet des méthodes publicitaires traditionnelles subit un fléchissement. Le Québec n'échappe pas à cette tendance, comme en témoigne l'encadré 12.2.

« Yo, McDo ! » Le prochain chanteur hip hop à intégrer dans une chanson le nom de McDonald's aura droit à quelques dollars chaque fois qu'un poste de radio américain diffusera la pièce musicale. Visiblement, la présence quasi subliminale d'un Big Mac dans un film ne suffit plus au géant de la restauration rapide.

Plus près de nous, Honda a réussi un coup aussi douteux pour se retrouver dans une émission de télé québécoise aux heures de grande écoute. Le constructeur automobile a en effet payé son porte-parole, l'humoriste Martin Matte, pour qu'il fasse référence à l'entreprise dans un sketch prononcé lors du gala des Olivier qu'il animait...

Vous pensiez qu'on ne vous en passerait jamais une ? Détrompez-vous, la pub est de plus en plus subliminale, ne connaît plus de limites et s'immisce tranquillement dans toutes les sphères de la société.

Même la politique y goûte ! Il y a deux semaines, la conseillère municipale du Plateau Christine Poulin s'est ainsi fait teindre les cheveux pour une « bonne cause », dixit Xerox qui, en échange, offrait un don et une imprimante aux organismes de son choix.

Cette soudaine générosité coïncidait « avec une importante annonce mondiale qui sera faite par Xerox le même jour dans le domaine de l'impression de bureau »...

Même les romans font aujourd'hui de la place aux annonceurs, quand ils ne sont pas carrément écrits *pour* un annonceur. Le livre *The Bulgari Connection* a par exemple été publié par la romancière britannique Fay Weldon à la demande expresse de la bijouterie italienne Bulgari.

Le monde de la publicité est comme cette fourmi à qui l'on obstrue le chemin : elle réoriente sa course, se fraie un nouveau tunnel et poursuit son chemin comme si de rien n'était.

Lorsque les ventes de friandises Reese's Pieces ont bondi de 66 % à la suite d'un habile placement publicitaire dans le film *E.T.* de Steven Spielberg, une première porte s'est ouverte. Depuis, les annonceurs les enfoncent les unes après les autres.

Difficile de les blâmer puisque le marketing de masse a connu un important déclin ces dernières années. Il y a une quarantaine d'années, une publicité diffusée simultanément sur les grands réseaux de télé aux États-Unis pouvait être vue par 80 % des femmes américaines. Pour obtenir le même résultat aujourd'hui, la même pub devrait apparaître sur une centaine de chaînes.

À cet obstacle s'ajoutent évidemment la naissance d'appareils permettant de *zapper* la pub télé ainsi que l'irritation croissante des consommateurs qui, sondage après sondage, affichent de plus en plus d'intolérance et d'indifférence par rapport à la publicité.

Consciente de toutes ces difficultés, l'industrie de la pub a répondu par le micromarketing : on segmente la clientèle, on étudie son comportement jusqu'à plus soif et on va la chercher là où elle se cache. C'est ainsi qu'une publicité du déodorant Axe se retrouve sur un immense panneau d'affichage... dans le paysage du tout récent jeu vidéo *Splinter Cell*.

L'idée de cibler davantage la clientèle a le mérite d'exposer moins de gens à la publicité. Tant mieux. Mais si cela signifie que la pub s'immisce dans tous les secteurs jusque-là vierges de publicité, le prix à payer est élevé... tant pour le consommateur que pour l'annonceur.

Le jour où il n'existera plus aucun lieu sacré, où toutes les frontières auront été franchies, le consommateur aura en effet toutes les raisons de réagir avec vigueur. Si les annonceurs veulent éviter d'atteindre ce point de non-retour, une réflexion s'impose.

Le publicitaire Jean-Jacques Streliski propose une « réforme de la publicité ». Son idée mériterait d'être publicisée[7].

---

7. CARDINAL, François. « Pubs sans frontières », *La Presse,* Forum, le jeudi 7 avril 2005, p. A22.

12.2.2 La publicité est souvent de mauvais goût

Actuellement, certaines campagnes optent délibérément pour le *politically incorrect*. Par exemple, pour se démarquer, un annonceur a proposé le synopsis de campagne suivant, dont le goût est douteux :

« Une jeune fille s'assoit dans une voiture et son petit ami ferme la portière. Se croyant seule, elle émet une flatulence digne d'un vestiaire d'hommes. Le copain revient au siège du conducteur et dit en s'asseyant : "Au fait, connais-tu Craig et Anna ?" Il s'agit d'un couple d'amis assis à l'arrière de la voiture et que la jeune fille n'avait pas aperçu. »

Figure 12.1
Même les publicités sociétales peuvent être jugées offensantes.

Bien que savoir si quelque chose relève du bon ou du mauvais goût soit souvent une question de perception individuelle, la vulgarité de l'exemple précédent ferait sûrement consensus. Et certains groupes de personnes peuvent réagir négativement à certaines publicités qui cherchent volontairement à provoquer, et ce, même dans le cas de publicités sociétales. Par exemple, en 2003, la Coalition des organismes communautaires québécois de lutte contre le sida[8] avait demandé à son agence, Marketel, de concevoir une campagne qui frappe fort. Cette campagne, dont le slogan était « Le sida est sans pitié », en a choqué plus d'un, malgré l'esthétisme des photographies en noir et blanc des spots télévisés, comme en témoigne la figure 12.1.

Les publicités qui font le plus l'objet de plaintes, outre celles qui sont accusées de sexisme et dont il sera question à la section suivante, sont celles qui heurtent certains tabous encore vivaces, comme les publicités qui portent sur des produits considérés comme devant relever de la sphère intime des consommateurs, notamment les produits d'hygiène féminine, les sous-vêtements et les traitements pour soulager les hémorroïdes. C'est l'utilisation de la nudité et de la sexualité dans l'argumentation publicitaire qui soulève le plus de protestations au Québec.

12.2.3 La publicité entretient les stéréotypes sexistes

Les pourfendeurs de la publicité ne manquent pas de dénoncer l'abus d'utilisation de modèles féminins en tenue légère posant sur des véhicules automobiles, pour annoncer des outils destinés aux mécaniciens. Mais comment définir ce qu'est une publicité sexiste ? L'association La Meute québécoise, un organisme à but non lucratif dont la mission consiste à lutter contre les publicités sexistes, a proposé des critères à ce sujet. Selon cet organisme, une publicité est sexiste quand :

• elle établit des normes physiques et comportementales qui dévalorisent les femmes ;

• son traitement de l'image souligne l'inégalité, en accentuant le caractère viril de l'homme et la vulnérabilité de la femme ;

• elle utilise des slogans et des images enfermant les femmes et les hommes dans des stéréotypes aliénants.

8. Source : <www.algi.qc.ca/asso/cocq-sida>, site visité le 8 septembre 2005.

Figure 12.2
Cette publicité a été accusée de perpétuer le cliché de la femme soumise.

Source : Fourni à titre gracieux par Airwalk.

Figure 12.3
Cette publicité a été accusée de présenter la femme comme un objet sexuel.

Source : Fourni à titre gracieux par Calvin Klein.

En 1977, le Conseil du statut de la femme décernait pour la première fois son prix Déméritas à la publicité la plus sexiste, en même temps qu'un prix Éméritas à la publicité la plus positive à l'égard des femmes. Cette pratique n'a duré que quelques années et ces deux prix n'existent plus depuis 1989. Plusieurs ne considèrent pas pour autant que les stéréotypes sexuels ont disparu du paysage publicitaire québécois. Les figures 12.2 et 12.3 présentent des exemples de publicité qui ont été considérées comme sexistes.

Le 18 juin 2005, plusieurs dizaines de manifestants s'étaient donné rendez-vous devant l'édifice de la brasserie Molson à Montréal, pour protester contre trois publicités considérées comme hautement sexistes, soit celles de la Marca Bavaria, de la Molson Ex Light et de la Coors Light. Il semble donc que la publi-cité sexiste ne soit pas morte. D'autre part, on assiste à un phénomène qu'on pourrait qualifier de sexisme à rebours. L'organisme intitulé Normes cana-diennes de la publicité reçoit de plus en plus de plaintes au sujet de publicités sexistes envers les hommes. Plusieurs messages publicitaires sont considérés par certains comme dénigrant les hommes, et certaines associations se mobi-lisent pour lutter contre l'image dévalorisante qui est faite d'eux. L'article de l'encadré 12.3 rend compte de cette situation.

Encadré 12.3 « Mon gros bébé ». Des hommes taxent la pub de sexiste… à leur égard

QUÉBEC - À la fin des années 90, Bell Canada engageait le comédien Benoît Brière pour jouer dans une publicité le rôle d'un beau-frère importun, ridi-cule et demeuré. La campagne connut un succès délirant. Depuis, les nigauds se sont multipliés dans les commerciaux. À tel point que plusieurs personnes accusent maintenant la pub de sexisme… à l'égard des hommes !

Dans un récent commercial vantant les céréales Spécial K, un bonhomme pas très sexy rajuste ses bobettes sur ses fesses grassouillettes. Une séduisante voix féminine commente hors champ : « Vous acceptez ses petits défauts. Acceptez donc les vôtres. » Petits défauts ? Le personnage a l'air d'un vrai taré. Et il se comporte comme s'il en était un. « À la télé, au Québec, les crétins sont de sexe masculin », admet Luc Dupont, auteur de deux livres sur la publicité et chargé de cours à l'Université Laval. Un commercial sur trois met en scène un couple ; dans ces pubs, de façon à peu près systématique, monsieur fait une niaiserie.

Dernièrement, on a vu un homme égrener son muffin sur le dossier de sa collègue (Gâteaux Vachon), miser 2 $ à l'enchère d'un tableau de maître (Loto Super 7), mettre les pieds sur son bureau et tomber à la renverse (Loto Super 7). Dans une annonce de médicament contre le rhume, on fait si peu de cas de l'intelligence masculine que le protagoniste porte sur ses épaules la tête d'un poupon. « Mon gros bébé », s'apitoie sa femme, avec une touche d'ironie bien sentie...

Même dans son champ de compétence traditionnel, l'homme n'échappe pas aux railleries. Dans une réclame de Pro spécialité maison, un gaillard met 30 longues secondes à comprendre le mode d'emploi d'un bidule... pour poser un joint de scellant sur la baignoire. « Dans les années 60, les hommes savaient tout faire ; maintenant, tout les laisse perplexe ! », note Luc Dupont.

Les publicitaires malmènent tellement l'idéal de virilité depuis trois ou quatre ans que des consommateurs commencent à s'inquiéter de la condition masculine. Le ridicule a beau ne pas tuer, il pique au vif !

« Ces dernières années, on a reçu plusieurs plaintes pour sexisme envers les hommes », confirme Niquette Delage, directrice de la section francophone des Normes canadiennes de la publicité. Une nouveauté révélatrice.

Depuis que les féministes ont mené leur campagne pour une meilleure représentation des filles en publicité, dans les années 80, il n'est plus admis de les dépeindre en faire-valoir passifs et bébêtes. La pitoune à poil et la ménagère obsédée de propreté ont, Dieu merci, presque complètement disparu.

Bien sûr, les Normes canadiennes de la publicité ont reçu l'an dernier encore 55 plaintes pour des réclames considérées méprisantes à l'endroit des femmes. Mais en général, l'image de la féminité s'est si bien retapée que le Conseil du statut de la femme a aboli dès 1989 ses prix Éméritas et Déméritas, qui avaient été instaurés pour lutter contre le sexisme.

En matière de respect des femmes, l'opinion publique n'accepte plus les écarts. Il est loin le temps où le héros d'une annonce de détergent pouvait enguirlander son épouse pour avoir laissé un cerne de saleté sur le col de sa chemise !

Pouvoir d'achat
Et puis ces dames ont désormais un pouvoir d'achat qu'aucun producteur — sauf peut-être un embouteilleur de bière — ne peut se permettre d'ignorer. Les publicitaires le savent et courtisent les consommatrices.

La preuve : les narrateurs (« voix de crédibilité » en jargon) sont maintenant aussi souvent féminins que masculins. Par crainte de choquer, nos « fils de pub » se gardent bien de créer des personnages féminins vulnérables, indécis, ou même juste farfelus. Qui écope de ces rôles ? « C'est le retour du balancier, explique Luc Dupont. Les hommes jouent aujourd'hui le rôle qui était jadis dévolu aux femmes. »

D'une certaine manière, le mâle pâtit de son statut privilégié. Coincés dans le carcan de la rectitude politique, qui s'alourdit de jour en jour, les créateurs n'osent plus mettre en scène les femmes, les homosexuels, les gens de couleur que dans un cadre ultra-convenable. Ils se replient sur la seule personne qu'on puisse encore taquiner sans se faire accuser d'intolérance : le mâle blanc hétérosexuel. Mais même lui commence à en avoir sa claque de son rôle d'idiot du village.

Surtout qu'on ne le ménage pas. Une publicité de médicament le montre même sur le bol de toilette, interrompu par la diarrhée au milieu d'une séance de cambriolage ! « Il y a vraiment une double morale, estime Joseph Mullie, directeur général de l'Association des agences de publicité du Québec, dont les membres produisent 75 % des commerciaux réalisés dans la province. On accepte de faire subir aux hommes des choses qu'on ne servirait jamais aux femmes. »

En publicité, les filles sont devenues agressives. Elles roulent en moto, font de la boxe et de l'escalade, fument le cigare — des symboles traditionnellement masculins. Elles conduisent vite et embrassent des inconnus dans les bars. De façon, oui, un peu macho !

Dans une récente publicité télévisée des chips Lays, une chipie pose un ultimatum à son chum, qui regarde une émission sportive : laisse-moi le téléviseur, sinon tu n'auras pas de croustilles. Le pauvre finit devant un film d'amour, à brailler comme un veau...

« Si un Martien débarquait au Québec, il croirait que toutes les femmes sont dominatrices, manipulatrices, rébarbatives », dit Luc Dupont.

Faut-il craindre de voir notre télé envahie de mâles débiles et de femelles tortionnaires ? « On est allés au bout de la recette, estime Luc Dupont, qui conserve dans ses archives plus de 15 000 publicités. Tôt ou tard, on va réaliser que le sexisme à rebours ne rend service à personne : ça crée des conflits et ça ne rend pas le produit sympathique[9]. »

2001 © Journal *Le Soleil*

12.2.4 La publicité trompe le consommateur

La publicité est souvent taxée de mensonge et de tromperie. C'est le reproche qu'on lui fait le plus fréquemment. Il est vrai que les multiples superlatifs qui sont à la base de certains slogans ne font rien pour rehausser sa crédibilité. Les plaintes reliées à la publicité mensongère concernent principalement :

- les prix (cette accusation concerne surtout les publicités émanant de commerces de détail ; lorsque le détaillant est reconnu coupable, il est condamné à payer une amende) ;
- les concours et loteries commerciales (cette accusation, dans les cas où elle est fondée, concerne surtout de petites entreprises locales incapables de respecter leur engagement ; la Régie des alcools, des courses et des jeux encadre étroitement ces activités promotionnelles).

Les cas avérés de publicité trompeuse sont relativement peu nombreux. Les entreprises qui investissent des millions de dollars pour bâtir leur image de marque ne sont pas portées à mettre leur notoriété en péril par le recours à

---

9. SAINT-HILAIRE, Mélanie. « "Mon gros bébé". Des hommes taxent la pub de sexiste... à leur égard », *Le Soleil*, le 2 juin 2001, page A1.

de la publicité trompeuse. Le Bureau d'éthique commerciale[10] (*BetterBusiness Bureau*) est un regroupement d'entreprises soucieuses d'entretenir de bonnes relations avec leur clientèle. Les entreprises qui y adhèrent s'engagent à respecter les normes d'éthique commerciale édictées dans le code de déontologie de l'organisme. Les principes de cet organisme sont les suivants :

- respecter à la lettre l'esprit de toutes les lois concernant les pratiques commerciales et professionnelles ;
- présenter l'information concernant les produits ou les services de façon qu'elle soit bien comprise par tous ;
- respecter, sans restriction, les engagements envers le client ;
- exclure toute pratique concurrentielle déloyale ;
- tenter de régler de façon équitable les plaintes des clients par le traitement de celles-ci, la médiation ou l'arbitrage ;
- bannir les méthodes de vente et de publicité mensongères et tendancieuses.

12.2.5 La publicité constitue un gaspillage éhonté

On reproche aux activités de communication de masse d'être la cause de plusieurs types de gaspillage économique, exposés dans les sections suivantes.

12.2.5.1 La publicité incite à la consommation

Il est bien sûr consternant de voir des enfants exiger de leurs parents une marque de vêtements ou de chaussures spécifique, symbole d'un statut social dans leur milieu scolaire. À ce sujet, Claude Cossette déclare que « la publicité est particulièrement efficace chez les gens non instruits, ceux qui sont friands des billets de Loto-Québec. Or, il est prouvé que les ventes, à ce niveau, sont proportionnelles à l'argent investi pour attirer les acheteurs[11] ».

Il est indéniable que la publicité augmente la consommation, mais elle permet par la même occasion de créer des économies d'échelle, et donc de diminuer les coûts unitaires. On a constaté que dans les États américains où la publicité pour les lunettes est interdite, le prix de ce produit est de 25 % à 30 % plus élevé que dans les États où une telle interdiction n'existe pas[12].

12.2.5.2 La publicité crée des besoins artificiels

Plusieurs produits inutiles sont offerts et certains individus sont incapables d'y résister. Par exemple, une voiture peut s'avérer utile pour effectuer des déplacements, mais la surconsommation d'essence est bien sûr un gaspillage. Les messages que l'organisme Powershift signe sur l'obsession de la beauté du corps et de la mode sont souvent rejetés par les réseaux. Cet organisme de Vancouver, une filiale de Media Foundation, crée des contre-publicités qui parodient des annonces célèbres : une annonce de Volkswagen avec un vélo au lieu d'une voiture et le slogan « Riders wanted » ; un éphèbe musclé qui admire ses vêtements signés *Calvin Kline* ; ou encore un troupeau de moutons

---

10. Source : <www.bbb-bec.com>, site visité le 29 juin 2005.

11. COSSETTE, Claude. « Trop c'est trop », *Le Soleil*, le 23 octobre 2001, page B1.

12. BELCH, Georges E. *et al. Communication marketing, une perspective intégrée*, Montréal, Chenelière/ McGraw-Hill, 2005, p. 604.

arborant le nom *Tommy*, hébétés devant un drapeau américain. Ces publicités sont diffusées dans le magazine *Adbusters*[13], appartenant au groupe Media Foundation.

Un sondage de Descaries & Complices mené auprès de 1 007 Québécois a confirmé[14] le fait que les Québécois trouvent la publicité manipulatrice. La question à laquelle on cherchait une réponse était de savoir si les gens étaient en accord avec l'affirmation suivante : « La publicité crée des différences imaginaires entre des produits qui sont en réalité similaires. »

Par contre, on reproche aussi à la publicité d'être inefficace, comme le montrent les accusations suivantes :

- certains produits ne survivent pas à la phase de lancement, malgré une campagne publicitaire massive ;
- la publicité sur les marques de cigarette n'amène pas les non-fumeurs à commencer à fumer, elle encourage plutôt les fumeurs à changer de marque ;
- la publicité anti-tabac n'a pas d'influence sur les fumeurs, elle ne leur enlève pas le besoin de fumer ;
- la publicité sur l'alcool au volant a moins contribué à faire baisser le phénomène de l'ivresse au volant que la crainte de perdre son permis de conduire.

À toutes les accusations énoncées dans la section 12.2, l'Association canadienne des annonceurs oppose quatre grands principes qui régissent toutes ses interventions auprès des instances gouvernementales. L'encadré 12.4 présente ces quatre principes et les positions défendues au nom des ces principes.

Encadré 12.4   Les principes de l'Association canadienne des annonceurs

1. Les annonceurs doivent se comporter de façon responsable.

Les annonceurs comprennent et acceptent que leur droit d'annoncer des produits et services légaux soit accompagné de la responsabilité d'en faire la publicité de façon appropriée et selon des normes acceptées par tous.

- L'ACA croit que l'autoréglementation de l'industrie est dans le meilleur intérêt de tous les Canadiens. Cette politique d'autoréglementation existe pour s'assurer que les droits fondamentaux et les valeurs sociales des Canadiens sont non seulement reconnus, mais aussi protégés.

- Les annonceurs font déjà preuve de responsabilité en adhérant au *Code canadien des normes de publicité* — l'outil principal d'autoréglementation de l'industrie de la publicité au Canada.

- Le *Code canadien des normes de publicité* n'est qu'un des nombreux codes et principes directeurs de l'industrie. Par exemple, il existe des normes pour la représentation des personnes, la publicité faite aux enfants et l'étiquetage des produits alimentaires, pour n'en nommer que quelques-uns.

2. Les annonceurs ont droit à la libre expression.

La position de l'ACA se résume ainsi :

- les fabricants de biens et services légaux ont droit légal et fondamental à la liberté d'expression en vertu de la Charte des droits et libertés ;

- les consommateurs ont le droit de faire des choix éclairés ;

- l'autoréglementation est préférable à la réglementation gouvernementale parce qu'elle est plus démocratique et plus efficace.

---

13. Source : <www.adbusters.org>, site visité le 9 septembre 2005 .

14. Sondage : « La publicité est-elle manipulatrice ? », *La Presse*, 9 septembre 1998, p. D20.

- Dans ce monde de communications en évolution rapide, ce sont les conditions du marché qui devraient prévaloir, et non le protectionnisme.

Spécifiquement :

- L'ACA ne croit pas qu'il est raisonnable pour un gouvernement de permettre à des entreprises de fabriquer et de vendre des biens et services légaux et de percevoir des taxes, puis leur imposer des restrictions dans leurs façons de les faire connaître.

- L'ACA défend avec vigilance la liberté d'expression commerciale des annonceurs.

- La publicité, y compris celle de produits que nous n'aimons pas, constitue un aspect de la liberté d'expression, et cette liberté d'expression est une des plus grandes valeurs de notre société.

3. Les annonceurs contribuent de façon importante à l'économie et à la culture canadiennes.

On estime que la publicité, sous toutes ses formes, représente un investissement annuel de 10 milliards de dollars dans l'économie canadienne.

L'ACA représente plus de 200 annonceurs d'envergure dont les ventes annuelles dépassent les 350 milliards de dollars.

La publicité est la principale source de revenus des diffuseurs canadiens. Par exemple, l'achat de temps de publicité à la télévision représente environ 2,5 milliards de dollars annuellement.

Il se dépense environ 325 millions de dollars par année en création et en production de messages télévisés. Les sommes qu'en tirent les artistes, les metteurs en scène et les techniciens qui œuvrent aussi à l'industrie du film et de la télévision canadienne constituent une partie vitale de leur revenu.

Spécifiquement :

- La publicité joue un rôle important dans la vie culturelle et économique des Canadiens.

- Les revenus publicitaires font vivre les diffuseurs canadiens. Les annonceurs paient pour la production et la livraison dans les foyers canadiens d'émissions de divertissement, d'information et d'éducation. Les annonceurs font aussi vivre les journaux, les magazines et même des films et des sites Internet.

- Les messages publicitaires reflètent notre façon de vivre. Ils constituent un moyen fort pour transmettre nos valeurs, nos traditions et notre mode de vie aux nouveaux citoyens et aux générations futures.

- Les messages produits à l'échelle locale aident à affirmer notre identité et à promouvoir l'unité nationale.

4. Les annonceurs soutiennent une économie concurrentielle et active.

Le protectionnisme impose une surprime, que ce soit en termes de coûts plus élevés ou d'accès limités aux moyens de communications.

L'ACA reconnaît, respecte et soutient les initiatives gouvernementales visant à encourager et à renforcer le nationalisme canadien, et l'identité propre à chaque communauté, et le contenu de chacun dans tous les médias pour le bénéfice de la culture canadienne et de ses communautés. Toutefois, ce soutien gouvernemental devrait se matérialiser sous forme de subventions ou de remises d'impôts plutôt que de protectionnisme.

L'ACA préfère se soumettre aux forces du marché qui offrent un plus grand choix de médias aux consommateurs, qu'il s'agisse de publicité à la télévision ou à l'extérieur, de publicité dans les journaux, dans les magazines ou dans Internet.

La concentration de la propriété des médias peut entraîner une hausse des prix de la publicité qui éventuellement est refilée aux consommateurs, ou peut entraîner une réduction de la publicité, ce qui diminue les sources d'information des consommateurs à propos des biens et services.

L'ACA croit que :

- S'en remettre plus largement aux forces du marché ne signifie pas le laisser-aller d'une identité canadienne et communautaire forte et riche.

- Notre habileté à protéger la culture en limitant l'accès aux moyens de communication devient de plus en plus difficile. L'internet en constitue un très bon exemple.

- Dans ce monde de communications en évolution rapide, ce sont les conditions du marché qui devraient prévaloir, et non le protectionnisme[15].

---

15. Source : Association canadienne des annonceurs, <www.aca-online.com>, site visité le 29 juin 2005.

12.3 LA RÉGLEMENTATION ENCADRANT LA PUBLICITÉ

12.3.1 Les Normes canadiennes de la publicité (NCP)

Les Normes canadiennes de la publicité sont un organisme sans but lucratif qui regroupe plus de 170 entreprises membres, soit des annonceurs, des agences de publicité, des médias et des fournisseurs de l'industrie de la publicité. Cet organisme, mis sur pied par l'industrie, a comme mission d'« assurer l'intégrité et la vitalité de l'industrie grâce à son autoréglementation[16] ». Il administre aussi le *Code canadien des normes de la publicité*, traite les plaintes des consommateurs et des groupes d'intérêt particulier contre la publicité, et administre également les litiges entre les annonceurs.

Le *Code canadien des normes de la publicité* contient les critères d'évaluation permettant de déterminer si une publicité est acceptable ou non. Les plaintes de consommateurs sont soumises à l'un des conseils nationaux ou régionaux, dont les bureaux sont situés à Vancouver, Calgary, Toronto, Montréal et Halifax. Ces conseils sont formés de membres de l'industrie et de représentants des consommateurs qui y siègent bénévolement. Les plaintes sont également évaluées selon les critères définis par les *Lignes directrices sur les femmes et les hommes dans la publicité*. L'encadré 12.5 en présente le contenu.

En 2004, NCP a traité 1 540 plaintes de consommateurs, dont 939 concernaient des messages publicitaires télévisés et 178, l'affichage extérieur, les autres médias se partageant le reste. De ce nombre, 81 plaintes portant sur 55 messages ont été jugés contraires aux normes de la NCP.

Encadré 12.5 Les lignes directrices sur les hommes et les femmes dans la publicité

1. L'autorité

La publicité devrait tendre à la représentation égale de femmes et d'hommes dans des rôles d'autorité, que ce soit dans le choix des personnages à intégrer dans un scénario de publicité, ou dans le choix du porte-parole de l'annonceur : ce pourra être un animateur ou une animatrice qui prêtera sa voix hors champ, ou qui jouera à l'écran le rôle d'un expert ou d'une experte, ou encore d'un ou d'une spécialiste.

2. Les prises de décision

Les femmes et les hommes devraient être représentés également comme décideurs(es) individuels(elles), au niveau des achats, y compris les achats coûteux. Dès que la mise en scène met en présence des hommes et des femmes, les deux devraient être engagés à part entière dans le processus de décision illustré, que ce soit dans le contexte du travail ou celui du foyer.

3. La sexualité

La publicité devrait éviter l'utilisation inappropriée de la sexualité ou son exploitation.

4. La violence

Aucun des deux sexes ne doit être présenté dans un rôle de domination face à l'autre, par le biais de menaces explicites ou implicites, ou par l'exercice évident de la force.

5. La diversité

La publicité devrait présenter les femmes et les hommes dans un éventail complet d'occupations diverses et tout aussi compétents les uns que les autres, que ce soit au foyer ou à l'extérieur.

6. Le langage

La publicité doit éviter tout langage qui représente de façon négative, offense ou exclut les femmes ou les hommes[17].

---

16. Source : <www.adstandards.com>, site visité le 30 juin 2005.

17. Source : <www.adstandards.com/fr/standards/genderPortrayalGuidelines.asp>, site visité le 30 juin 2005.

12.3.2 Le Conseil de la radiodiffusion et des télécommunications canadiennes (CRTC)

Le CRTC, dont il a déjà été question au chapitre 10, est un organisme public autonome, chargé de délivrer les permis de diffusion, de réglementer les pratiques du milieu et de surveiller les entreprises canadiennes de radiodiffusion et de télécommunications, dans le but de servir l'intérêt public. En plus de fixer les quotas de contenu canadien aux stations de radio et aux chaînes de télévision, son autorité porte sur certains aspects de la publicité, notamment :

- le temps d'antenne alloué à la publicité, qui est limité à 12 minutes par heure ;
- la durée d'une infopublicité, qui doit être supérieure à 12 minutes.

12.4 LA *LOI SUR LA PROTECTION DU CONSOMMATEUR*

En vigueur au Québec depuis 1980, cette loi impose plusieurs restrictions à la pratique des publicitaires. Notamment :

- elle interdit la publicité destinée aux enfants de moins de 13 ans ;
- elle oblige le commerçant à préciser les quantités en stocks lorsque le message publicitaire annonce une promotion ;
- elle interdit au commerçant de faire mention, dans son annonce, des facilités de crédit pour mousser la vente de son produit.

Ces restrictions ne s'appliquent toutefois pas à la publicité faite sur les lieux de vente.

RÉSUMÉ

La publicité est-elle un bienfait ou un fléau social ? Dans un premier temps, nous avons montré qu'elle peut être un bienfait. Ainsi, la publicité se met parfois au service des grandes causes humanitaires, comme dans le cas de la publicité sociétale. L'expression « publicité sociétale » désigne toute communication qui vise à sensibiliser l'opinion, à éduquer ou à faire changer des attitudes. Les différents paliers de gouvernement font de la publicité sociétale, par exemple contre l'alcool au volant ou la violence faite aux enfants. D'autre part, certaines grandes entreprises veulent projeter l'image de bons citoyens et réalisent aussi de la publicité sociétale. La commandite sociétale désigne le cas des entreprises qui aident un organisme de façon plus discrète. Dans ce type de commandite, les bénéficiaires ne sont pas nécessairement des acheteurs potentiels des produits ou services de l'entreprise.

Mais la publicité est aussi considérée par certains comme un fléau social. La publicité subliminale est l'un des aspects négatifs de la publicité. Dans ce type de publicité, on inscrit un message particulier sur une image et on l'insère parmi les 25 qui défilent chaque seconde sur un écran (dans le cas de la télévision) ; cette image est saisie par l'œil, qui la transmet au cerveau sans que le sujet en soit conscient, le stimulus étant trop faible pour passer le seuil de la perception. Nous avons donné quelques exemples de publicité subliminale pour la télévision et pour l'écrit. Nous avons aussi présenté succinctement les résultats d'une étude portant sur ses effets. D'autre part, le placement de produit dans les émissions et les films, pratique en plein essor, peut s'apparenter à de la publicité subliminale et certains le considèrent comme encore plus sournois, car il joue sur le fait que certains spectateurs veulent ressembler au héros de l'œuvre de fiction qu'ils écoutent.

Certaines publicités sont de mauvais goût ou carrément offensantes. Nous en avons d'ailleurs présenté quelques exemples. Ces messages sont habituellement l'objet de plaintes et certains finissent même par être retirés des ondes à la suite de ces plaintes. La publicité est aussi accusée d'entretenir des stéréotypes sexistes. Nous avons présenté les critères qui permettent de dire si une publicité est sexiste ou non ; le sexisme en publicité peut d'ailleurs diminuer tant les hommes que les femmes.

La publicité est aussi accusée de tromper le consommateur et d'être mensongère. Nous avons expliqué que plusieurs entreprises se soumettent volontairement à des normes d'éthique commerciale édictées dans un code de déontologie. Une autre des accusations lancées contre la publicité est qu'elle représente un gaspillage éhonté et crée des besoins artificiels. En réponse à ces accusations, nous avons exposé les principes de l'Association canadienne des annonceurs qui prône une autoréglementation pour ses membres.

Finalement, nous avons présenté les différents organismes de réglementation en matière de communication commerciale. Entre autres, il a été question des Normes canadiennes de la publicité, un organisme sans but lucratif qui regroupe plus de 170 entreprises membres (annonceurs, agences de publicité, médias et fournisseurs de l'industrie de la publicité). De plus, nous avons rappelé le rôle du CRTC et présenté quelques restrictions à la communication commerciale apportées par la *Loi sur la protection du consommateur*.

Dans ce dernier chapitre, nous n'avons pas voulu prendre position dans ces débats ; au contraire, il nous semblait important de présenter les pour et les contre, et de laisser les lecteurs faire leur propre réflexion.

QUESTIONS DE DISCUSSION

1. Quelle est la différence, dans le cas d'une publicité sociétale pour une entreprise, entre le type altruiste et le type égocentrique ? Donnez un exemple de chaque cas.

2. Lorsque le gouvernement québécois annonce une modification sur la loi de l'impôt, fait-il de la publicité sociétale ? Quel en est le type particulier ? Expliquez vos réponses.

3. Qu'est-ce que la publicité subliminale ? Est-elle vraiment efficace ? Est-elle permise ? Expliquez vos réponses.

4. On accuse souvent la publicité d'entretenir des stéréotypes sexistes. Dans quelle mesure cette affirmation est-elle vraie ? Présentez les deux types de sexisme dont la publicité est accusée pour construire votre réponse.

5. Quel est le rôle des Normes canadiennes de la publicité ? Donnez un exemple.

6. Quels sont les recours possibles dans le cas d'une publicité mensongère ? Quels sont-ils dans le cas d'une publicité discriminatoire ?

EXERCICES

1. La classe se sépare en deux groupes : l'un des groupes réunit les étudiants qui considèrent que la publicité devrait être bannie et l'autre, ceux qui trouvent que ses effets sur la société sont positifs. Lorsque chaque groupe a préparé ses arguments pour défendre sa thèse, un débat en plénière oppose les deux points de vue. On conclut le débat par une synthèse. (Cet exercice peut servir de déclencheur au début d'un cours.)

2. Sélectionnez une publicité que vous considérez offensante et présentez-la à la classe en expliquant pourquoi vous la trouvez offensante.

3. Si vous faisiez partie du jury du concours Éméritas, quelle campagne publicitaire devrait se mériter le premier prix cette année ? Pourquoi ?

INDEX

C